La Reina

Pilar Urbano

PLAZA & JANES EDITORES, S. A.

Diseño de la portada: Dpto. Artístico de Plaza & Janés
Fotografía de la portada: © Juan Carlos de Borbón y Borbón

Copyrights de las fotografías interiores: Casa Real de España
(fotos cedidas en exclusiva para esta edición); Enrique
Meneses; EFE; Contifoto; Zardoya; archivo Plaza & Janés

Primera edición: noviembre, 1996

© 1996, Pilar Urbano
Editado por Plaza & Janés Editores, S. A.
Enric Granados, 86-88. 08008 Barcelona

Printed in Spain – Impreso en España

ISBN: 84-01-37555-X
Depósito legal: B. 44.147 - 1996

Fotocomposición: Alfonso Lozano

Impreso en Printer Industria Gráfica, s. a.
Sant Vicenç dels Horts (Barcelona)

L 37555 X

El rey no gobierna, pero reina.
La reina no gobierna y no reina;
pero... es la mano que cuida del trono.

AGRADECIMIENTOS

A Su Majestad la reina Sofía, que me dio su confianza y su tiempo. Sin ella, yo no hubiese podido ni querido hacer este libro.

A Su Majestad el rey Juan Carlos y a Su Majestad el Rey Constantino II de Grecia, que me recibieron y me hablaron de la reina.

A sus Altezas Reales Irene de Grecia y Tatiana de Radziwill, que me contaron tantas pequeñas y grandes cosas.

A Laureano López Rodó, Carmen Iglesias, Montserrat Caballé, Carmen Alborch, Cristina Alberdi, Gustavo Suárez Pertierra y Federico Mayor Zaragoza, que me han facilitado una valiosa información de sus propias vivencias cerca de la reina.

A las personas de la Casa de Su Majestad, que supieron hacerme inverosímiles huecos de la llenísima agenda de la reina.

A Amparo Zapatero, que fue discreta y eficaz intérprete con alguno de mis interlocutores.

Y, como siempre, al lector que toma este libro en sus manos y me da la atención de su lectura.

La autora

I

Antiquam exquirite matrem.[1]

Virgilio, *Eneida*.

Me lo acaban de advertir abajo, en el control, pero aun así me sorprende. No esperaba encontrármela ahí, de pronto, en una revuelta del camino. Quieta en el arcén. Más que quieta, inmóvil. Piso levemente el freno. Pero llevo el coche muy acelerado, así que meto doble embrague y reduzco a tercera, a segunda... Tan azarada estoy –más que nada, porque vengo viendo varias señales rojas y blancas de prohibición, con un 40 como una casa–, que desearía tragarme en dos bocanadas toda la descarga de reprís del motor. La aguja del velocímetro baja, desplomada, a 70, a 50, a 20... Respiro. Todavía avanzo un tramo más, muy lentamente. Ella no se mueve. Me mira, de lejos, como si estuviese esperándome. ¿Cuánto tiempo llevará ahí? Ahora son las cinco menos diez de la tarde. La luz del sol de julio, cruda, blanca, casi cenital, platea su silueta y me la confunde con la arboleda. Siempre se me olvidan las gafas de sol. Estaremos a unos cien metros. Dudo si hacerle una señal con el claxon o con las luces. Una señal, para que sepa que la he visto. Pero no me atrevo. Me parece que el solo runruneo del motor, rompiendo el silencio de la siesta, es ya una injerencia en casa ajena. Más: como cuando, en mis tiempos de colegiala, hacía incursiones oliscanas y temerarias por la zona de clausura de las monjas. También ahora, me siento invasora y forastera en un coto de privacidad improfanable, y sin embargo indefensa. Esta impresión ya la he experimentado alguna otra vez, recorriendo este mismo trayecto de asfalto, por entre el bosque de pinos, de hayas y de en-

1. Buscad a vuestra madre antigua.

cinas que va desde el control de la Guardia Real, abajo, en Somontes, hasta el palacio de La Zarzuela.

La idea de tocar el claxon o de hacerle un guiño de luces largas es más bien para salir del desconcierto. No sé ni qué tengo que hacer yo, ni qué piensa hacer ella. Sigo acercándome despacio, fingiendo naturalidad, sin dejar de observarla. Realmente es alta, esbelta y elegante. Majestuosa. Como una estatua de sí misma.

Cuando llego a donde ella está, detengo el coche. Me llaman la atención sus ojos, grandes y bellísimos. Y su mirada suave, pero altiva. No pestañea. Me mira fijamente. Pienso: «Está claro que, de las dos, es ella la que domina la situación.» Apoyada en el volante, le sonrío. Incluso inclino levemente la cabeza, como un saludo. Espero. No hace ademán de nada. Sabiendo que no puede oírme, le digo: «¡Qué! ¿Haciendo autostop por tus dominios? ¿O sólo quieres cruzar al otro lado? Bien... te cedo el paso, pero ¡decídete de una vez!» Y me acuerdo de algo que relata la reina Federica de Grecia en sus *Memorias*: durante el crucero de las familias reales a bordo del *Agamemnon*, todo funcionaba de maravilla, según ella lo había previsto. Todo, excepto un pequeño pero irresoluble problema: había tantas reinas a bordo, y eran tan correctas unas con otras, que, si coincidían al llegar ante una puerta, podían estarse allí un largo rato, cediéndose el paso recíprocamente, sin querer cruzar ninguna antes que las demás.

Meto la primera y acelero con ímpetu, para salir de una vez de tan estúpido *impasse*. Y, justo en ese momento, la cierva se arranca en un salto inverosímil: una acrobacia horizontal, atravesando la carretera de lado a lado. Veo su cabeza, sus lomos y sus patas, por los aires, a un palmo de mi parabrisas. Y noto la estridencia metálica cuando me araña todo el capó con sus pezuñas traseras. En efecto, ahí quedará la huella, como una cenefa extraña, de muy difícil comprensión para el tomador de mi seguro de vehículos.

Sigo mi ruta, carretera arriba. Tengo audiencia con la reina. Sabe que me gustaría escribir un libro sobre ella y ha accedido a recibirme. Nadie me ha dicho si ésta va a ser la primera de una serie de conversaciones, o si va a ser la única. Quizá ni ellos mismos lo sepan. Su secretario, el coronel José Cabrera, me ha dejado caer una advertencia muy orientadora: «Conociendo a la reina, creo que de este encuentro puede depender que cuentes o no cuentes con su ayuda para tu libro. Es muy celosa de su intimidad. Si pisas un terreno en el que no admite que se inmiscuya nadie, lo notarás enseguida: no te dirá nada, pero cambiará de expresión, o hablará de otra cosa. Si logras que, sin sentirse forzada, se te confíe, entonces ella misma tendrá interés en contarte tal, en aclararte cuál, en abrir sus cajitas y buscar fotos, cartas...»

Me hace gracia lo de «sus cajitas». En realidad, ¿quiero escribir ese libro? No lo sé. La reina, como personaje, me atrae. Provoca mi curiosidad. Me interesa. Y hace años que vengo observándola de lejos.

Empezó a interesarme durante un viaje al País Vasco. Aquel dificilísimo primer viaje, en febrero de 1981. Adolfo Suárez acababa de dimitir. La Presidencia del Gobierno estaba vacante. ETA asesinaba con más ensañamiento que nunca. Y los militares golpistas ultimaban los detalles de su asonada.

Había que echarle arrestos de valor a ese viaje de crónica esquizoide. ¿Esquizoide? Sí, porque mientras en Loyola volteaban jubilosas y magníficas las campanas de todas las iglesias saludando a los reyes, unas agresivas pintadas en las paredes de Vitoria les decían ¡fuera!, ¡largo de aquí!, ¡a la calle! Literalmente, *Erregeak, kampora!* Esquizoide, sí, porque en la plaza Moyua de Bilbao las muchedumbres les aclamaban ondeando banderitas rojigualdas; pero a continuación, en Azkoitia, desplegaban enormes ikurriñas, gritando feroces *Gora Euskadi Ta Askatuta! Gora ETA!* Esquizoide, insisto, porque lo presencié: unos vascos, en el valle de Atxondo, demandaban al rey con voces broncas y gestos hostiles «¡Danos las doscientas millas libres!» o «¡Devuélvenos a nuestros presos!»; mientras otros vascos, los *proletas* obreros de Altos Hornos, mono y casco, en Baracaldo y en Sestao, se arracimaban para fotografiarse con él.

Recuerdo que acababa de aterrizar el DC-8 de los reyes en el aeropuerto de Foronda.[1] Hacía un frío del diablo. Busqué a Sabino Fernández Campo, para darle esta información, en un discreto aparte: «Supongo que estáis al cabo de la calle de las dificultades de este viaje; pero tengo unos datos de hace un cuarto de hora: Mario Onaindía me ha dicho: "Mañana va a haber un follón gordo en Gernika. Y yo le plantearé al rey el tema de los indultos para nuestros presos." Y Letamendía[2] me lo ha corroborado: "Estaremos presentes, pero en actitud de rechazo. No a la persona del rey: al Estado que él dice que encarna y representa. Ese Estado no nos ha devuelto ni nuestra libertad, ni nuestra democracia, ni nuestra soberanía." Me permito sugerir que mañana, para el acto en la Casa de Juntas de Gernika, el rey lleve un plus de texto de emergencia, por si se ve obligado a variar en algo su discurso.»

Ciertamente, al texto oficial le agregaron un folio con sólo diez líneas mecanografiadas... en el último momento.

Fijo ahora la lente del recuerdo. Han pasado más de catorce años, pero no hay borrosidad. Lo evoco con nitidez: la Casa de Juntas de Gernika es un recinto pequeño. Esa mañana está abarrotada de gente hasta los topes del techo. No cabe un alfiler ni en los bancos de los junteros ni en las tribunas. Yo me he ubicado bien: apretujada como piojo en costura; pero en un alto balconcillo desde el que veo toda la escena y, abajo, justo en mi perpendicular, el estrado presidencial donde están los reyes y las autoridades vascas: Macua, Pujana y Garaikoetxea.[3]

---

1. Foronda (Vitoria), 3 de febrero de 1981.
2. Mario Onaindía y Francisco Letamendía militaban entonces en Euskadiko Eskerra.
3. Macua era el presidente de las Juntas Generales. Pujana, presiden-

El rey va hacia el atril. Apenas ha despegado los labios –«Siempre había sentido el anhelo de que mi primera visita como jefe del Estado a esta entrañable tierra vasca...»–, cuando una veintena de herribatasunos, descamisados y barbados, se alzan en sus asientos del graderío y, puño en alto, inmóviles, mirando al frente como iluminados, se ponen a cantar el *Eusko gudariak*, de los viejos luchadores vascos. Calla el rey. Un escalofrío de tensión y de temor incierto nos estremece a todos. La reacción es súbita. Unánime. Compacta. Dos, tres centenares de políticos, de todas las «políticas» allí concertadas, rompen a aplaudir. Estalla una ovación caliente y maciza como un pan, incesante y trabada como una cordillera. Dura... y dura... y dura... lo cuento mirando mi reloj: siete, nueve, diez, ¡doce minutos de aplausos y aclamaciones! Cuando rodó en la guillotina la cabeza de Robespierre, Francia se frotó las manos y aplaudió durante cinco minutos. Si aquella ovación marcó un hito en el registro de los delirios populares, ésta de Gernika –pienso yo desde el balconcillo– es de Guiness. Claro que, mientras unos aplauden y vitorean al rey, los otros siguen con su *Eusko gudariak*, sacando pecho, y roncos ya de tanto repetirlo. Es una batalla de voces y sonidos, un parlamentarismo de manos y gargantas, un ejercicio de retórica sudorosa, jadeante, tremenda.

Pero no se le crispa el rostro al rey. Ni a la reina, sentada a su lado, se le desvanece la sonrisa. Don Juan Carlos, en pie, firme, enhiesto como un mástil, le echa redaños, y domina el encrespado temporal sin mover un músculo. De pronto, se arranca con un gesto de humor borbón: gira la cabeza hacia los bronquistas de HB y, poniéndose una mano detrás de la oreja, como para oír mejor, les dice: «¡Cantad más alto hombre, que con tanto aplauso no se os oye!».

El momento más dramático pasa inadvertido a casi todos. Yo lo capto gracias a mi alto emplazamiento: un ayu-

---

te del Parlamento Foral, y Garaikoetxea, presidente –*lehendakari*– del Gobierno autonómico vasco.

dante militar del rey, alarmado por la tensión que se está desarrollando, se lleva la mano al cinto, y desabrocha la funda negra de cuero de su pistola reglamentaria. Alguien a su lado, un civil, le agarra la mano con fuerza, y le impide seguir... Me parece entender un apremiante «¡no sea usted loco!». Si ese militar llega a desenfundar y alguien ve la pistola... ¡no quiero ni pensar la que se arma aquí!

La reina, digo, mantiene su sonrisa, sin alterar la serena expresión de su rostro. No sé, quizá porque es griega, ese aguante inmóvil me hace evocar las cariátides. El torso erguido. Estatuaria, como si ni siquiera respirase. Las manos prietamente entrelazadas... La he observado de cuando en cuando, en estos doce intensos minutos. Y siempre está igual: imperturbable, impávida. Llego a pensar si será una reina sin emociones, una mujer de cartón piedra. Miro esas manos otra vez. No son manos laxas, flojas, abandonadas, olvidadas de su dueña... No, no. Son manos fuertes, grandes, recias. Y presentes. Muy presentes. Son manos que tienen mucho que ver con su persona. Y me atrevo a suponer que, pese a su aparente quietud, están trabajando. Es más, intuyo que en este preciso momento son la dinamo que suministra a la reina su carga y recarga de entereza.

Cierto. Así es: cuando, a una orden de Garaikoetxea, entran los *ertzainas* y sacan a empellones y a rastras a los «chicos cantores» de HB, justo en ese instante la reina desenlaza sus manos. Respira hondo. Se relaja. Y entonces sé que, de cartón piedra, nada. ¿Que por qué lo sé? Pues... porque en ambos dorsos de esas manos veo las marcas profundas que han dejado ahí sus propias uñas. Desde aquí arriba, a plomada vertical, hasta puedo contarlas: junto a las falanges, cinco pequeñas ondas en una mano y cinco en la otra. Diez incisiones que dentro de un rato habrán desaparecido, pero que ahora mismo están ahí, delatando un esfuerzo imponente de autocontrol. Y yo tomo buena nota.

Van los reyes, en distintos momentos de ese mismo viaje, a unos cuarteles de Basurto y de Basauri. Uno de policías nacionales, y otro de guardias civiles. No sé en cuál de ellos, la reina quiere ver «el bar o la cafetería o la cantina, si tienen...». Se arma un poco de revuelo, porque no está previsto enseñarlo. Y enseguida se brindan a traerle «café, té, un refresco...». Pero ella no quiere tomar nada: «Sólo me interesa ver cómo está: si hay barajas, dominó, futbolín, televisión...» Después, pide «si es posible conocer las casas de los guardias». Ahí, las mujeres, más audaces y sin remilgos: «Venga *usté* por aquí, señora Reina, doña Sofía.» Y, en éstas, la reina se asoma a un patio de luces, al que dan los traseros de ésas y de otras viviendas de vecindad: balconcillos de hierro oxidado, bombonas naranja de gas butano, cajas, trastos, un inverosímil gallinero, un armario con el espejo de luna roto, una cofradía de escobones y fregonas colgantes, y ropa tendida por todas partes. Observa la reina que, en los tendederos de las casas donde viven guardias civiles, hay muchas sábanas y colchas tendidas. Se extraña. Pregunta. Una de las mujeres levanta con remango la sábana que tiene más a mano, dejando a la vista lo que hay debajo: calcetines, camisas y pantalones verde-caza, del uniforme de faena. Ya saliendo, ella misma, con estupor, nos da la explicación: «¡Tapan los uniformes, para que los vecinos no sepan que ahí vive un guardia civil...!» Y yo sigo tomando buena nota.

Todavía otro apunte de ese mismo viaje. Han sido jornadas muy tensas. Los pescadores *arrantxales* de Fuenterrabía les han formado un rústico arco de honor con los remos en alto; pero las mujeres de Ondárroa les han abucheado a gritos de *Gora ETA!* Socialistas republicanos, como Txiki Benegas, Ramón Rubial, Ricardo G. Damborenea, o incluso comunistas como Roberto Lertxundi, han sacado la cara por el rey; pero el abertzalismo joven y radical de EE y de HB ha blandido durísimas pancartas de rechazo al paso del coche azul de los reyes, por las calles de Bilbao. Al atardecer del último día hay un acto religioso en Loyola, la de san Ignacio. Los reyes ocupan un sitial noble dentro del templo. Enfrente, en otro, el obispo José María Setién. Fuera llueve. Las campanas voltean su bronce provocando a los truenos. Dentro, suena en el órgano un fragmento de *La Pasión según san Mateo*, de Bach. Concluida la ceremonia, todo el mundo se dispone a salir en cortejo con los reyes. Entonces, la reina hace una discreta señal con la mano a monseñor Setién, para que se acerque al sitial de ellos. El obispo, revestido con su púrpura y su sobrepelliz de encaje, va donde la reina. Ella le dice algo al oído. Regresa Setién a su solio. Toma el micrófono: «Me pide su majestad la reina que permanezcamos en nuestros asientos, hasta que termine esta maravillosa partitura de Bach. Hemos vivido momentos de emoción y de tensión nada fáciles; y a todos nos vendrán muy bien unos minutos de serena meditación.»

Seguí «tomando nota», seguí observando. Y así, hasta ahora. Tengo un montón de indicios haciéndome señales de que, bajo el empaque de la realeza y los cartonajes y oropeles del protocolo, puede haber alguien de carne y hueso, con un espesor humano importante, con una atractiva identidad. No sabría decir por qué, pero sospecho que la reina, de cerca, gana mucho. Y que vale la pena intentar cierta cercanía.

Ése es el envite: acercarse a la reina y, levantando el velo de lo regio, descubrir a la mujer. Si hay personaje, por fuerza tiene que haber libro.

Además, como tantos españoles, creo que esa mujer, puertas adentro de su casa, «callando y tejiendo», desempeña un papel cardinal, de quicio, de rodrigón, de soporte firme en el que se apoya una familia... que no es una familia cualquiera. La Corona, como institución, no es un trono, ni un cetro, ni un rey: es la *familia real*.

Siempre me sorprende la perfecta ubicación de la reina, asegundada en un plano de fondo, detrás del rey, y ayudándole en su protagonismo. Un segundo plano, sin guión, sin voz, en el que cualquier otra persona quedaría desdibujada, eclipsada, gris. No así la reina. Por mucho que difumine su fuerte personalidad, ella tiene luz propia. No es lo mismo cuando está que cuando no está. Más diría: su sola presencia da realce a la presencia del rey.

En estos tiempos de striptease en papel couché, y mercachifleos de intimidades regias, quizá no sea la menor virtud de doña Sofía haber guardado intacta su carga de enigma. Y ésa es precisamente la almendra de la paradoja: pese a su notoriedad y a su relevancia mundial, la reina sigue siendo una figura inexplorada, incógnita. Intuida y admirada a distancia, pero desconocida. Muy pocos saben qué piensa, qué siente, qué opina. Muy pocos conocen a qué suena su risa, el color de su piel vista de cerca, su sentido del humor, la textura de su carácter, si es una mujer hosca o afable, si mediterránea o germánica. Apenas una docena de enterados serían capaces de escribir sus impronunciables apellidos de origen: Schleswig Holstein Sondenburg Glücksburg... Apellidos sobre los que el rey Juan Carlos, en tono bromista de cuarto de estar, hace una guasona onomatopeya de imitación: «Tú eres una Schweppsss... Jofjofjofjofff... Glucgluc... Yo, en cambio, un Borbón y Borbón y Borbón y mil leches.»

Tenemos la imagen, sí. Un álbum con cientos de millares de imágenes, en todos los escenarios de la actualidad, con trajes de todos los tonos y colores, saludando a todas las celebridades del mundo... Pero ¿qué sabemos de ella? Aparte de esos cuatro tópicos de *la gran profesional*, *la princesa endurecida en el exilio*, *la mujer discreta que sufre en silencio*, o *la guardiana de la Corona*, ¿qué noticia fiable tenemos –noticia doméstica, noticia emanada de dentro a fuera, como la luz de los iconos– que nos deletree los rasgos de identidad de esa mujer, nacida griega, que lleva tantos años –desde 1962– tejiendo y anudando por la cara de atrás el tapiz de la historia de España?

Sin embargo, no subo hoy a La Zarzuela porque tenga apalabrado un libro sobre la reina. Los reyes y las reinas no creo yo que apalabren libros con nadie. Subo porque tengo lo único capaz de movilizar al periodista que lo es de veras. Exactamente, tengo una pregunta. Una muy buena pregunta: *¿quién es la reina?*

Y voy flechada a buscar la respuesta.

He cruzado un puentecillo de piedra. Al otro lado hay cuatro soldados de la Guardia Real vestidos con traje caqui de faena y tocados con boina azul. Por el walkie–talkie han debido de advertirles de mi llegada. Se cuadran y me dan el paso. A partir de ahí arranca una empinada cuesta, en curva y contracurva muy cerradas, que lleva hasta palacio.

Mientras aparco, echo una ojeada rápida alrededor. Lo conocía, pero se me había olvidado. No sé por qué, estos lugares se olvidan de una vez para otra. Está muy cuidado el césped. Los árboles aquí arriba son abetos, secuoyas, chopos, sauces... El edificio, de ladrillo rojo visto, granito gris y pizarra marengo, sigue las sobrias líneas herrerianas. No hay balaustradas solemnes, ni escalinatas de piedra, ni esculturas de mármol, ni fuentes de *aguas nemorosas*, ni escudos de armas en la fachada. Nada. Ni un adarme de ostentación del abolengo. Sólo extremando el concepto de *palacio*, se puede llamar palacio a éste de La Zarzuela.

El pabellón original es del XVIII, aunque la orden de construirlo fue anterior: la dio el cardenal-infante don Fernando José, hermano de Felipe IV. Los reyes Carlos IV y Fernando VII lo utilizaban como pabellón de caza y recinto de esparcimiento cultural. Aquí –lugar de matorrales y zarzas– se estrenaron las primeras piezas teatrales de un género, típico español, que combina el recitado en prosa y el canto en verso: las zarzuelas. Durante la guerra civil de 1936, el palacete quedó derruido casi por entero. En 1958, Franco mandó reconstruirlo para que, llegado el día, fuese residencia del príncipe Juan Carlos.

Hay personal de servicio en el zaguán de la puerta: algún camarero con guantes y chaquetilla blanca, algún criado de librea, algún policía de paisano, algún encargado de protocolo... Uno de los de librea, muy serio, amagando una inclinación de cabeza entre reverencial y condescendiente –¡ah, el señorío de los mayordomos!– me indica que le siga –«por favor, doña Pilar...»– escaleras arriba.

Me han hecho pasar a la zona de la reina. La antesala donde espero es una pieza pequeña –¿qué tendrá?, ¿tres por tres y medio?–, pero parece amplia y luminosa. Hay tres sofás blancos, bajos y largos, de estilo funcional. Las paredes están tapizadas en tela a rayas finas de tonos verdes tenues, del manzana al turquesa. Los cojines, a juego. Las luces halógenas, indirectas. Y, dando al jardín, un ventanal corrido a todo lo largo del muro. De ahí viene la impresión espaciosa. En una de las paredes hay un óleo en el que la reina, vestida con un traje rojo y blanco de faralaes, como un clavel reventón, avanza de frente, a lomos de una jaca enjaezada a la andaluza, en la romería del Rocío. En una hornacina hay una pareja de danzantes thailandeses en porcelana. En otra, un *Rapto de Europa*, muy estilizado, también de porcelana, en colores grises y azules. Libros de arte, sobre una mesa baja de metacrilato. Y, distribuidos por varias repisas de cristal, pequeños bibelots, copas de plata de alguna exposición canina, y seis fotografías: en cuatro de ellas, aparecen don Juan Carlos o doña Sofía jugando con sus hijos, todavía pequeños; las otras dos son instantáneas de los reyes con el papa Juan Pablo II. Son fotos de hace veinte años, y empiezan ya a decolorarse.

Supongo que todo en esta salita ha sido elegido, y puesto donde está, por la propia reina. Así pues, si no renueva las fotografías, si no las actualiza, será porque le gustan ésas. Ésas, y de esos años. Pienso también que doña Sofía ha querido ofrecer a sus visitas dos imágenes de su españolización: vestida de sevillana rociera; y ataviada con mantilla blanca, privilegio pontificio exclusivo para las reinas españolas –¿o para las españolas reinas?, ¿o para las reinas católicas?–, cuando acuden a una audiencia en el Vaticano, *tra il portone di bronzo*.

Sé que la reina acaba de regresar de Londres, de la boda de su sobrino Pablo de Grecia, el hijo de los reyes Constantino y Ana María. En ese ambiente familiar surge espontáneo el tirón de los lazos de sangre, la remembranza de las genealogías... Sin embargo, aquí, en España, queriendo o sin querer, hemos orfanado a doña Sofía de todos sus parentescos de cuna. Se nos antojan historias extranjeras, demasiado a desmano de nuestros intereses inmediatos, agua que no podemos acarrear a nuestro molino. ¡Cuántos españoles, más por catetos que por chovinistas, creen que la historia universal empieza en Viriato y termina en Jesulín de Ubrique! Y así vemos a la reina sólo como consorte del rey, y madre del príncipe de Asturias y de las infantas. Incluso, no faltará quien piense: «Pues, mira tú por dónde, esta mujer hizo una buena boda.»

El mismo don Juan de Borbón –cuando surgieron puntillosos problemas de ritos y ceremonias, en vísperas de esa boda– deslizó un comentario burlón, una pizca despectivo, sobre la recental dinastía griega. En efecto, iniciada por el príncipe danés Christian Guillermo Fernando Adolfo Jorge, que reinó con el nombre de Jorge I, apenas si cuenta un siglo.

Pero era una broma fútil. Don Juan conocía perfectamente el regio pedigrí de quien iba a ser su nuera. Los ocho bisabuelos de doña Sofía eran de origen germano. Por el costado paterno: Jorge Schleswig Hosltein Sondenburg Glücksburg Hessen Kassel, príncipe de Dinamarca y primer rey de los helenos, y su esposa Olga Constantinowna Holstein Gottorp Romanow, gran princesa de Rusia, sobrina del zar Alejandro II. Federico III, de Hohenzollern, rey de Prusia y emperador de Alemania, y su esposa la princesa de la Gran Bretaña Victoria de Sajonia Coburgo Gotha, hija de la reina Victoria de Inglaterra. Por el costado materno, Ernesto Augusto II de Brunswick, duque de Braunschweig y de Lüneburg, duque de Cumberland y de Tiviotdale, príncipe heredero (*kronprinz*) de Hannover, y su esposa Thyra de Schleswig Holstein Sondenburg Glücksburg, princesa de Dinamarca. Guillermo II, emperador de Alemania, y su esposa Augusta Victoria de Schleswig Holstein.

Sus abuelos, por la rama paterna, fueron: Constantino I, rey de Grecia, y Sofía de Hohenzollern, princesa de Prusia, hija del emperador Federico III y hermana del káiser Guillermo II. Por la rama materna, Ernesto-Augusto III, duque de Brunswick, príncipe heredero (*kronprinz*) de Hannover, y Victoria Luisa, princesa de Prusia, hija del káiser Guillermo II.

Lo cual que Sofía, hija mayor de Pablo y Federica, reyes de Grecia, aparte otros vínculos familiares de afinidad, está emparentada de modo directo, por consanguinidad, con los jefes de las casas reales de Bélgica, Bulgaria, Inglaterra, Rumanía, Yugoslavia, Rusia, España, Luxemburgo, Suecia, Alemania, Dinamarca, Noruega y Holanda.

Ciertamente, el árbol genealógico de don Juan Carlos, más que frondoso, resulta inextricable, si no se tiene socio experto que ayude a rastrear las treinta y una generaciones de rigurosa y legítima agnación varonil[4] por las que la Casa de Borbón llega hasta el actual rey de España: es una magnífica incursión por la trama de un milenio, a partir de Hugo Capeto, que en el año 987 ocupó el trono de Francia. No tiene vuelta de hoja que la Casa de Borbón es la más ilustre y antigua de Europa. Aunque transitando por estas frondas, una se lleve la sorpresa de que, mucha agnación varonil, y mucho trono macho, pero la Casa de Borbón tiene... *nombre de mujer*, que de Beatriz de Borgoña lo tomó en 1589.

4. *Agnación*: Del latín *agnasci, agnatus*, nacer cerca. Parentesco de consanguinidad. Orden de sucesión, cuando son llamados, de varón en varón, los que descienden de un tronco común.

Pero, sin tantas averiguaciones, descendiendo desde los *Reyes Católicos*, Isabel I de Castilla (1451-1504) y Fernando V de Aragón (1452-1516), por las Casas de Borbón y de Austria hasta hoy, al rey Juan Carlos le salen diecisiete antepasados que fueron reyes de España. Y ahí no cuento a los *luises* de Francia. Esto lo ha tenido que decir alguna vez el rey. «Hombre, sí, yo *sucedo* a Franco, pero de quien soy heredero es de diecisiete reyes de mi familia.»

Pues bien: el árbol de ancestros varones de doña Sofía –en ese mismo tramo de tiempo, en línea directa, y sólo por la rama de su padre– no le va a la zaga: diecisiete testas coronadas, a partir de Christian III de Dinamarca (1503-1559).

Absorta en estas vainicas de dinastías y de tronos me encuentro, a punto de asomarme a la compleja historia de los Hannover y de los Hohenzollern, los antepasados maternos de la reina, cuando suenan unos golpes suaves en la puerta.

Entra un teniente coronel del Ejército del Aire. Sobre la guerrera azul plomo destacan los cordones dorados de la ayudantía. Da un leve taconazo y, más que anunciar, me advierte a media voz: «Viene la reina.»

II

ΙΣΧΥΣ ΜΟΥ Η ΑΓΑΠΑ ΤΟΥ ΛΛΟΥ[1]
(Lema de la Casa Real de Grecia)

Suscipere et finire[2]
(Lema de la Casa Real de Hannover)

Se hace un silencio. La reina entra. Traspasa el umbral blanco de la puerta, mirándome. Viene seria, pero enseguida me tiende la mano y sonríe. El saludo no puede ser ni más llano ni más neutro: «Buenas tardes, ¿qué tal?» Tiene la voz fuerte y grave, de contralto, como ahuecada en cuenco de madera.

Es una mujer grande y esbelta, más alta y vigorosa de lo que parece a distancia, o en la televisión. Pienso que es por esa dulzura suave que se adivina al fondo de sus ojos como velada por una celosía, por lo que consigue no resultar imponente.

Sin duda ninguna, en cuanto ella entra, se llena la estancia. Sin duda ninguna, en cuanto ella entra, se enciende la luz.

Conozco bien el *aura nobilitas* y sus fulgores: la aureola de la fama, el empaque del poder, el magnetismo de la celebridad. Y he experimentado su irresistible atractivo, ante jefes de Estado, líderes políticos, toreros, bailarinas, banqueros, escritores, artistas, cantantes y actores de nombradía mundial... Pero esto de la reina es distinto. Esto que emana de la reina, así sin más, con un simple y despersonalizado «¿qué tal?», debe de ser lo que llamamos *realeza*, o lo que no nos atrevemos a llamar *majestad*.

Viste un traje de gasa estampada en tonos dorados, cas-

---

1. Mi fuerza es el amor de mi pueblo.
2. Emprender y concluir.

taños y negros. Un brazalete repujado, en la muñeca derecha. En la otra, el reloj. Alrededor del cuello, cayéndole sobre el pecho, un trenzado de cadenetas de las que cuelgan dos grandes mejillones de oro.

Aunque el día es tórrido, de calor agobiante, la reina lleva medias. Medias oscuras, a juego con el vestido. Me pregunta si me molesta el aire acondicionado y, al decirle yo que no, descuelga un teléfono, marca cuatro dígitos, y pide «que pongan *el aire* aquí, pero no muy fuerte».

Pasamos a otra sala parecida a la anterior. Sólo registro la impresión de un ambiente sereno y luminoso, en blanco y verde. Renuncio a fijarme en si hay cuadros o figurillas ornamentales, para no distraerme de la reina. Se ha sentado en una de las butacas. Erguida, sin recostarse en el respaldo, con las piernas y las rodillas muy juntas.

Y bien, me he leído con atención cuanto se ha escrito, bueno, malo y peor, acerca de Sofía de Grecia. He frecuentado con frenesí de investigadora profana toda suerte de *hebdomadaires*, *magazines*, y revistas-colorín, para conocer a la guapa gente de la realeza: esa jet de sangre azul, que todas las semanas tiene un evento para el que posar: una boda por todo lo alto, o un rastrillo para niños muy huérfanos, o una cacería del zorro, o un funeral solemnísimo por el octogenario tío carnal de un monarca en el exilio... He estudiado, con lápiz y papel para no perderme, esa botánica fósil de los árboles genealógicos, cuyas lianas se entrecruzan cada dos por tres logrando el prodigio de que quienes eran sólo primos lejanos, a partir de la boda del príncipe Tal con la duquesa de Cual, resultan ser a la vez tíos y cuñados y sobrinos-nietos. Ah, y sin rozar ni de lejos el incesto, aunque siempre se anuden las alianzas entre los mismos apellidos de ese depuradísimo *Gotha*, que, al final, es un *ghetto*, una tribu cerrada, de alcurnia y endogamia feroz.

He hecho un *master*, creo, y he navegado río arriba la historia de la monarquía constitucional de Grecia. Pero, llegado este momento, cuando estoy con la reina, dudo: no sé por dónde debo comenzar.

En realidad, no dudo por estupidez, sino porque hay personajes –y de modo singular, los reyes– cuyas biografías no empiezan *por el principio*: tienen unos preliminares, unos antecedentes que no se pueden obviar. Son historias con prehistoria. Arrancan mucho antes del nacimiento.

En su libro de memorias, Chesterton bromea con la posibilidad de que él no hubiera nacido el 29 de mayo de 1874 en Campden Hill, o de que estuviera falsificada su filiación, «y yo fuese el último heredero perdido del Sacro Imperio Romano Germánico, o un niño abandonado por unos rufianes en cierto portal de Kensington [...] incluso algún serio investigador de mis orígenes podría llegar a la conclusión de que yo no nací [...] pero acepto la historia de mi nacimiento, como acepta la suya cualquier labriego torpe e ignorante, sólo porque se me ha transmitido por tradición oral».[3]

Sin embargo, en el caso de la princesa Sofía hubo algo más que «tradición oral». Sofía, aquella niña que el 2 de noviembre de 1938 nacía en la planta alta de una casa ubicada en el barrio residencial de Psychico, al norte de Atenas, era sobrina del rey de Grecia, Jorge II, e hija del príncipe Pablo, hermano y heredero del monarca.

Jorge II fue un valeroso soldado en el frente de batalla, pero carecía de carisma popular entre sus conciudadanos griegos. Quizá, por ser un hombre frío, introvertido y distante. Su matrimonio con Isabel, hija de Fernando I de Rumanía, había fracasado. En 1935 se divorciaron. No tuvieron hijos.

En cuanto al príncipe Pablo, presumiendo que al ser el tercero de los varones no accedería al trono, siguió su vocación marinera: recibió los galones de cadete en la Academia Naval de Atenas, tras haber cursado estudios en la Germánica de Kiel, capital de Schleswig-Holstein, junto al mar Báltico. Sirvió como suboficial a bordo del crucero *Elli*, en la

---

3. G. K. Chesterton. *Autobiography*. Edición de Grey Arrow. Taylor Garnett Evans & Co. Wadford, 1959.

guerra contra Turquía. Se relacionaba con tanta soltura en el mundo de habla inglesa como en el de habla alemana, sin ser una mariposa social, y sin preocuparse ni poco ni mucho por buscar novia. En 1935, siendo ya «un maduro», casi un empedernido solterón, se enamoró hasta la chifladura de *Frederika*, una muchachita alemana –duquesa de Brunswick-Lüneburg y princesa de Hannover– temperamental, apasionada, alegre y bulliciosa, que entonces sólo tenía dieciocho años: «Una edad más propia de estar ante el pupitre que ante el altar de las velaciones», había comentado Ernesto Augusto III de Hannover, el padre de la novia, después de imponer a la pareja «un par de años de prudente espera».

Claro que tampoco se podía tener en el zaguán demasiado tiempo a un príncipe heredero, al *diadokos,* que debía levantar descendencia varonil para el trono de *Helade.* Pablo tenía tres hermanas: Helen, Irene y Katherine. Y dos hermanos: Jorge y Alejandro. Ambos le habían precedido en el trono. Y ninguno de los dos había tenido hijos varones.[4]

En todo caso, como Federica, la novia, era a la vez princesa alemana e inglesa, y figuraba –aunque en el número 34º– dentro del estricto «escalafón» de posibles herederos de la corona británica, fue preciso solicitar la venia al rey de Inglaterra. Jorge VI, siguiendo lo dispuesto en el Acta de Matrimonios Reales de 1722, reunió en Sandringham a su Consejo Privado, y dio *luz verde* a la petición. El duque de Kent sería su representante en la catedral de Atenas y en los festejos de la boda, celebrada con galas y esplendor el 9 de enero de 1938.

Así pues, aquel 2 de noviembre de 1938, como el niño o la niña que iba a venir al mundo podía llegar a sentarse algún

---

4. Alejandro I reinó brevemente, de 1917 a 1920, durante el exilio de su padre Constantino I. Murió de una septicemia fulminante, causada por la mordedura de un mono rhesus (Macaca Mulatta). Cinco meses después, su esposa, la princesa Aspasia (de soltera, Aspasia Manos) dio a luz a la hija póstuma del rey, que en su memoria se llamó Alejandra. En 1944 se casó con Pedro II de Yugoslavia.

día en el trono griego, se guardaron las formalidades testificales que marcaba el protocolo real para el momento del parto: en la casa de Psychico, aguardando «novedades» en el salón de la planta principal, estuvieron el rey Jorge II, el primer ministro Ioannis Metaxas, Alexander Mercatis, jefe de la Casa del Rey, el alcalde de Atenas, Ambrosio Plitas, y el ministro de Justicia, Agis P. Tabacopoulos, como encargado del Registro Civil. Ellos, junto al propio príncipe Pablo, debían ser los primeros en testificar el nacimiento. Allí estaban también los padres de Federica: Ernesto Augusto III de Hannover, y Victoria Luisa de Prusia.

Por teléfono, desde la casa de Psychico, Metaxas puso en marcha las reales ordenanzas para tal ocasión: una guarnición de artillería, dispuesta en el monte Lycabettos, disparó las veintiuna salvas de homenaje.

«Cuando nació mi hermano *Tino*, Constantino –me explica la reina–, dispararon ciento una. Yo no las conté, porque tenía menos de dos años –sonríe–; pero se hacía así, si el que nacía era un varón. No sé por qué las disparaban desde el montículo de Lycabettos. Allí no hay ningún destacamento militar. Sólo un monasterio. Y de mi propio nacimiento, ¿qué puedo decir...? Tengo que creerme lo que he oído en casa: que se me ocurrió nacer, ¡ufffff!, ¡el día de los muertos!; y que mi madre quería que me llamase Olga, en recuerdo de mi bisabuela, Olga de Rusia, la mujer de Jorge I, el fundador de la dinastía griega. Pero la gente, la gente de la calle, en cuanto oyó las salvas, acudió a la casa de Psychico, gritando «¡Sofíííaaa, Sofíííaaa, Sofíííaaa!», porque en Grecia la costumbre es poner el nombre de los abuelos.[5] No repetir el de los padres, ni irse hasta los bisabuelos. Y... ¡con Sofía me quedé!»

5. Sofía, princesa de Prusia (1870-1932), se casó con Constantino I de Grecia. Tuvieron seis hijos: Jorge, Alejandro, Helen, Pablo, Irene y Katherine. Es la abuela paterna de la reina Sofía de España.

Así habla la reina. Con esa expresividad, con ese gracejo de giros populares. Se nota que no ha aprendido un castellano académico, ni mucho menos cortesano. A medida que transcurra la conversación, iré constatando que ha tomado los modos castizos de decir del rey, su marido, y de sus cuñadas, las infantas Pilar y Margarita. Como cualquier madre de hoy, ha incorporado a su vocabulario buena parte de la jerga coloquial de sus propios hijos. Usa con espontaneidad un batiburrillo de locuciones muy de andar por casa, como «me da corte», «ni fu ni fa», «salí despendolada», «me quedé de un aire», «¡menuda horterada!»...

Desde el primer momento le he pedido que me tutee. Pero ella lo toma como una deferencia amable, musita un «muchas gracias», y sigue usando el «usted». Ahora insisto, con el argumento de que «los reyes de España pueden tutear a todo el mundo». Entonces, bajando la voz y ya en tono más confidencial, me dice: «No creas que a todo el mundo. A mí me resulta muy difícil hablarle de tú a un Lázaro Carreter: me da corte... Y hay gente que piensa que eso del tuteo es cosa de horteras. En cambio, mis hijos, con todos sus amigos, *tú* para arriba, y *tú* para abajo...»

Repasamos sus genealogías. Un primer comentario sorprendente y desmitificador: «Me interesa mucho más fijar bien el pedigrí de mis perros que el mío... De todos modos, desde Jorge I, la familia real griega se apellida Grecia. Todo eso de Schleswig Holstein Sondenburg Glücksburg... ¡fuera, fuera! El rey Jorge los abolió. Ya no son apellidos: son sólo lugares de origen, alemanes y daneses. Mi apellido es Grecia. Y punto.»

No es una *boutade*. Es la naturalidad de quien se mueve por esas frondas de los linajes de la púrpura *como Pedro por su casa*. Y cuando le pregunto si es tataranieta de la reina Victoria de Inglaterra, hace un gesto laxo, un leve encogerse de hombros, como quitándole trascendencia a la cosa: «Bueno, sí, claro: la reina Victoria es tatarabuela de todo el mundo. También lo es de mi marido. Él, por la rama de Beatriz y yo por la de Victoria, las dos hijas de la reina Victoria.»[6]

Ni en su mirada ni en el tono de su voz percibo el menor alarde. Como si toda esa casta de reyes, zares y emperadores que viaja por sus venas no fuese para ella nada del otro jueves, nada de que ufanarse. Capto esa impresión y tomo nota, porque la humildad es una rara orquídea, y más entre esas personas singulares a quienes desde la cuna se les ha dicho una y mil veces que ellos son distintos, que ellos están por encima del común de los mortales, que ellos son de estirpe regia. En este momento recuerdo una anécdota fuerte, protagonizada por la reina Federica. Sucedió en 1947, durante la boda de Isabel de Inglaterra, entonces princesa, con Felipe,[7] príncipe de Grecia. Hablaban Federica y Winston Churchill sobre Alemania, y la tibia ayuda militar de los ingleses a Grecia en la última guerra mundial. De pronto, el *premier* británico, con tono acusador le espetó a la reina: «¿Acaso no era abuelo suyo el káiser?» Federica, que conocía al pie de la letra su ascendencia Guelph, por la que había nacido tan princesa de Gran Bretaña e Irlanda como de Hannover, contestó sin morderse la lengua, pese a estar invitada en Buckingham: «Depende de cómo se mire, sir. Desde luego, el káiser era abuelo mío. Pero también la reina Victoria era mi tatarabuela. Y si en Inglaterra hubiese habido Ley Sálica, hoy el rey de la Gran Bretaña sería mi padre.»[8]

6. Victoria I, reina de la Gran Bretaña (1819-1901) tuvo nueve hijos, de los cuales sólo dos fueron mujeres: Beatriz y Victoria. Ésta (1840-1901), emperatriz de Alemania por su boda con Federico III, fue madre de Guillermo II el káiser, padre de Victoria Luisa de Prusia, madre de Federica reina de los helenos, madre a su vez de Sofía reina de España.
Beatriz, princesa de Gran Bretaña (1857-1944) fue madre de Victoria Eugenia, reina de España, esposa del rey Alfonso XIII, padre de Juan de Borbón, padre a su vez de Juan Carlos rey de España.
7. Felipe de Edimburgo, nacido príncipe de Grecia, es hijo del príncipe Andreas de Grecia y de Alicia de Battenberg. Es nieto, pues, del rey Jorge I de Grecia.
8. *A Measure of Understanding. Queen Frederica of the Hellenes.* Mac Millan, Londres. Versión española: *Memorias de la Reina Federica.* G. del Toro Editor, Madrid, 1971.

Ciertamente, Federica clavaba su dardo dialéctico justo en la diana de aquel momento histórico en que, por mor de la Ley Sálica, se desmembraron las coronas de Alemania y de Inglaterra.

El suceso me ha venido a la mente por contraste: no creo que tales cuestiones enciendan la sangre de esta reina con la que estoy charlando ahora, a media voz, sin prisas, y sin mirar el reloj. ¿Para qué mirarlo, si no sé de cuánto tiempo dispongo?

Le he preguntado si se siente más germánica, o más danesa, o más inglesa, o más griega, o más española... Y no ha dudado al contestar: «¿La verdad? Yo me siento cien por cien griega. Y, a la vez, cien por cien española... Quizá, porque me siento cien por cien mediterránea. ¡Cien por cien! Y cada día más... Me gusta el aceite de oliva, las lechugas, el sol...» Rompe a reír. Extiende los brazos y, abandonando su postura erguida, se recuesta muellemente en la butaca, como si se imaginara en una playa. «¡Me encanta el sol! Soy mujer de verano: de mayo a octubre, revivo. Y porque tengo la cara ancha, de prusiana-rusa; que si no, iría como va mi hermana Irene: con el pelo estirado y un moño aquí atrás.» Con mímica de gestos rápidos y expresivos, coloca las manos a ambos lados de la cabeza, simulando un peinado que acabase, muy prieto, en la nuca. «¡Un buen moño de gitana!»

Han sido unos segundos de formidable espontaneidad. Enseguida, vuelve a entrelazar las manos, como si fueran un cestillo de dedos apretujados, apoyándolas muy quietas sobre uno de sus muslos. Trata de recomponer rápidamente la seriedad anterior, y me mira –es curioso esto– como si se reincorporase al trabajo, después de un breve recreo. Todo en su actitud me indica que está a mi disposición, esperando que yo reanude mis cuestiones. Lo que pasa es que... yo estoy todavía riéndome. No lo esperaba. Y me ha sorprendido con ese arrebato mediterráneo, y su canto al sol, a las lechugas, y a *la mujer morena* de Julio Romero de Torres.

Vuelve a su nacimiento: «Nací por la tarde, casi de noche. En algún sitio he leído que fue a las ocho y cuarto. En Grecia se pone el sol antes que aquí, y en otoño anochece muy pronto.

»Hasta el día del bautizo pasó bastante tiempo. En Grecia no se hace inmediatamente: el niño tiene que ser un poquito grandecito. Mi madrina fue la reina Elena, princesa de Montenegro, y reina de Italia por su matrimonio con Víctor Manuel III. Y el padrino, mi tío el rey Jorge II. Allí la costumbre es que haya varios padrinos y madrinas, y no recuerdo quiénes eran los otros. Me pusieron una hilera de nombres: Sofía Margarita Victoria Federica. Nosotros aquí, con nuestros hijos, hicimos lo mismo, sólo que al final les poníamos "y de la Santísima Trinidad y de todos los santos". ¡Así quedábamos bien con todos!»

Los abuelos maternos de doña Sofía fueron una asombrosa y excepcional centella de amor y entendimiento entre dos familias enfrentadas desde hacía muchos años, y que mantenían las espadas en alto. Algo así como los Capuleto y los Montesco en la ficción de Shakespeare. La enemistad entre los Guelph hannoverianos y los Hohenzollern prusianos venía de cuando Prusia, bajo Bismarck, invadió el reino de Hannover, en 1866. Y se mantuvo, pese a la boda entre Ernesto Augusto III, príncipe heredero de Hannover y Victoria Luisa de Hohenzollern, hija del emperador Guillermo II.

«Mi madre –cuenta la reina Federica– iba a visitar a su padre, el káiser, todos los 27 de enero, fiesta de su cumpleaños. Me llevaba a mí porque, al ser yo una niña, la cosa tenía menos importancia política. Pero ni mi padre ni mis hermanos nos acompañaban.»

Aludo a ello, y doña Sofía asiente: «Esa distancia siguió, a pesar de los resultados de las guerras mundiales y de todos los cambios en Europa. Nosotros no tuvimos ningún contacto con la familia prusiana, salvo con la abuela Victoria Luisa. Y no es que hubiera algún motivo personal. Pero no nos visitábamos, no nos escribíamos, no nos tratábamos. De mi abuela Victoria Luisa me acuerdo perfectísimamente, porque ha vivido hasta 1980. Tenía una salud de hierro, y murió a los ochenta y ocho años. Era una mujer muy enérgica, de gran personalidad, y de carácter fuerte. Vivía en Austria, y siempre estaba muy morena, muy bronceada, en verano y en invierno, porque tomaba el sol escalando montañas. Me hacía regalos: no comprados en tiendas, sino cosas que ella tenía: unas perlitas, una sortija con un corazón de rubíes... Pero del resto de la familia, nada. Bueno, cuando yo era un bebé de dos meses, mis padres me llevaron a Holanda, para que me conociera el káiser, el 27 de enero de 1939. Él estaba exiliado en Huis Doorn, y allí se reunieron las familias de todas esas ramas, celebrando su ochenta cumpleaños.»

Agrega algo sobre que aquélla sería no sólo la última fiesta del káiser: también el último cotillón de las realezas europeas, porque en ese mismo año 1939 estallaba la Segunda Guerra Mundial.

El 28 de octubre de 1940, al amanecer, las tropas italianas del *duce* Mussolini invadieron Grecia por la frontera albana. Los soldados griegos repelieron la agresión con tal bravura que llegaron a penetrar en Albania. Hitler dio orden entonces de atacar Grecia por Bulgaria. Pero enseguida, ante la resistencia de las guarniciones griegas, atrincheradas en la llamada «línea Metaxas» –una versión helénica de la «línea Maginot»–, el Estado Mayor alemán mandó abrir una tercera brecha de ataque, por Yugoslavia, que se rindió sin apenas combatir.

Sostener la guerra en tres frentes a un tiempo era demasiado esfuerzo para un pequeño país con un pequeño ejército. Las ayudas británicas llegaron tarde y muy escasas. Vistas las cosas a distancia de años, me atrevería a decir que a Churchill le faltó el instinto militar, que en cambio a Hitler le sobró, para ponderar el valor estratégico de tal enclave y en esa fase crucial de la contienda.

El 11 de abril de 1941 arreciaron los bombardeos nocturnos sobre la ciudad de Atenas. En esos días, Federica escribía a sus padres una larguísima carta, que iba redactando a trozos, con fechas sucesivas, y que, leída ahora, tiene el sabor almendrado de la confidencia amarga entre una mujer alemana y sus padres, alemanes también, y la emoción de una palpitante crónica de guerra.

Arranca con unas palabras bien reveladoras de la incertidumbre del momento: «No sé si algún día recibiréis esta carta.» Y enseguida pasa a dar noticias del estado de cosas: «Desde el domingo por la mañana diez divisiones alemanas están atacando en la frontera greco-búlgara [...] Los alemanes han invadido Grecia por Yugoslavia: una división yugoslava de 40.000 hombres se entregó sin lucha, permitiéndoles avanzar sobre Salónica [...] Quisiera saber si algún oficial alemán sería capaz de mirar a los ojos de un soldado griego sin avergonzarse. ¡Ocho millones de griegos luchando contra ciento ocho millones de alemanes e italianos! [...] Nosotros seguiremos en territorio griego todo el tiempo que podamos. Grecia tiene muchas islas. Pero el Rey no puede dejarse capturar, aunque el enemigo le trate con todos los honores. El Rey representa a toda la nación, y si cree en su propia victoria, como nosotros creemos, tiene que marcharse. Tampoco *Palo* [el príncipe Pablo] puede quedarse aquí, porque está casado con una alemana [...] ¿Quién se quedará con nuestro yate? Tal vez Goering. ¡Que le aproveche! [...] Anoche volvieron a sonar las sirenas desde las nueve hasta la una y desde las cuatro de la madrugada hasta las seis. *Palo* y yo estábamos en Lycabettos, y presenciamos el bombardeo. Era algo terriblemente excitante. Los niños [Sofía y Constantino] pasaron la noche en un refugio, húmedo y frío. Pero, envueltos en mantas, dormían plácidamente. La tragedia de la población civil de Grecia es indescriptible. Acabo de llegar del hospital. He visto niños pequeños heridos, cuyos padres perecieron en el bombardeo [...] Si la situación empeora, no tendremos otro remedio que marcharnos. Primero, porque ni el Rey ni los herederos directos de la dinastía pueden caer prisioneros. Y luego, porque aunque *Palo* y yo nos quedásemos, no podríamos ayudar a nadie, pues los alemanes ya se encargarían de impedirlo. Por otro lado, siempre han tratado de indisponer a *Palo* con Jorge, y es posible que le proclamaran Rey contra su voluntad. Es muy fácil decir cosas en los periódicos. Pero, siendo hecho prisionero, ¿cómo podría defenderse? Durante el resto de su vida sería considerado, aquí, en su patria, y en el extranjero, como un Quisling cualquiera. ¡Que utilicen a otro para ese juego! [...] Lleno de desesperación, nuestro primer ministro [Alexander Korizis] se ha suicidado. No hay manera de encontrar a un hombre que acepte la responsabilidad de formar Gobierno, en estas horas de gran peligro. En cuatro días hemos tenido cuatro gobiernos [...] El jueves, todos los miembros de la familia real comulgaron,[9] llorando. Al ver llorar a *Palo*, me di cuenta del odio que tengo a Hitler. ¿Qué derecho tiene a crear un Nuevo Orden mundial que nadie quiere? Por ese Nuevo Orden se destruyen las ciudades más bellas y florecientes, y se siegan infinitas vidas humanas... Me iré con los niños y el resto de la familia, excepto Jorge y *Palo*, que saldrán de Grecia en el último momento.»

Así sucede: en la medianoche del 22 al 23 de abril de ese mismo año, 1941, un hidroavión inglés Sunderland amerizado en la bahía de Eleusis, con los motores en marcha y las hélices girando, aguarda para transportar hasta Creta a la familia real: la princesa viuda Aspasia y su hija Alejandra; la princesa Katherine,[10] hermana de Jorge II y de Pablo; la princesa Federica con sus hijos Sofía y Tino; el ya anciano tío Jorge –*uncle Jacob* le llaman en la intimidad– hermano del rey Constantino I, y su esposa María Bonaparte, psicoanalista y discípula de Freud. Inseparable del grupo familiar, miss Sheila MacNair, la niñera escocesa. En el embar-

---

9.   Era Jueves Santo.
10.   Katherine era la sexta hija del rey Constantino I. Nacida en 1913, se llevaba veintitrés años con su hermano mayor, Jorge II. En 1947 contrajo matrimonio con sir Richard Brandam.

cadero están, para la despedida, el rey Jorge y el príncipe Pablo. Ellos no saben en ese momento cuánto tiempo podrán resistir aún en Grecia. Pero tendrán que salir apenas veinticuatro horas después.

El joven piloto aspira una bocanada de aire, antes de meterse en la panza oscura del hidro. Le ha sabido a mar y a petróleo. Cierra de un golpe seco la carlinga. Echa una ojeada al bies a su especial «pasaje». Se ajusta alrededor de la cabeza el elástico de las gafas. Se abrocha maquinalmente el cinturón de seguridad, y empuña la palanca de mando, mientras silba una triste melodía.

«Todo eso –interviene de nuevo la reina– se lo he oído contar a mi madre, a tía Katherine y a Sheila. Yo tenía entonces dos años y medio. Sé que nos bombardearon nada más llegar a Creta. Nos refugiamos en una trinchera, en una zanja en medio del campo. Allí mi madre me tapaba las orejas, para que no oyese el ruido de las bombas, y me cantaba una canción popular: *beeee, beeee, black sheep...!* Al salir de la casa de Psychico, ella no había pensado para nada en recoger sus cosas personales, o en los objetos de más valor. En absoluto. Nos fuimos con lo puesto y lo imprescindible, porque lo único que le preocupó fue prepararlo todo muy rápido, y ponernos a salvo cuanto antes. Eso siempre me ha parecido admirable: mi madre dejaba en Atenas todo lo que tenía, todo, incluido mi padre, pensando sólo en nuestra seguridad, y sin volverse a mirar atrás...»

En Creta se les unen Jorge II y Pablo. Permanecen todos juntos quince días, refugiados en una cabaña, conviviendo con esas inevitables *compañeras de cama* de todas las guerras: las chinches y las pulgas.

De Creta pasan a Egipto: Alejandría y El Cairo. Ahí están

hasta mediados de junio de 1941, cuando el gobierno del rey Faruk «invita» al rey de Grecia y a su familia a abandonar el país. Volverán más tarde, pero ahora viajan hacia Sudáfrica en un vapor de pabellón holandés, el *Nieuw Amsterdam*. «A Tino y a mí nos llevaban atados, con correas, con arneses, como a los perritos, para que no nos perdiéramos por el barco.»

Desembarcan en Durban, el gran puerto ballenero. Allí les espera otro grupo familiar: la princesa Eugenia –hija de *uncle Jacob* y tía María– con su marido, el príncipe Dominik Radziwill, y su hija Tatiana, que tiene más o menos la misma edad que Sofía. Luego, en ferrocarril, siguen hasta Ciudad del Cabo: un enclave remoto y seguro, donde los niños no oirán el estremecedor ulular de las sirenas de alarma, ni el estruendo de los bombardeos, y cuyo gobierno –por amistad con Gran Bretaña– se ha brindado a hospedarles. Su anfitrión será el primer ministro, general Smuts, Jean Christian Smuts y, por su delegación, el gobernador general de Sudáfrica, sir Patrick Duncan. Con todo, les aguardan cinco años de exilio sin un claro asentamiento.

«El rey Jorge II –me cuenta la reina– se estableció en Londres. Aspasia y su hija Alejandra se fueron con él. El gobierno griego en el exilio puso su sede en El Cairo. Supongo que por estar más cerca de Creta y mejor comunicados con Londres. Además, desde allí se movían a todos los sitios donde hubiera colonia de griegos, para conseguir ayudas, dinero, voluntariado... Mi padre estaba unas veces en Londres, con el rey, y otras en El Cairo, con el gobierno. Viajaba sin parar de un lugar a otro. Mi madre iba a verle siempre que podía, siempre que le prestaban un medio de transporte. Y luego volvía con nosotros. La pobre, se cruzó África de arriba abajo no sé cuántas veces en aviones de guerra. A mi padre le veíamos poco, pero mi madre nos hablaba de él, nos enseñaba fotos, nos leía sus cartas... Se querían mucho, estaban muy enamorados, muy unidos.»

Es curioso, pero la reina, en todas estas evocaciones, no me habla para nada del paisaje. Y el paisaje dominante allí, donde la inmensa África se cae al mar, y se acaba la tierra, no es otro que el sobrecogedor abrazo interminable entre el océano Atlántico y el océano Índico, «el más misterioso de todos los océanos».[11]

Se diría que a los niños, cuando son tan pequeños, el paisaje les excede, o les es del todo natural, no reparan en él. Se fijan más en un aparador, en una silla alta, o en el gong de cobre que un criado hacía sonar parsimoniosamente a la hora de comer.

Entre la correspondencia de esa época, hay una carta, fechada a 22 de enero de 1942, desde Ciudad del Cabo, en la que Federica relata a su marido esta pequeña anécdota: «El otro día enseñé dos fotos mías a Sofía, y le pregunté cuál quería. Señaló una en la que estoy de frente, y dijo: "Quiero ésta, porque aquí mamá mira a Sofía." Al preguntarle por qué no quería la otra en la que estoy mirando a lo alto, contestó: "No la quiero porque ahí estás mirando a papá"...» Lo comento con la reina. Niega con la cabeza, y dice: «No, no, no... No me acuerdo de haber dicho eso. A mí, el saber que mis padres se querían tanto, no me daba celos. Al contrario: ¡me daba seguridad! Después del regalo de la vida, lo mejor que pueden dar unos padres a sus hijos es eso: que les vean unidos, enamorados... Allí, en Ciudad del Cabo, me pasaba ratos y ratos mirando una fotografía de mi padre... La verdad, de aquellos años yo no conservo malos recuerdos: no tuve una conciencia clara de la guerra; ni sensación de soledad, en las ausencias de mi madre.»

Se ha quedado en silencio. Ha entornado los ojos, como si quisiera atisbar algo perdido en el horizonte difuso de un tiempo lejano. Ahora, como haciendo acopio de sinceridad, declara –y me da la impresión de que, igual que a mí, se lo diría al lucero del alba: «¡Nada de soledad! Para mí, aquellos cinco años de exilio fueron años de felicidad. Años de vida

11.   Fernando Pessoa, *Oda marítima. Antología Poética.* «El poeta es un fingidor.» Edición y traducción de Ángel Crespo. Espasa Calpe, Madrid, 1982.

familiar. Años de juegos. Años de libertad. Años sin protocolos: pudiendo hacer lo que hacían los otros niños que íbamos conociendo. Nos cambiábamos de casa o de alojamien-
to continuamente, y, por lo que yo le oía a mi madre, no
creo que fuera para ir a mejor... Llegamos a vivir en vein-
tidós lugares diferentes. ¡Ah, y con todo a cuestas! Pero
aquello –ahora lo veo muy claro– tenía dos ventajas: por una
parte, con tanto cambio, no nos aburríamos; por otra, no nos
apegábamos ni a los muebles, ni a las casas, ni a los barrios;
y luego, al estar siempre haciendo maletas –yo hacía también las de mis muñecas–, jugábamos a un juego permanen-
te, un juego que duró los cinco años: "¡Venga, vamos a hacer el equipaje, que nos volvemos a Grecia!" Y eso nos
mantenía viva la esperanza de volver. Sabíamos que era una
situación de paso. No nos habíamos ido para siempre. La
guerra terminaría algún día. Y nosotros podríamos volver a
nuestra verdadera casa.»

A partir de ahí, y como si devanase la madeja en una rue-
ca, la reina empieza a tirar del hilo de la evocación. Comienzan a surgir imágenes sueltas, inconexas, deslavazadas, con
ese tono sepia y ese tornasol huidizo que tienen los recuerdos: Su primera vivencia consciente, su primer registro de
memoria, me dice que es de cuando ella tenía tres años:
«Fue en Egipto, en un hotel de Alejandría... El hotel Mina
House. En el verano de 1941. Mi padre estaba bañándose en
la piscina. Yo, en el borde, mirándole. Él me decía que me
tirase al agua. Extendía sus brazos hacia mí. Yo sentía mucho miedo. Él insistía. Era un desafío muy nuevo para mí.
No olvidaré nunca aquel salto, aquel tirón... Enseguida,
estaba ya en el agua, entre los brazos de mi padre, y todo
brillaba bajo el sol. Exactamente ése es mi primer recuerdo vivo: agua fría, los brazos fuertes de mi padre, y una res-
plandeciente claridad alrededor.»
Me he fijado en que, al pronunciar la palabra *desafío*, la
reina cargaba ahí la expresión de su mirada. Incluso enfa-

tizaba la efe y la i, marcando mucho el acento. Más aún: una vez dicha esa frase, alzó el mentón, y se quedó un par de segundos quieta así, como en pose estatuaria. Me gustaría saber por qué. Pero... no voy a preguntárselo a bocajarro. Tendré que dar algún rodeo. O esperar a que salga por sí solo. En una libretilla que he traído apunto esa palabra, *desafío*, que parece tener la virtud de un talismán. En todo caso, es una pista interesante: Si me decidiera a escribir un libro sobre la reina, debería arrancar de ahí, de esa escena en la piscina de Alejandría, porque ése fue su primer instante de vida *personalizada*. Con un *yo* y con un *tú*. Y con un desafío por medio.

¿El primer miedo? «En El Cairo. Me daban miedo las sirenas nocturnas que sonaban antes de los bombardeos. Era muy estridente, y muy alarmante. Con las luces de la casa apagadas, mirábamos por la ventana los reflejos luminosos de unos focos antiaéreos barriendo el cielo, así –con la mano derecha describe un imaginario arco en el aire–, como unas linternas muy potentes, para detectar la presencia de aviones. Los mayores se ponían nerviosos. Tino y yo corríamos asustados a la cama de mi madre, o a la de Sheila... Ah, otro momento muy inquietante era cuando se ponían todos junto a la radio, quietos, callados, serios, con cara de preocupación, para escuchar las noticias que daba la BBC. Lo recuerdo como si lo estuviera viendo. Y aquella musiquilla, la sintonía, tráááá tatííí tatííí tatííí tatráááá...» Tararea con perfecta entonación la sintonía de la BBC emitiendo para África, en inglés, el boletín informativo *Newsreel*. Incluso, a medida que rememora íntegro el *Imperial Echoes* de Arnold Safroni, va imitando el sonido de los instrumentos musicales. Yo nunca había oído cantar a la reina. Ni mucho menos, imitar a una orquesta. Aplaudo, y ella se echa a reír: «¡Qué cosas! Esa música se me quedó dentro como si me hubieran grabado un disco aquí, en el cerebro. Y la percepción de que los adultos, escuchando aquella voz del locutor de la radio, entendían algo que yo no era capaz de entender.»

Es muy interesante ese momento, cuando el niño, cualquier niño, toma conciencia de que existe todo un mundo de conocimientos, de fuerzas, de poderes, de convenciones tácitas, en el que los mayores se mueven con soltura, y que a él le sobrepasa. Es también un instante *personalizado*, y dual: con un *yo* y con un *ellos*. A un psicólogo le interesará saber si esa alteridad es admirativa o desconfiada, rebelde o sumisa, cordial o temerosa... Porque, ahí y entonces, se está fraguando en el niño su *ser social*.

Pero no expongo esta reflexión en voz alta, porque doña Sofía sigue deshilando recuerdos, dentro de esta secuencia –totalmente inédita– de sensaciones primerizas. Ahora está relatando su primer contacto con la muerte: «Eso fue en Alejandría, en la primavera de 1944. Nos alojábamos en una casa vieja y extraña, que se caía a trozos. Había un árbol de copa redonda (no sabría decirte si era un olivo o una encina o qué); y detrás, una casa pequeña. Mi hermano y yo nos subimos a ese árbol. Desde allí vimos que en la casa de al lado había un muerto: un hombre muerto, inmóvil, en su cama. Y alrededor, unas mujeres vestidas de negro, llorando y gimoteando. ¿Cómo se dice en español *the mourners*...? ¿Plañidoras? No... ¡plañideras! Al parecer, había una epidemia de peste bubónica. Al día siguiente, mi padre buscó otra casa, y nos mudamos. Pero a mí lo que me impresionó fue ver a aquella gente llorando y un hombre muerto, rígido... Ésa fue mi primera relación con la muerte. No me asustó. Me resultó algo extraño, patético, y yo diría que irreal, porque aquel muerto parecía de cartón piedra.

»Cuando en 1977 fui a visitar a Anwar el-Sadat, en su palacio de Alejandría, quise volver a aquel lugar. No existía ya la casa. Pero el árbol sí. Estaba exactamente igual: bajo y con su copa redonda. Lo reconocí enseguida. Lo hubiese reconocido, puesto en cualquier otro lugar. ¿Sabes por qué? Pues porque, cuando vivíamos en aquella vieja casa, me habían regalado una caja muy grande de lápices de colores (aunque sólo tenía cinco años y medio, dibujaba mucho, ¡me chiflaba dibujar!), y yo había pintado aquel árbol. Quizá por eso lo conservaba, tal cual, en mis retinas, después de tantos años.

»En cambio, mi imaginación infantil había exagerado el palacio de Montaza. Pasábamos allí muchas tardes, cuando vivía el rey Faruk. Me parecía un palacio fastuoso, imponente... Luego comprobé que no era para tanto. Al propio Faruk lo veíamos como a un rey todopoderoso, absoluto, inaccesible. Y esto sí que era así. De la reina Faridah, tenía tres hijas: Ferial, Fawzia y Fadia, con las que jugábamos Tino y yo a lanzar la cometa, o nos metíamos por los establos a ver los caballos. Mientras, nuestras madres hablaban bajo los árboles. Recuerdo una cosa muy curiosa: en esos mismos árboles habían colocado unos teléfonos verdes.

»Siendo ya mayores, Ferial, Fawzia y Fadia vinieron a mi boda, y luego a la de Constantino. Después nos vimos menos.

»Por cierto, en esa visita a Sadat, nos contó –al rey Juan Carlos y a mí– que en 1952 él era un joven militar, colaborador de confianza de Nasser.[12] Y que, antes del golpe de Estado que derrocó a la monarquía egipcia, Nasser le encargó hablar claramente con el rey Faruk, para que dejase el trono, abdicase en su hijo, y no siguiera aferrándose al poder. Así lo hizo Sadat. Y Faruk fue depuesto, sin derramamientos de sangre. Pero me agradó un detalle muy delicado de Sadat: me dijo que sería muy consolador para la anciana reina, la mujer de Faruk, que yo la visitase. Y la verdad es que lo intenté, pero ella no estaba en aquellos días.»

Me comenta la reina que, ahora, de repente, le están viniendo todos los recuerdos de aquella época, en tropel, mezclados, como un puzzle revuelto dentro de una caja. Ella dice «sin orden ni concierto». Y que, de pronto, se acuerda del calor y las moscas de El Cairo, «donde yo creo que tuvimos todas las enfermedades que se puedan tener: varicela, tosferina, anginas, los dientes...». O de Pretoria, con su pri-

12. El general Naguib y el coronel Nasser, líderes del Movimiento de Oficiales Libres, dieron en 1952 un golpe de Estado y derrocaron la monarquía absolutista de Faruk. Anwar el-Sadat era uno de los oficiales de ese movimiento revolucionario y hombre de confianza de Nasser, que en 1969 le nombró vicepresidente de su gobierno.

ma Elisabeth, la hija de los príncipes Olga y Pablo de Yugoslavia, «jugando a hacer un monte con los edredones de las camas, que eran de color verde». O de las *historias de África* que les contaba el general Smuts, su anfitrión en Ciudad del Cabo: «Este general Smuts fue quien elaboró el proyecto de la Carta de los Derechos Humanos. Él inventó el término *British Commonwealth of Nations*. Y también a él, paseando por las tierras de Muizenderg, en Ciudad del Cabo, se le ocurrió la idea de las Naciones Unidas. Él luchó, cuerpo a cuerpo contra los ingleses, a los que tanto quería, por la independencia de Sudáfrica. Era un hombre magnífico. Cuando vivíamos en su residencia oficial, Tatiana, Tino y yo nos levantábamos a las cuatro de la madrugada, para ir a su cama a que nos contase historias de tigres y leones y monos... Y él (parece que le estoy viendo, con sus bigotes y su perilla blanca) nos atendía como si fuésemos unos personajes muy importantes.»

A propósito de su prima, la princesa Tatiana Radziwill, y de Ciudad del Cabo, recuerda: «Tatiana y yo teníamos cada una nuestra muñeca; pero sólo un carricoche para sacarlas de paseo. Nos peleábamos, tirando cada cual por su lado, a ver quién se lo quedaba. Y, claro, por nuestras peleas acababan discutiendo también nuestras madres, como ocurre en todas las familias. Bueno, Tatiana y yo hemos sido siempre muy amigas. Íntimas. Antes de casarnos, después de casarnos... Ella fue dama de honor en mi boda. Vive en París, casada con un médico, el doctor Jean Fruchaud. Nos vemos a menudo. Y todos los veranos vienen a Marivent.»

Le he preguntado cuándo detectó por vez primera que su familia y ella misma tenían un rango social por encima del común. Y si, por el hecho de haber nacido princesa, se sentía más exigida que otras niñas de su edad. Me explica que, desde muy pequeña, la educaron «con mucho cariño, pero con mucha disciplina»: «Precisamente en El Cairo tuvieron que sacarme una muela. Me anestesiaron un poco con éter; pero me dolía la boca, a rabiar, y tenía inflamada la mejilla con un flemón. Sin embargo, tuve que ir con mi familia al hipódromo, a las carreras, y estarme allí quietecita, y sin lloriqueos. Entonces aprendí lo que luego les enseñé a mis hijos: ¡aguantoformo!

»¿Darme cuenta de que pertenecía a la familia real? Muy temprano. Ya en Egipto, al ir a la catedral ortodoxa para los oficios religiosos de la Pascua, nos situaban en un lugar preferente y destacado. Pero, sobre todo, fue al final del exilio, en 1946, cuando los griegos votaron la restauración de la monarquía: el gobierno de Atenas envió un destructor a recogernos; los británicos [13] nos ofrecieron tres aviones militares; la Armada egipcia disparó las salvas de ordenanza, cuando zarpábamos del puerto de Alejandría... Yo ya tenía ocho años y me daba cuenta de que mi padre era alguien especial: el *diadokos*, el heredero de la corona de Grecia.»

Han sonado unos golpecitos en la puerta. La reina gira hacia allá la cabeza: «¿Sí?» José Cabrera se asoma y, sin franquear el umbral, avisa: «Señora, son ya las siete y cuarto.» Amago el gesto de recoger mi bolso, la pluma y la libretilla de notas; pero veo que la reina no se mueve de la butaca:

«No te he contado que mi hermana Irene nació en Ciudad del Cabo. Mi madre me venía preparando: "¿Sabes, Sofía? Vamos a tener otro niño. Pero no será un muñeco, sino un niño de verdad." El padrino del bautismo fue el general Smuts. Debo de tener una foto de aquel día, donde estamos todos.»

Tomo una nota rápida: *fotos: ¡cajitas!*

La reina habla ahora un poco más deprisa. Tal vez quiera rematar un programa mental que ella misma se haya trazado para esta conversación. Me han dicho que es una mujer rigurosa y metódica.

«De aquella misma época del exilio –continúa– hay algu-

---

13.   Se refiere a las Fuerzas Aéreas Británicas, destacadas en Egipto bajo el mando del general Keith Park.

nas pequeñas historias divertidas. Por ejemplo, cuando nosotros, los niños, descubríamos a los mayores haciendo de Papá Noel. Pasamos una Navidad en el hotel Mina House, en El Cairo, junto a las pirámides. Allí estaban tía Katherine, y su amiga Mary Athinageny, que era una dama de la corte, pero joven. Nos decían todo el rato que Papá Noel iba a venir. Yo me fui con mi hermano a otra habitación y, de vez en cuando, mirábamos por la cerradura de la puerta, y veíamos ¡¡que eran ellas dos!! las que ponían los regalos junto a un abeto. Después tuvimos que disimular, como si hubiese sido una sorpresa... Otra Navidad, al año siguiente creo, en Alejandría, descubrí que en un cuartito que había debajo de una escalera tenían guardados y escondidos los juguetes: un barco para Tino, y el carricoche de la muñeca para mí. También entonces hicimos la comedia... ¡para no desilusionar a los mayores!

»Y no te he hablado de Sheila MacNair... La llamábamos *Nursie*. Yo la quería con locura. La adoraba. ¡Y la adoro! Era mucho más que una institutriz, mucho más que una niñera: pasó todos los peligros y las incomodidades que le tocó pasar a mi familia, sin tener por qué, sólo por cariño. Y nos lo hacía todo, hasta lavarnos las ropitas. Durante el exilio, no sé yo qué hubiese sido de mí sin Sheila... En África, y después en Grecia, ella ha sido mi segunda madre. No me importa decirlo: mi segunda madre. Es escocesa. Estuvo con nosotros hasta 1950. Se fue para casarse con Harold Embleton, un pastor protestante. Vivíamos en Atenas, y mi padre ya era rey. El día que nos dejó, ohhhhh, fue el primer gran desgarro de mi vida. Lloré sin consuelo. Yo tenía doce años, y jamás había sufrido tanto por una separación. ¡Jamás! Me costó tremendamente. No exagero: fue mi primer drama afectivo, mi primera experiencia de sufrimiento, de dolor moral.»

Lo que la reina no me cuenta es que, cuarenta y cinco años después, con ocasión de la boda de la infanta Elena de Borbón y Jaime de Marichalar, Sheila estuvo en Sevilla, «especialísimamente invitada por su majestad». Al bajar del autocar que transportaba de un lugar a otro a los invitados, resbaló y se hizo una herida profunda en una pierna. La llevaron inmediatamente al puesto de socorro. Y de ahí a un hospital, porque se vio necesario intervenir quirúrgicamente. Avisada la reina, canceló al instante todos los compromisos de atención de invitados que tenía como anfitriona –no serían pocos, ni de poca monta, siendo la madre de la novia–, y salió disparada hacia el hospital. Alguien del staff de la Casa Real le previno:

–Vamos a decir que preparen unas salitas, para que vuestra majestad espere allí mientras operan a la señora Embleton.

–¿Salitas? ¡Nada de salitas! Voy a entrar con ella al quirófano.

–Pero, Señora, esa zona es «estéril»... Ahí no puede pasar nadie que no sea personal sanitario...

–Yo puedo. Yo soy personal sanitario: ¿acaso no soy enfermera?

–Bueno... sí... pero... no sé...

–Pues yo sí sé: enfermera ¡y con todas las de la ley!

Pidió una bata aséptica, unos guantes y una mascarilla. Se los puso. Entró en el quirófano. Y estuvo al lado de Sheila hasta que terminó la operación.

Ahora sí, doña Sofía mira su reloj de pulsera.

–¡Uyyy! ¡Se ha hecho tardísimo! Hay que terminar...

–¿Hay que terminar?

La reina se pone de pie. Es extraño: en un momento le ha cambiado el semblante: vuelve a estar seria, como cuando entró hace dos horas y media. Yo diría que, de pronto, se ha levantado un muro de mármol frío entre ella y yo. Pero no. Cuando, desde el amplio rellano de la escalera, me tiende la mano en despedida, está sonriendo. Entonces repito:

–¿Hay que terminar?

–Hay que terminar... por hoy.

III

17 de julio de 1995. Han pasado trece días, y he vuelto a La Zarzuela. En tan poco tiempo, los reyes han estado en las academias militares de Talarn y Zaragoza y en la Escuela Naval de Marín, presidiendo la entrega de despachos. Y han viajado, en visita oficial, a Austria y a la República Checa. En palacio hay trajín de «cierre y marcha»: ordenar armarios, cubrir tapicerías, retirar alfombras, hacer equipajes... Y en las oficinas, andan igual de azacanados rematando gestiones, ultimando correspondencia, zanjando asuntos pendientes. De un momento a otro, saldrán todos como disparados hacia Mallorca, para pasar las vacaciones en Marivent.

La reina me ha hecho un hueco en su agenda. Un hueco inverosímil porque, en estas fechas de víspera, ella es ante todo y sobre todo una mujer que cierra una casa y abre otra; una madre de familia que espera a un montón de parientes invitados, y quiere supervisar por sí misma que cada uno de ellos tenga su habitación bien instalada: que no falten bombillas, ni visillos, ni jabones, ni toallas, ni... «Ah, y eso no lo delega en nadie –me comentó una vez la princesa Tatiana Radziwill–: aunque no reciba en su casa, y se trate de alojarse en un hotel, ella va antes para ver qué puede necesitar cada huésped.»

---

1. Estos pobres reyes de quienes tanto malo se dice, también tienen a veces algo bueno.

Me dicen que va a retrasarse un poco: «Ha almorzado fuera, pero ya está llegando. Nos han avisado del control, que acaba de cruzar por allí.»

A las cinco y siete minutos, la reina entra en la salita donde yo la espero. Viene muy risueña –«¡mil perdones, mil perdones, que llego tarde!»– y como más ligera y airosa que la otra vez. Quizá sea el vestido, informal, veraniego, de vuelos: blanco estampado en azules. Lleva collares y pendientes, de cuentas azules, a juego. Trae una carpetilla tamaño folio bajo el brazo. A modo de saludo, me lanza un animoso «¡manos a la obra!». Y enseguida, ya sentadas: «Nos quedamos en el regreso a Grecia, desde Alejandría, después del exilio, ¿no?»

Ella tenía casi ocho años, aquel mediodía de septiembre de 1946,[2] cuando, con el corazón apresurado por la emocionante novedad, avistó el puerto de El Pireo desde la cubierta del destructor *Nauvarinon*: «Era tan pequeña al salir de Grecia, que para mí este regreso fue el verdadero encuentro con mi tierra. Abría muchísimo los ojos. Quería verlo todo, todo, todo. Y cuanto antes. Desde que amaneció, Constantino y yo estábamos, como en una puja, a ver quién era el primero que divisaba la costa. El día era esplendoroso. Me sorprendió que en Grecia, a pleno sol, con una luz tan blanca, tan fuerte que casi cegaba, el mar fuese tan oscuro. Todos iban

2. La reina Sofía relata la vivencia del regreso como si ella y sus hermanos hubiesen vuelto con sus padres el mismo día que el rey Jorge, aunque en buques distintos: el 28 de septiembre. Pero el príncipe Miguel de Grecia y Alan Palmer, en *The Royal House of Greece* (George Weidenfield and Nicolson Ltd, Londres) dicen que el destructor *Mioulis* entró en la bahía de Falerón el 28 de septiembre, llevando a bordo al rey Jorge II y a los príncipes Pablo y Federica. Pero que los príncipes volvieron a Alejandría para recoger a sus hijos –también por mar–, y hasta el 18 de octubre no volvieron a Atenas. Por su parte, la reina Federica (*op. cit.*) no menciona a sus hijos en este pasaje, que describe con minuciosos detalles. Tampoco fija una fecha («era un día de otoño»). En cambio, habla de cuatro destructores, y precisa que el rey iba en un barco y ellos en otro.

de gala. Mi padre, de almirante. Irene vomitó sobre el militar que la llevaba en brazos, y le puso perdido. La noche antes hubo marejada, y yo me caí de la cama en el camarote. Mis padres nos decían: "¡Ése es nuestro país, ésa es nuestra tierra...! ¡Ya estamos, gracias a Dios, ya estamos aquí!" Abajo, en el muelle, la música, chimpún, chimpún, chimpún. La gente gritaba y aplaudía. Todo el mundo estaba radiante. Y yo, excitada de alegría. Era una emoción muy nueva que me hacía feliz.»

Este regreso debió de producirse año y medio antes, al caer la Alemania nazi y terminar la guerra mundial; pero Grecia estaba cuarteada por una guerra civil de guerrillas y violencias, azuzada por las «milicias» comunistas, que llegaron a establecer un Comité de Liberación Nacional (PEEA) en las montañas del norte del país. Churchill instaba al rey Jorge para que designase a «un regente neutral: el arzobispo ortodoxo Damaskinos». Sin embargo, Jorge II –que por tres veces había bebido la amarga pócima del exilio– tenía bien aprendida la lección y se mantuvo firme en la decisión democrática de que Grecia no tendría un regente designado «a dedo», sino un rey respaldado por la voluntad mayoritaria del pueblo, «cuando pasen estas tormentas, y los griegos puedan expresarse libremente en las urnas».

Y así fue: el 31 de marzo de 1946, con la supervisión de observadores franceses, ingleses y estadounidenses, se celebraron elecciones generales democráticas en Grecia; y el 1 de septiembre, un referéndum, que dio la mayoría absoluta (el 69 por ciento de los votos populares) a los partidarios de la restauración monárquica.

«El exilio es muy malo –me dice la reina– porque desarraiga a las personas, las saca de su casa, las aleja de su suelo, las hace vivir de nostalgias, y disgrega también a las familias. Pero mucho peor es la guerra. El resultado de la guerra en Grecia fue terrible: sobre una población de ocho millones, más de cuatrocientos mil muertos. Y la guerrilla seguía aterrorizando y matando. No había familia que no tuviera alguna víctima. Además de las bajas de la guerra, los niños más pobres habían perecido de hambre, a millares. En los pueblos, las mujeres iban de negro, por el luto. Casi todo estaba destruido. El país, arruinado. La gente, extenuada, hambrienta, envejecida, triste. No había ropas, ni alimentos, ni medicinas. No había de casi nada.

»Mis padres empezaron enseguida a viajar por todo el territorio: se lo pateaban en un jeep militar; y a veces en mula porque había pueblecitos en barrancos pedregosos, o en montañas muy ¿escarpadas?, sin camino, adonde no se podía llegar de otro modo. A mí me llevaban para que fuese conociendo de cerca el dolor y la pobreza.

»Nuestra casa de Psychico y el palacio del rey, en Tatoi, habían sido saqueados, y maltratados... Los soldados italianos, alemanes, o británicos, se albergaron allí. Habían encendido fuego para guisar, o para calentarse, en medio de cualquier habitación. Y como no tenían leña, arrancaron todo lo que era de madera. Un día fuimos a Tatoi, de picnic, de excursión. Y mi madre nos iba explicando cómo estaba antes...

»Nos establecimos en Psychico. Allí mismo, mis padres fundaron unas escuelitas, Arsakion, dentro de la finca, pero separadas de la casa. Había tres grupos, tres clases, por niveles de edad, con diez niños en cada clase: a una asistía Irene; a otra, Tino; y a otra, yo. El profesorado era muy bueno. La directora de primaria era la señora Orsa, y la de secundaria, la arqueóloga Arvanitopoulos. Después se construyó un colegio de niños, Anavrita, al que fue mi hermano. El director era Jocelyn Winthrop Young. Más tarde, este profesor tuvo una hija, y le pusieron Sofía, porque yo fui su madrina. Nos llevaban también a ver fábricas; o hacíamos excursiones arqueológicas, y luego recomponíamos los restos de vasija o de lo que hubiésemos encontrado.

Todo era nuevo. Todo era apasionante. Cada día nos abrían un universo de intereses. Los pequeños scouts teníamos nuestras reuniones en el sótano de Psychico. A mí me encantaba ir a clase, aunque no era buena estudiante.» Con tono declamatorio y abombado, hace la parodia de un imponente tribunal examinador: «Redacción, ¡mal! Sintaxis, ¡peor! Matemáticas... ¡¡cero!!» Y ahora suelta una carcajada, riéndose de su imitación. «Sin embargo, en ortografía era la mejor de la clase.» Me confiesa que, como todos los colegiales del mundo, «con tirachinas, de pupitre a pupitre, nos enviábamos papelitos con mensajes; o, toc-toc-toc, con un morse inventado por nosotros mismos». Y también que «en los exámenes, yo llevaba mis chuletas y, si podía, alguna vez, ¡ya lo creo que copiaba!».

Le he dicho a doña Sofía que, para llegar a conocer a la mujer que palpita bajo la piel de la reina, he de ir conociendo antes a la niña, a la adolescente, a la jovencita que fue. «El alma –decía yo, y la reina me miraba seria, atenta y en silencio– de Sofía ante el pupitre, de Sofía *teenager* que sueña, de Sofía novia por casar, de Sofía forastera en España...» Y ello, porque el humano, mientras es ser viviente, es ser viniente. Alguien que va viniendo, de la cuna a la tumba. Alguien que se va haciendo y deshaciendo y resolviendo. Alguien *in fieri*. Alguien que evoluciona, así o asá, en el *durante* de su calendario. Alguien que acumula saberes, emociones, escalofríos, dudas, fugas, arrugas, paisajes, sobresaltos, lágrimas, versos, besos, vuelos, amaneceres de cristal y hielo... En buena manera, creo, somos acumulativos: un pan sobado donde ha puesto sus infinitas huellas digitales el vivir.

De ahí, mi interés en rastrear la orografía de sus años niños: porque en aquella princesita tenue, que en la severa cita del deber se hacía hija de rey, ya estaba en ciernes, germinal, en yema, esta esposa de rey, esta reina –reina hacia afuera, y hacia dentro reyna–,[3] esta mujer, esta matrona rubiamente fuerte, adobada en virtudes y talentos, matriz de un príncipe cachorro, bravo clamor rasgando las cortinas que tapan el futuro.

En esos tiempos escolares de Arsakion, Sofía conoce a una mujer que va a dejar una marca importante en el trazado de su aprendizaje cultural: Theofanos Arvanitopoulos, responsable de toda el área de humanidades que entonces la princesa empieza a estudiar: historia, geografía, arte, filosofía, arqueología, griego... El paso del tiempo no ha conseguido mellar su admiración hacia aquella profesora: «Era fantástica. Se entusiasmaba y entusiasmaba a sus alumnos con la arqueología, o la historia... Nos explicaba el arte sobre el terreno, yendo a los lugares. Ella me descubrió las riquezas de Grecia, y me enseñó a disfrutar con la belleza, y a amar mi país. Con ella, aprender era... una fiesta. La quise muchísimo.

»Al volver del exilio, en 1946, yo hablaba inglés y griego. Pero, nacida griega, y siendo hija del *diadokos*, debía perfeccionar enseguida el idioma de un país. Para relacionarme con la gente del pueblo, tenía que hablar su idioma. Lógico ¿no? Y lo mismo, mis hermanos. El griego que sabía lo aprendí de María, una chica que ayudaba a Sheila MacNair. Ella siempre nos habló en griego durante el exilio. Theofanos nos dio clases a los tres. La ortografía, que era complicadísima, ella nos la hacía muy atractiva. Aprendí las tres lenguas griegas: el idioma común, o *koiné*; la lengua vulgar, popular, o *demotiki*, que es la que habla el *laikon*, el pueblo; y el griego clásico, ático, culto, la *kazarevusa*, que es la gramática perfecta.»

La reina observa que titubeo al intentar transcribir esos nombres. Le explico que no sé griego, porque en la Facul-

3. *Reyna* era la ortografía del castellano en romance. Así se hacían llamar, y así firmaban, las reinas de Navarra, de León y de Castilla. Aquí, el juego gráfico quiere apuntar a un concepto fuerte de reina: *reyna*, señora y dueña, *reyna* de rompe y rasga.

tad de Filosofía escogí el árabe. Toma entonces mi libreti-lla. Saca un voluminoso bolígrafo Harley Davidson, color gris ratón, y me escribe esas palabras con caracteres gre-cos de su puño y letra. Me he quedado mirando el bolígra-fo, con cara de sorpresa: yo tengo uno igual, y sé que, cada vez que lo saco, es una «passsada». Casi, casi, como arran-car con una Harley en tercera, a todo pistón, y rueda en alto.

«Colecciono plumas estilográficas. Pero me gusta escri-bir con rotulador de punta fina, o con este boli, que tiene tinta de agua y va fenomenal de rápido. Lo compré en el Ave. ¡Me encanta el Ave! Llegas, subes, zassss, ¡y ya estás en Sevilla! Yo –ahora baja la voz, enarca las cejas y pone cara de ir a revelarme una indiscreción–, lo que peor lle-vo de todo es el avión: subir al coche, bajar del coche, su-bir al helicóptero, para ir ahí al lado, a Barajas, bajar del helicóptero, subir a otro coche, volver a bajar a trescientos metros, en la misma pista, subir al avión... Cuando te sien-tas y te aprietas el cinturón, ves que, con tanto subeybaja, estás ya toda arrugada y agotada, ¡y todavía no hemos des-pegado de Madrid! Encima, habrá quien piense "¡mira esos dos, qué bien se lo pasan, venga a viajar!". Aunque leas los periódicos, o un libro, a mí el viajar me produce una sen-sación muy frustrante de estar mano sobre mano, perdien-do un tiempo precioso que podría gastar haciendo cosas más útiles.»

El 1 de abril de 1947, a los seis meses de haber regresado del exilio, el rey Jorge II muere repentinamente de una trombo-sis coronaria en su gabinete de trabajo. La víspera, empezó a acusar dolores en el pecho, pero no quiso dejar de asistir a la proyección de una película –*Enrique V*, de Lawrence Olivier– a beneficio de los niños griegos huérfanos de guerra. Y el día de su muerte, por la mañana, trabajó en su despacho del palacio de Atenas con normalidad. Dijo que no quería comer. Se echó a descansar en un sofá, vestido, tal como estaba. Debió de morir sin agonía. Serían las dos de la tarde. Su ayuda de cámara telefoneó a Psychico, al príncipe Pablo, que en ese momento iba a sentarse a la mesa para almorzar. Conduciendo él mismo su automóvil, y llevando a Federica en el asiento de al lado, Pablo salió inmediatamente hacia palacio. Enseguida empezaron a llegar los miembros del gobierno y el Patriarca de Constantinopla.

Pocas horas después, a las ocho de la tarde, con el rey muerto en la capilla ardiente, el Patriarca ortodoxo tomó juramento al *diadokos* Pablo. Y el primer ministro, en señal de acatamiento de la nueva investidura, gritó «¡Viva el rey!». En Grecia no hay ceremonia de coronación.

«Irene y yo estábamos en clase de ballet, en el Club de Tenis. La gente empezó a hablar en voz baja, con expresiones de alarma, de extrañeza. Pero no nos dijeron qué ocurría. Como el 1 de abril en Grecia se celebra la fiesta de los Santos Inocentes, y se gastan bromas, algunos creían que era mentira... A nosotras nos llevaron a casa. Papá y mamá habían vuelto a Psychico, supongo que para arreglarse y prepararlo todo, porque tenían que estar presidiendo el duelo. La noticia nos la dio mi madre, lo recuerdo muy bien. Nos reunió a los tres niños. Y nos dijo: "A tío Jorge le llegó su hora. Estaba muy cansado. Se echó a dormir la siesta. Y se quedó dormido para siempre. No ha sufrido nada... Cuando se muere el rey, le sucede el heredero. En este caso, el heredero es papá. Esto va a cambiar su vida totalmente. Deberá trabajar mucho, viajar mucho, recibir a mucha gente. Tendremos que vivir en el palacio de Atenas, y dejar esta casa... Y todo eso os va a costar a vosotros, pero también a él le va a costar."

»Ésa fue la primera vez que tuve una relación de cerca con la muerte, y conociendo al hombre que se había muerto. A los cuatro días fueron los funerales y el entierro. Nos pusieron trajes negros. Las señoras, si estaban casadas, llevaban velos negros por la cara. Mi madre lo llevaba, y todas las parientes que vinieron. En cambio, tía Katherine, como estaba soltera, no llevaba velo. Recuerdo muy bien el cortejo fúnebre, los soldados cubriendo la carrera, con los fusiles hacia abajo, a la ida;

y hacia arriba, a la vuelta, después de enterrarle en el mauso-
leo familiar de Tatoi. En el cortejo iban los *evzones* de la guardia real. Y, detrás del féretro, mi padre, que llevaba de la mano
al nuevo *diadokos*: mi hermano Constantino.

»Estas ceremonias no son ritos vacíos. Tienen una gran
fuerza. Significan lo que son. Y son lo que significan. Mi
hermano, siendo tan pequeño que apenas le llegaba a
mi padre a la cintura, ya se dio cuenta ese día, en ese desfile, de que él era el príncipe heredero: él estaba por delante
de nosotras para reinar. Pasados muchos años, cuando aquí
en España tuvimos el golpe del 23-F, yo quise que mi hijo,
el príncipe Felipe, estuviese con los mayores, en el salón,
cerca de su padre que tomaba decisiones. Era importante
que eso él lo viviera, sin que nadie se lo contase. Era muy
importante... Y allí estuvo, toda la tarde y toda la noche,
hasta que se quedó "frito" en un sillón.»

Cuando Pablo de Grecia empieza a reinar tiene ya cuarenta y seis años. No es precisamente un hermoso *príncipe de
las mareas*. Por el contrario, ha sufrido en sus carnes el riesgo, el dolor, la carestía, la guerra, la desinstalación, la soledad y la melancolía de la ausencia. Muy temprano, siendo
apenas un muchachito de doce, recibió el impacto sobresal-
tante de la noticia del asesinato de su abuelo, Jorge I, el
fundador de la dinastía:[4] un tiro a quemarropa, por la espal-

4. En 1862, una revuelta militar, alentada por Inglaterra, depone del
trono de Grecia a Otón I, que era un príncipe alemán. Por sugerencia británica, el parlamento griego ofrece la corona a la Casa Real de Dinamarca.
Es designado para ceñirla el segundo hijo del rey Christian IX: el príncipe
danés Christian Guillermo Fernando Adolfo Jorge Schleswig Holstein Sondenburg Glücksburg. Él funda la dinastía griega, con dieciocho años de edad.
Toma el nombre de Jorge. Grecia, como único apellido. Como divisa dinástica, *Mi fuerza es el amor de mi pueblo*. Y, en señal de que desea reinar sobre unos hombres más que sobre unos territorios, se hace llamar «rey de los
helenos». Aunque él es luterano, busca esposa en la corte rusa de los Romanow –la princesa Olga, sobrina del zar Nicolás II–, pues quiere dar a su pueblo una reina cristiana ortodoxa. Al jurar como rey se ha comprometido
públicamente, «en nombre de la consustancial e indivisible Trinidad, a pro-

da, en Salónica, mientras paseaba junto al mar, contemplando, enfrente y a lo lejos, el monte Olimpo. El homicida no era ningún enemigo búlgaro, turco, albano o yugoslavo: era un tal Alexander Schinas, un *quidam* griego, loco y alcoholizado. Desde entonces, Pablo siguió muy de cerca los avatares de un pueblo, como el griego, de corazón tan fogoso como tornadizo, y de unos políticos demasiado aficionados a conspirar y a urdir tramas palaciegas para manejar a su arbitrio el cetro del rey, en cada momento.

Con cuarenta y seis años, no es un *príncipe de las mareas*, tampoco es un viejo, pero tiene ya cicatrices en el alma: ha conocido cuatro reyes de su propia familia y bajo su mismo techo: su abuelo Jorge I, su padre Constantino I, y sus hermanos Alejandro I y Jorge II. Ha vivido tres veces la incierta aventura del exilio.[5] La renuncia forzosa, y después la abdicación, de su padre. La trágica muerte de su hermano Alejandro.[6] El divorcio de su otro hermano, Jorge. Y el zarpazo de la Gran Guerra. Una épica azarosa y caliente de guerras continuas en Asia Menor: guerras en las que los

---

teger la religión dominante de los griegos; a mantener y defender la independencia, la autonomía y la integridad del Estado de Grecia; y a observar sus leyes».

Reinará hasta su muerte, ocurrida en 1913. Tuvo ocho hijos: Constantino (se casó con Sofía de Prusia y fue el continuador de la dinastía); Jorge (casado con María Bonaparte); Alejandra (contrajo matrimonio con el gran duque Pablo de Rusia); Nicolás (se casó con la gran duquesa Elena de Rusia); María (se desposó en primeras nupcias con el gran duque Jorge de Rusia; y, después de enviudar, con el almirante Joannides); Olga (murió al poco de nacer); Andrés (se casó con la princesa Alicia de Battenberg); y Cristóbal (casado con Nancy Leeds, princesa Anastasia de Grecia; a su muerte, contrajo segundas nupcias con la princesa Françoise de Francia).

5.   Constantino I hubo de exiliarse dos veces: en 1917, cediendo el trono a su segundogénito, Alejandro I; y en 1922, abdicando en su primogénito, Jorge II. Constantino I murió en el exilio, en Palermo. Jorge II marchó al exilio, y con él toda la familia real, otras dos veces: en 1924, al proclamarse en Grecia la república de Kunduriotis; y en 1941, al ser invadido el país por las tropas de Hitler.

6.   Un día de septiembre de 1920, cuando el joven rey Alejandro I regresaba a casa, su perro alsaciano, *Fritz*, se enzarzó en una pelea con dos monos rhesus. En el intento de separar a los animales, fue mordido en la pierna por uno de los monos. La herida le produjo una septicemia mortal.

príncipes, con el rey a la cabeza, participaban como un hombre más, afrontando el peligro en los frentes de batalla.

Se ha curtido, sin doseles ni palios, a la intemperie del infortunio, adivinando, detrás de los dramáticos sucesos que golpeaban una y otra vez a su familia, una mano invisible afanada en convertir la dinastía de Grecia en una dinastía maldita.

Sin embargo, Pablo no es un hombre amargado, ni receloso, ni resentido. Antes bien, es un hombre que casi siempre sonríe. Un hombre que tiene paz interior. Un hombre de inteligencia inquieta y de corazón sereno. Cree en lo invisible. Ama lo visible. Busca el bien, la verdad y la belleza. Tiene un sexto sentido, casi instintivo, del deber y del servicio a los demás. Todo lo cual le hace estar especialmente dotado para la felicidad.

No es, no, un *príncipe de las mareas*: siempre ha sabido ganarse el pan que se come. Durante el largo exilio de 1924 a 1935, cuando la familia real griega padece en sus carnes la escasez vergonzante, a Pablo no se le caen los anillos por ponerse a trabajar como mecánico –con el nombre falso de *Paul Beck*– en una fábrica de Coventry dependiente de la empresa Armstrong Whitworth, constructora de motores de avión. A diario, se traslada desde su domicilio en Leamington hasta su puesto de trabajo, conduciendo él mismo un pequeño Morris-Cowley. La experiencia le resultará útil, años más tarde, a la hora de crear en Grecia una verdadera aviación militar.

«Mi padre fue pronto un rey muy popular. Era un hombre tranquilo, dueño de sus nervios, reposado de carácter. Tenía muchas ideas, muy buenas iniciativas para el bienestar social de los griegos. Mi madre, la reina Federica, era activa, dinámica, emprendedora. Y ponía en práctica lo que mi padre ideaba. Formaban un buen tándem: un equipo muy compenetrado. Una vez, mi padre estuvo varias semanas enfermo, con fiebres tifoideas, y ella le sustituyó en todos los actos públicos. Incluso, en los peligrosos: fue al Epiro, a la ciudad de Konitsa, que estaba asediada, cercada, por las milicias comunistas, y tuvo que atravesar las líneas de fuego a lomos de un mulo. ¿Y para qué? Pues, para llevar ánimos a unos soldados y a un albergue de niños huérfanos. En las monarquías democráticas, un rey no tiene poderes materiales. No puede dar dinero, ni ordenar que se construyan casas, o que se ponga un tendido eléctrico. No puede hacer nada, no puede dar nada. Sólo, su presencia. Estar. Estar allí donde algunas personas sufren. Y debe hacerlo.

»Recuerdo que mi madre se inventó una cosa que era "la camiseta del soldado". Recaudaban dinero, o donativos en especie, y hacían lotes: unas botas, unas camisetas, unas cajetillas de cigarrillos, una tableta de chocolate... Después, había que entregar esos paquetes a los soldados que estaban en el frente combatiendo. Mamá nos llevaba a Irene y a mí al frente de guerra, al norte, en la frontera con Albania, Yugoslavia o Bulgaria. Yo veía a los soldados enemigos al otro lado. Eso atemorizaba un poco, sí. Pero lo que mi madre quería era que nos acostumbrásemos a vivir para los demás, a estar para los demás, ¡a ser para los demás!

»El lema de la dinastía griega, que el rey Pablo vivió casi sin tener que proponérselo, era *mi fuerza es el amor de mi pueblo*. En cierta ocasión, desde un balcón roto, en una pequeña ciudad que había sido muy destruida durante la guerra, mi padre habló a una muchedumbre silenciosa, triste, que le miraba con los brazos caídos: "Quiero que, desde hoy, grabéis en vuestros corazones otro lema: 'Nuestra fuerza es... el amor de nuestro rey.'" ¡Bueno, allí terminaron llorando todos! Pero no eran palabras. Mi padre se empeñó en lograr las ayudas del Plan Marshall para Grecia, y lo consiguió. Y el fin de la guerra de griegos contra griegos, y lo consiguió. Y fundar escuelas-hogares para niños, y talleres para jóvenes... Pero todo tenía que hacerlo con mucho equilibrio, para no pisar un terreno que no fuese del gobierno. Es curioso: mi padre era un demócrata profundo; sin embargo, en Grecia, monarquía y democracia eran conceptos antitéticos. A los griegos no les cabía en la cabeza (y sigue sin caberles) que una monarquía pueda ser democrática y constitucional. Y como esa desconfianza la encuentro en muchos lugares de Europa, a veces me pregunto ¿a ver si va a resultar que es un "invento" excepcional de mi marido, de Juan Carlos, en España?»

Le he preguntado cómo le afectó el cambio de estatus: el ser hija del rey. Y me dice:

«No me impresionaba nada. Mi vida en casa era muy normal, nada extraña, nada sofisticada. Grecia era pobre, y sus reyes también eran bastante pobres. No dábamos grandes fiestas, ni vivíamos con lujos. Mis ropas, mis juegos, mi *standing* de vida, no era más regalado que el de la hija de un marino, que eso hubiese sido mi padre de no ser rey. Quizá lo más costoso fue irnos de la casa de Psychico, que para nosotros era el súmmum de felicidad y de libertad... Como regalo de cumpleaños (no sé ahora de cuál de los tres) mis padres encargaron que, mientras dormíamos, pintaran en la habitación de jugar todos los muñecos de Walt Disney: Bambi, Pinocho, Blancanieves, Mickey Mouse, Pluto... Y tener que dejar eso allí, en las paredes, nos costaba muchísimo.

»Al principio, vivimos en el palacio de Atenas. Pero en cuanto pudimos nos fuimos a Tatoi. Tengo maravillosos recuerdos de nuestra vida familiar en Tatoi... Me parece estar oliendo aquellas brisas, entre los eucaliptos, los pinos, los castaños, ah, y un árbol que a mí me encanta, y que aquí sólo lo ponéis en los cementerios, para los muertos: el ciprés. En Tatoi había zarzamoras, junto a la cerca. Me gustaba irme sola a coger moras.

»Nos reuníamos al atardecer los cinco en el cuarto de mi padre, que era una mezcla de despacho y de cuarto de estar. Allí, en unas butacas cómodas, junto a la chimenea, cenábamos de un modo informal, oíamos música, hablábamos de mil cosas... Desde 1947 hasta 1955, mientras no tuvimos Mon Repos, en la isla de Corfú, pasábamos los veranos en la casa que nos cedían unos navieros, en la isla de Petalí, en la zona del Ática. Allí iban primero mis padres solos, los fines de semana. Después fuimos siempre todos juntos. Era una casa muy rústica. Estaba vacía. Casi no tenía muebles. Las camas eran de soldado. Tenía la ventaja de que podíamos ir siempre en traje de baño, también dentro de la casa, porque no estropeábamos el suelo, que era de piedra.

»Alternábamos las estancias en Tatoi y en Atenas, según la actividad de mis padres. El palacio de Atenas forma una especie de pentágono con el jardín. Está en plena ciudad, y lo bordean cinco calles: Herodes Áticus, Basileos Georgiou, y otras más estrechas... ¡a ver si me acuerdo!... Meleagrou, Issiodou, y ¿cuál es la otra? ¡Ha pasado tanto tiempo...! Desde mi habitación, que tenía dos ventanales grandes, en ángulo, yo disfrutaba de unas vistas maravillosas. Imagínate que la cama está aquí. Ahí, a mi izquierda, veía la Acrópolis. Y allá, por el ventanal de enfrente, el famoso Likabettos.»

Es una mujer tenaz: está rastreando su memoria, intentando atrapar el nombre, el dichoso nombre de la quinta calle. «¡Mira que no acordarme yo ahora!» Abre la carpetilla. Con el Harley gris ratón anota algo rápido en un folio. Arriba.

Me habla ahora de sus entretenimientos en aquellos años: «El mundo de la fantasía lo cultivaba, a la fuerza, porque es que... casi no veíamos gente, ni íbamos al cine, ni había televisión. Teníamos que inventarnos nosotros los juegos, y el modo de estar divertidos. Jugábamos a toda hora. Como todos los niños, íbamos mucho a la cocina, porque Blasi, el cocinero, era griego y nos contaba historias de griegos y de turcos. Blasi era nuestro amigo. Luego fue ayuda de cámara, con mi padre, en palacio. También estaban allí Sheila y María. Con Sheila hablábamos en inglés. Con María, en griego. Y así ahora los tres somos bilingües. Mis hijos también son bilingües desde pequeñitos, pero ellos, en inglés y en castellano.

»Ah, teníamos una gramola de aquellas de manivela, y Tino y yo bailábamos juntos. Siempre me gustó bailar. Ahora, en las bodas y en las fiestas se ha suprimido el baile. ¡Es una lástima!»

En el otoño de 1951, cuando Sofía va a cumplir trece años, sus padres la matriculan en la Schloßschule Salem, las entonces muy prestigiosas escuelas de elite fundadas por un judío alemán, diplomático y pedagogo: Kurt Hahn. Esta de Salem, junto al lago Constanza, en el estado alemán de Baden-Wurtenberg, creada bajo el mecenazgo del margrave Max von Baden, ha encomendado su dirección al príncipe Jorge Guillermo de Hannover, uno de los hermanos de la reina Federica. A Sofía le entristece profundamente la idea de dejar su casa y la compañía, tan intimista, de su familia. Le atemoriza convivir con gente nueva y desconocida; someterse a una disciplina rígida como la de la Schloßschule, en un país muy alejado de Grecia; y tener que entenderse en un idioma que apenas chapurrea. Pero lo que su madre quiere es, precisamente, que se suelte de las faldas caseras, que salga del pauperismo griego, que adquiera una educación más europea, y que afronte por sí sola todos esos obstáculos de la soledad, de la lejanía, de la timidez, de la comunicación, del idioma, o de la severidad de horarios.

«Yo iba como cordera al matadero. Primero fuimos a Alemania, en un DC-3. No había reactores en Grecia. Tardamos un día entero en llegar: Atenas-Roma-Lyon-París-Hannover. Y de ahí, al castillo de Marienburg, para asistir a la boda de mi tío Ernesto Augusto IV,[7] el hermano mayor de mi madre.

7. Ernesto Augusto IV, *kronprinz* de Hannover, tío materno de doña Sofía, se casó en primeras nupcias con Ortrud de Schleswig Holstein, y después con Mónica de Solms Laubach. Tuvo seis hijos: María, Ernesto Augusto V, Luis Rodolfo, Olga, Alejandra y Enrique.

»Me parecía que yo no pegaba nada en aquella boda. Eran todos mayores. Y yo aún no tenía ni trece años. Ésa fue mi primera fiesta de noche, mi primera "aparición en sociedad". Con un problema de dientes –que entonces me acomplejaba, porque estaba en la edad del pavo y de los complejos–; un traje corto blanco de piqué, demasiado aniñado; y sin conocer a nadie. Me sentía... ni fu, ni fa, ni niña, ni mujer. Desplazada. Mis primas, como eran mayores que yo, llevaban trajes largos. ¡Qué ansiedad tenía yo por llegar a esa edad! Entonces, mi tío Christian, hermano también de mi madre, que era un solterón alegre y guapo (luego se casó con Mireille Dutry), me sacó a bailar, muy galante. Y yo ¡vi el cielo abierto!

»En cuanto al castillo de Marienburg, me horrorizó: era tétrico, oscuro, con armaduras, con cuadros enormes, techos altísimos y escaleras muy empinadas. Muy medieval. No me gustó nada. Era inhóspito. Fatal. No me gustan los castillos, ni los palacios grandes. Son lo que quieras, pero no son casas. A mí me gustaba Tatoi, porque era pequeño, recogido, y la gente se encontraba como en cualquier casa de familia. La Zarzuela está bien. Más grande, tampoco la quiero. Y ¡qué bien hicimos no yéndonos a vivir al Palacio Real de la plaza de Oriente! La reina Victoria Eugenia me contó una vez que, cuando Alfonso XIII y ella y sus hijos vivían allí, podía pasarse todo el día entero sin ver a su marido.

»Desde Marienburg, yo me fui en un Volkswagen *escarabajo* con la princesa Sofía –hermana de Felipe de Edimburgo– al volante, y con su marido Jorge Guillermo de Hannover, que era el director de la Schloßschule de Salem. Detrás íbamos mi primo Rainer, hijo de ellos, y yo.»

–¿Y dónde fue la llorera de la despedida?

–Ahí, ahí. Yo estaba ya sentada dentro del coche. Mis padres fuera, diciéndome adiós. No pude más de pena: abrí la portezuela, salí a todo correr, y me abracé a mi madre con todas mis fuerzas, llorando a lágrima viva. Aquello sí que fue un desgarro. Pero... ¡valió la pena!

IV

Aunque ha pasado más de un mes, con vacaciones de verano por medio, la reina entra diciendo: «¡Me acordé enseguida. Nada más irte tú, me vino el nombre de la quinta calle!»

La veo muy contenta con su hallazgo. Pero... *me pilla en la ducha.* ¿De qué «quinta calle» me habla? No sé... No caigo.

–Aravandinou. De las calles que rodean el Palacio Real de Atenas, ésa era la que me faltaba: Aravandinou.

–Nos habíamos quedado en Salem. Además de la lejanía familiar, el idioma, el rigor de una pedagogía exigente... ¿había alguna razón, más personal, para que a vuestra majestad le costase tanto ir a la Schloßschule de Salem?

–Más que «razones», yo diría «motivos». Dos motivos. Uno, mi timidez. Yo no era una muchacha triste, sino alegre. Pero no era extravertida con cualquiera. Era muy sensible, muy observadora, y más bien retraída. Me resultaba difícil hacer nuevas amigas, por eso, por mi timidez. Y otro, que lo nuevo me costaba. Y me sigue costando. Soy «animal de

---

1. No hay país en el mundo / más bello que nuestra tierra: / allí nos vemos, / bajo los tilos, / cuando viene la noche.

costumbres». Cualquier cambio, me supone esfuerzo. No es pereza, no es miedo; sin embargo, me lleva tiempo hacerme a la idea de meter en mi vida una novedad.

–¿Le cuesta, majestad, recibirme y contarme cosas de su vida informal y doméstica?

–Me cuesta hablar de mí: «yo, yo, yo», en primera persona. Casi nunca lo he hecho. Prefiero hablar de los demás. Son mucho más interesantes... ¿Estas «sesiones»? De alguna manera, son como posar... Sí, las novedades se me hacen cuesta arriba (por eso me costaba ir a Salem); pero una vez que he dicho «sí» y he entrado... ¡ya, hasta el final! Soy constante.

–Pues... ¡menudo oficio ha ido a elegir, no gustándole la novedad!

–Es verdad. Aquí no hay un solo día igual al anterior. Una reina no sabe lo que es la rutina. No puedo «coger costumbre» de nada. Los protocolos de viajes, los lugares, los discursos, las personas, los regímenes políticos, los gobiernos de dentro y de fuera... ¡es todo tan cambiante! Los propios hijos, y sus amigos: gente joven que has visto crecer y cambiar de un día para otro. Por eso, sin ser «conservadora», sí me gusta conservar tradiciones, costumbres... Al menos, dentro de mi casa.

A propósito de las novedades, recuerdo ahora una breve anécdota que me contó Carmen Alborch cuando, por ser ministra de Cultura en el gobierno socialista de Felipe González, tenía trato con la reina: «Llegamos un día a cierto lugar. Al descender del helicóptero, el oficial de servicio se cuadró, saludó a la reina, y le dijo lo de "sin novedad, Majestad". Mientras nos alejábamos del helicóptero, la reina me comentó con guasa: "A veces, he visto cómo el jefe de una unidad militar equis, se nos acercaba, nos decía 'sin novedad', y a continuación empezaba a contarnos cosas que les habían ocurrido: que si un soldadito muerto en un accidente, que si se les había caído el techo de un pabellón, que si tenían una avería en los motores del agua... Y yo pensaba: 'Pues no sé para qué nos dicen antes que no hay novedad. ¡Eso sí que es retórica pura!'"»

Alemania, en 1951, estaba todavía dividida en cuatro zonas, cuya administración –política y militar– correspondía a las potencias aliadas vencedoras de la Segunda Guerra Mundial: Francia, Inglaterra, Estados Unidos y la URSS. El viejo reino de Hannover, tierra natal de la reina Federica, al norte del país, quedó bajo custodia británica. Salem, al sur, en la región de Baden, bajo la supervisión francesa.

El edificio escolar de Salem y la iglesia que alberga en su recinto, y hasta el viejo granero, son de piedra revocada en blanco y de tracería gótica: los nobles restos de un castillo y monasterio cisterciense, a las afueras del pueblo de Mimmenhausen. Asentado, berroqueñamente enclavado, como si desde el principio de la creación del mundo hubiese estado ahí, en un hosco paraje, de una belleza agreste y dura: un lugar de bosques y de prados, umbríos y desolados en invierno, restallantes de color en primavera, junto al lago Constanza, con su negro oleaje. Salem, más que alzarse, se extiende por un territorio recóndito –hay que querer ir, a cosa hecha, para dar con el lugar– que hace bisagra entre Alemania, Austria, Suiza y Liechtenstein. En el centro del centro del viejo corazón de Europa.

Durante el primer curso, 1951-1952, Sofía no vive en régimen de internado: se aloja con sus tíos –Jorge Guillermo de Hannover, el director de la Schloßschule, y su mujer, la princesa Sofía de Grecia– y sus primos, allí mismo, en Salem, pero en una casa aparte: una mansión con un gran jardín por su ala oriental, el Prinzengarten, propiedad privada de Teodora y Berthold, los príncipes de Baden. El padre de Berthold, el príncipe Max von Baden, había sido fundador y mecenas de la Schloßschule de Salem.

«Teodora –me explica la reina con paciencia, sabiendo

que no es fácil moverse con soltura entre tantos y tan reque-teamarrados nudos familiares– era tía mía, pero por la parte griega: o sea, princesa de Grecia, prima carnal de mi padre. Era hermana de Margarita, de Cecilia, de Felipe de Edim-burgo y de Sofía, la mujer de Jorge Guillermo. Por cierto, en esta Sofía, igual que sucedió con mis padres, se encontraron las dos familias: los Grecia y los Hannover. Teodora y el margrave de Baden eran dueños de esa casa, pero se la prestaban a sus hermanos, Sofía y Jorge Guillermo, porque él era el director del colegio.»

Golo Mann, en su libro de memorias,[2] dedica un enjundio-so capítulo a Salem, donde también él estuvo interno, aun-que treinta años antes que la princesa Sofía, y coincidiendo con el entonces joven alumno Berthold. En cierto pasaje, anota un comentario que sobre el príncipe Berthold le hizo Karl von Schumacher,[3] precisamente después de una visita a Salem en los años cincuenta: «Así como hay un tipo de persona que es nazi por naturaleza, y que habría sido nazi por los cuatro costados, aunque no hubiera existido Hitler, así hay también un tipo, mucho menos frecuente, que es príncipe por naturaleza, y lo sería aun sin tener esa catego-ría y ese rango. Uno de ellos es el margrave de Baden.»

«Yo tenía que ir al dentista durante bastante tiempo conti-nuado, para que me pusieran un aparato de metal, de esos de ortodoncia, y me hicieran una corrección de dientes. Allí cerca había un dentista bueno. Así que mis padres pensaron combinarlo todo: la educación en Alemania, la estancia con

2. Golo Mann, *Una juventud alemana. Memorias.* Plaza & Janés, Bar-celona, 1989. Título original: *Erinnerungen und Gedanken. Eine Jugend in Deutschland.*

Golo Mann, historiador y ensayista alemán. Hijo del premio Nobel de Literatura Thomas Mann.

3. Fundador de la *Weltwoche* de Zurich.

mis tíos, y la atención del dentista. Lo que pasó fue que este
señor trabajaba tan lento, y además era tan anciano, que...
¡ufffff!, ¡se murió, el pobre, antes de terminar lo que me tenía que hacer en la boca! En realidad, mi madre lo que
quería era que yo saliese a ver otras cosas distintas de Atenas. De algún modo, europeizarme. Como Sheila se había
casado con el pastor protestante, me pusieron una especie de
institutriz: una condesa austriaca. Por lo visto, creyó que su
tarea consistía en pasarse el día vigilando, para responder de
mí ante mi padre. ¡Qué cosa más absurda! En casa me habían
educado siempre en el uso recto de la libertad. Y, encima, el
ideario de Salem se basaba en el sentido de la autoestima, del
honor, del deber y de la responsabilidad personal. En Salem
te enseñaban a responder cada día ante ti misma, en conciencia, y anotando en una libreta lo positivo y lo negativo. ¿Para
qué quería yo una vigilante?»

Esa oposición a la condesa austriaca, cuya identidad cela
herméticamente, es quizá el primer brote de rebeldía de
una personalidad en ciernes que va a tener ahí, en Salem,
su banco de prueba, su palestra de provocación. En efecto:
«Me daba envidia –dice– la vida del internado. Y al curso
siguiente me planté. Me planté. Dije que quería ir al internado. Y fui.
    »Allí no había diferencias sociales: era una verdadera
democracia, en la que todos recibíamos el mismo trato. Lo
importante era el esfuerzo personal. Valías por lo que hacías. No por quiénes eran tus padres. Durante esos cuatro
años yo fui Sofía de Grecia, a secas. Una más entre los demás. Sólo recuerdo a una persona que, por lo visto, no asu-
mía las reglas del juego: cierto profesor impertinente que,
cuando me veía pasar por un pasillo, me hacía reverencias,
en plan grotesco, como una burla a la monarquía. Yo hubiese querido expresarle mi rechazo, no a su opinión, sino a su
forma de expresarla. Pero... me daba tanta vergüenza, que
me encogía como una tortuga.»

El régimen del internado era riguroso y exigente: tanto en invierno como en verano, se levantaban a las 6.15 de la mañana. «Y en tres minutos tenían que estar las camas hechas. Nos poníamos el chándal, bajábamos al patio, y ahí dábamos vueltas, haciendo footing, de dos en dos. Algunas alumnas bajaban con los bigudíes puestos, porque no les había dado tiempo a quitárselos. Cuando helaba, en los meses de invierno, a veces, ¡plaaasss!, resbalabas, te caías sobre la placa de hielo, y, ¡hala!, ¡a la enfermería! Ir a la enfermería era un alivio. Después de ese tiempo de footing, una ducha fría. En mis tiempos no había agua caliente. El desayuno eran cereales, papilla de avena, con agua. La leche era un lujo escaso, como la carne o los dulces. Y en Alemania se notaban mucho las carestías de la posguerra. A las siete sonaban, muy solemnes, las campanas de la iglesia del monasterio. Cuando yo estudiaba allí, la habían convertido en capilla protestante. A las 7.45 íbamos un cuarto de hora a la iglesia, a hacer los rezos, cantar salmos. Las católicas iban a la iglesia del pueblo. Yo solía ir a esa capilla protestante, la Beetsaal, que estaba en el mismo recinto.

»Todos los desplazamientos colectivos los hacíamos en fila, de dos en dos. Y, por supuesto, llevábamos uniforme: una falda gris y una camisa blanca. Encima, un pullóver azul marino, o un bolero –una "torera" lo llamáis, ¿no?–, o una chaqueta.

»A las ocho empezaban las clases. Las clases de atención intelectual se alternaban con las actividades prácticas. Cada cual elegía una ocupación complementaria: costura, tejer alfombras, trabajos manuales... Yo escogí fotografía y pintura... Puede sorprender, pero ésa fue la primera vez que yo tomé una decisión personal: mi primera elección libre. Sí, el asunto era una bobada, pero fue la primera vez que elegí sin tener que pensar en mi estatus, o en qué sería más conveniente para otros.

»Cada alumno tenía una tarea de tipo comunitario, social, que sirviese a los demás: lavar y secar platos, servir la mesa, atender el comedor, pelar patatas... No se trataba de economizar camareros, sino de un sistema de "corresponsabilidad", de "cogestión" en el que los alumnos debíamos integrarnos.

»Al llegar la noche, cada uno hacía una especie de examen, de recuento del día, y lo escribía en un cuaderno. Ahí se reflejaba cómo iba el "plan de entrenamiento". Era algo muy personal. Los pequeños no lo hacían, sólo los medianos y mayores. Yo recuerdo que apuntaba si había llegado tarde a algún acto de la Schloßschule, si había sido ordenada, si había comido algo fuera de hora, si me había lavado los dientes después de las comidas, cuántos saltos había dado sobre el potro, en el gimnasio, cuántas flexiones, cuántas horas de estudio había sacado por la tarde... Las anotaciones debían ser veraces. Tú te examinabas. Tú eras tu juez. No podías mentirte a ti misma. Y ése era el código de honor. Una vez a la semana mostrábamos esos exámenes personales. Si tenías, por ejemplo, dos faltas de orden en la habitación, al llegar el sábado, te restaban del tiempo libre tres cuartos de hora, y te estabas en un aula sin hablar, o en la cocina pelando patatas, o caminabas cinco kilómetros en silencio. A mí me tocó hacer estas cosas muchas veces. Sí, era un castigo, pero te lo habías impuesto tú, y eso le daba otro valor y otra calidad moral.

»Existían unos grados, de mérito, de responsabilidad, dentro de Salem, según la conducta o los estudios, con unos distintivos: una tirita blanca, o blanca y lila, o lila, que se llevaba en el pecho –se señala, arriba, a la izquierda–, como los militares llevan sus condecoraciones. Todo esto respondía al ideario del fundador Kurt Hahn. Y el que hubiera "vigilantes", "encargados responsables", "auxiliares", "monitores", alumnos todos.

»En Salem hubo momentos en los que me lo pasé muy bien, y otros en los que me lo pasé muy mal. La vida era dura, rigurosa, exigente, sin confort de ningún género. Allí no tenías *blasis*, ni *sheilas*, ni *marías*, que te preparasen una merienda, o te limpiaran el calzado, o te hicieran la cama. Todo debías hacértelo tú. Además, estabas sola. No tenías

quien te mimara. No podías quejarte ni lloriquearle a nadie.
Y eso a mí me ayudó muchísimo. Yo encontré ahí un desafío formidable de libertad y de responsabilidad.»

Han vuelto a brillarle los ojos, y toda la cara se le ha ilu-
minado, como aquel día, cuando me contaba la escena del
salto a los brazos de su padre en la piscina de un hotel de
Alejandría. Por segunda vez, anoto en mi libretilla la palabra talismán: *desafío.* Y a continuación: *También ahora, sabe
que la energía es interior: está en ella misma. Y que en ese
esfuerzo nadie puede sustituirla. Hay en esta colegiala de
Salem una fe bravía, un coraje que le empuja a atreverse,
y la hace capaz de traspasar todos los umbrales de la fortaleza.*

Semanas más tarde volveré a esa misma página, para
escribir un dato de mi observación: *Va pareciéndome que
esta mujer no es una criatura de salón palaciego. Desde muy
pronto se construyó su «segunda vida», su «segunda naturaleza», mucho más rica y más recia que todas esas fruslerías
livianas, banales, con que tantos salen airosos en los ambientes cortesanos. Ella, siempre que ha podido escoger, ha elegido deliberadamente el camino más áspero, el menos muelle,
el más esforzado. ¿Quizá como una garantía personal de que
–por ser el camino que más le costaba– ése era el más auténtico? Asombroso: estoy por decir que, dentro de esta reina, hay
una mujer hecha a sí misma,* a self-made woman... *a pesar
de los pesares.*

«Tal vez el ambiente –continúa su evocación– era muy cerrado. La Schloßschule era una especie de gueto restringido: sólo para nosotros. No nos relacionábamos con la gente del pueblo o de fuera. Aunque eso es lo normal en todos
los internados del mundo. Sin embargo, allí dentro, el régimen era de democracia. Casi todo se decidía votando. Pero
no era una democracia de esas rasantes en las que se rebaja
un poco a todos, para que nadie destaque. No. En Salem,
cada uno se hacía valer, dentro de un sistema muy compe-

titivo. No importaba tanto la opinión que de ti tuvieran los profesores, como tu propia dignidad, tu propia estima, tu fe en ti mismo y las metas que te propusieras conseguir. De ti dependía que progresaras o no. Cada uno era la conciencia de sí mismo.»

Dormían cinco alumnas en cada habitación. Una de ellas era la monitora. Las camas, abatibles, debían permanecer recogidas durante la jornada. Cada trimestre, cambiaban de habitación.

«A mí me tocó ser monitora, y responsable de la limpieza, de que todo estuviese en orden, de las luces apagadas a su debida hora...»

Estudiaban humanidades y ciencias. «Al principio, me metieron en la clase de nivel más bajo. Y, como era griega, pues ¡a humanidades! Luego cambié de clase con frecuencia, porque tenía dificultades con el alemán. Iba bien en griego, pero mal en las demás asignaturas. Supongo que sería un problema de adaptación, y que no me fijaba en lo que estudiaba. Durante varios meses, aquel género de vida me costó. Echaba de menos a mi familia. Y a mi profesora Theophanos Arvanitopoulos. No quería aprender alemán, por si se me olvidaba mi griego. Ah, y tuve un "pleito" con un profesor, de griego precisamente. Era alemán y pronunciaba mal los diptongos y las vocales. Por ejemplo, la palabra "rey" se escribe *basileus*, pero se pronuncia *basiles*. El profesor decía *basileus*. Y yo le corregía en voz alta, delante de toda la clase: "No, no: se dice *basiles.*" Y así, varias veces, hasta llegué a decirle "usted pronuncia el griego como podría pronunciarlo Erasmo de Rotterdam". Se enfadó mucho, y protestó ante el director, que era mi tío. Y con toda razón: yo había sido una atrevida y una impertinente. El caso es que volvieron a cambiarme de clase. Y sacaba malas notas. Pero bueno... aún me quedaban cuatro años por delante.»

En verano, hacían excursiones: «Incluso, de cuatro días seguidos. Íbamos en bici, en grupos de ocho. Dormíamos donde podíamos. Una vez, en un granero. Otra, en un establo. Eso era para mí algo novísimo, y además (yo lo sabía) irrepetible. Así que procuraba disfrutar lo más...»

De sus tiempos de interno en Salem, Golo Mann no ha olvidado, a la vuelta de los años, el fascinante atractivo de aquellos paisajes: «El valle de Salem, cruzado por un pequeño río, el Aach, campos de cultivo, prados y árboles frutales, algunas aldeas, caseríos aislados; todo antiguo, y con un estilo peculiar, un paisaje cuidado desde tiempos remotos, obra de monjes que allí gobernaron, trabajaron, rezaron y enseñaron durante siglos [...] en el monte de la derecha, una torre blanca, Hohenbodmann, llamada también "torre romana". En la ladera, bosque. Y abajo, el amplio valle. Con tiempo claro, los Alpes al fondo, elevándose hasta el Säntis. El Aach desemboca en el lago Constanza, una de nuestras metas en las excursiones dominicales; como también lo eran Heiligenberg o Hermannsberg. Había un "camino del prelado", entre Salem y Birnau, atravesando estanques y bosques, siempre bosques... Un paisaje que invitaba a los más hermosos paseos en todas las direcciones, y que ejercía una fascinación casi peligrosa.»

En invierno, iban a esquiar a Falken, una estación de la frontera con Austria: «Suena muy bien, ¿verdad? –sigue contándome la reina–. ¡Pues era odioso, terrible! Llevábamos unas mochilas pesadísimas, los esquíes, los bastones, todo a cuestas, por unos caminos empinados y resbaladizos. Las botas eran de esas de cuero que se atan con cordones, inadecuadas para andar sobre nieve tantos kilómetros, y enseguida se calaban de agua helada. No teníamos buenos anoraks, ni ropa de esquiar. Íbamos cargados como burros. Y había que caminar tres horas, monte arriba, todo cubierto de nieve, y nevando y con viento fuerte mientras marchábamos. Los esquíes en aspa, sobre los hombros

–con las manos, dibuja en el aire dos líneas imaginarias, que me hacen "ver" los esquíes, como si vinieran de detrás de su cuello, abiertos en ángulo, y apoyados sobre sus hombros; y ella, sujetándolos por delante, cada uno con una mano, mientras con el torso se balancea, a derecha e izquierda, a derecha e izquierda, imitando la cadencia de un escalador fatigado–, y la mochila pesando en la espalda. Mi anorak cerraba la cremallera aquí arriba del cuello, ya en la barbilla. El hierrecito ese, ¿la pestaña, se puede llamar?, de donde se tira para que corra la cremallera, se había ido helando. Y, como me rozaba, al final se me amorató la parte esta del mentón.»

Su relato y sus gestos son divertidos. Me río. Ella también. A partir de aquí, va contando «el drama» entre carcajadas:

«Los esquíes estaban recubiertos de piel de foca, y se escurrían. Ah, y nadie ayudaba a nadie, porque cada uno tenía bastante con su propio fardo. Cuando llegamos al refugio, las habitaciones eran de seis. Todo de madera, y un frío pelón, terrible, que entraba por las rendijas. Sin chimenea ni calefacción. Nos dieron té con menta. Los profesores tomaban café con leche. Pero nosotros teníamos prohibido el café. Yo creo que, desde aquellas excursiones, detesté el esquí y aborrecí el té con menta.

»Cuando me casé, mi marido me dijo que en invierno iríamos a Navacerrada a esquiar. Yo le dije que ¡ni hablar! Y le conté mis odiseas austriacas. Él me aseguró: "No, aquí será completamente distinto: no tendrás que cargar con nada, llevarás un buen equipo, y nos trasladarán a la cumbre en el telesilla..." Le exigí su palabra de honor, antes de ir por vez primera a Navacerrada: no quería más "calvario" con ese dichoso deporte. La diferencia era notable, y he llegado a disfrutar del esquí.»

En Salem, tenían prohibido el café, el alcohol y el tabaco.
–Era una prohibición general, para la gente joven, en toda Alemania. A pesar de ello, yo bebía bastante café, que

compraba con mis amigos cuando íbamos en bici a Constanza, pasando la frontera suiza cerca de la ciudad.

–¿Ahora fuma?

–Nunca me han fotografiado fumando; pero sí fumo: dos en el almuerzo, y dos en la cena. ¡Y no tendría límite!

Sigue desempolvando recuerdos de los años cincuenta. Lo hace con cuidado, como si desdoblara un tenue pañuelo de seda y allí, envueltos, quietos, dormidos entre los pliegues, estuvieran los recuerdos, pavonados de nostalgia: las muchachitas en flor, con amplias faldas de vuelo; los mozalbetes, masculinamente graves, con pantalones bombachos, y bigotes incipientes. Sonaban las baladas de Pat Boone, *Smoke Gets in Your Eyes* de The Platters, *Party Doll* de Buddy Knox, *Unforgettable* de la reina del blues Dinah Washington, y la orquesta de Glenn Miller, con sus trompetas de plata y sus saxos tabaco y oro: *Serenata a la luz de la luna*, *En forma*, *Pennsylvania 6500*... Los chicos se declaraban. Las chicas decían que no podían contestar sin antes consultarlo con la almohada. Y, a partir de ese momento, ellas y ellos vivían estremecidos, sin poder contener tanta emoción, sin saber abarcar tanta belleza.

«En la escuela celebrábamos bailes. Y había celillos, porque uno había mirado más a otra. Y enamoramientos. Y romanticismos. Y aquel que se te ponía al lado, en la excursión. O que te pedía una fotografía dedicada, al salir del ensayo del coro. Y carta va y carta viene...»

Esta vez no ha traído el bolígrafo Harley Davidson. Me pide un lápiz y una hoja de mi libreta. Con trazos rápidos, dibuja un plano del colegio de Salem, al tiempo que va explicando:

–A este corredor dan, por un lado, las habitaciones. Ya te dije, vivíamos cinco en cada dormitorio. Puerta, puerta, puerta... Y, en el mismo corredor, enfrente, ventana, ventana, ventana... Los fines de semana, por las tardes, se veían parejitas, aquí, junto a las ventanas: él y ella, él y ella, él y ella... Pero ningún chico entraba en los cuartos nuestros. ¡Ni se nos pasaba por la imaginación! Había otra concepción moral en las relaciones entre los chicos y las chicas.

»Tengo muy buenos recuerdos de Salem. La vida era rígida, con mucha disciplina, y el clima muy duro, muy frío, muy lluvioso; pero fue mi primera experiencia de libertad, de compañerismo, de realce de mis valores individuales. Yo participaba en todo: en los coros, en el teatro, en las danzas, en las competiciones deportivas... Hacía mucho deporte: jugaba al hockey sobre hierba; en atletismo, no era mala como lanzadora de jabalina. Correr, en cambio, no me gustaba. Era muy patosa en las carreras. Además, antes de una competición, me ponía tan nerviosa que tenía que tomar un tranquilizante en la enfermería, con lo cual –con su expresiva mímica, hace la simulación de una muñeca rellena de serrín, que se derrumba– me quedaba como un fardo, y se me quitaba todo el empuje para correr. En cambio, saltaba al potro y hacía barra, una hora al día, preparándome durante todo el año, para competir el 6 de junio, que era la fiesta de final de curso. Pero yo prefería colaborar en equipo que competir.

–¿No le gustaba medirse con otros, y ganar? ¿O temía perder?

–No. No me da miedo perder. Pero no me gusta ganar a otros. Prefiero luchar conmigo y ganar mis propias batallas. Y el trabajo en equipo. Me integré en el coro. Cantaba de contralto. No me perdía un ensayo. ¡Cómo recuerdo los oratorios de Haendel y de Bach, los *Réquiem* de Mozart y de Haydn, el *Gloria* de Vivaldi y la *Misa Solemnis* de Beethoven...! Llegué a aprenderme de memoria el *Réquiem* de Mozart. Y también hice teatro. Representamos dos obras de Shakespeare: *Macbeth* y *Julio César*.

–¿Tuvo un papel importante?

Con expresión de guasa, me contesta:

–Síííí... Era tan importante, que no recuerdo si hacía de dama tercera o de dama cuarta. Ah, y tampoco lo que decía en escena.

–¿Y en *Julio César*?

–En *Julio César*, yo era... ¡el pueblo! ¡Ja,ja,ja! Iba vestida de romana, con una sábana blanca, y gritaba «¡Salve, César!».

Le divierte contar todo esto: «Organizábamos cenas secretas de medianoche. Estoy segura de que los profesores lo sabían, y se hacían los longuis. Bueno, también nos dedicábamos a obras sociales: visitar a los pobres, cuidar niños, en el tiempo libre.»

Me habla de su tío Jorge Guillermo de Hannover: «Sí, era el director de la Schloßschule, pero eso no me lo hacía más fácil. Casi diría que era peor: para que nadie pudiese pensar que la sobrinita tenía enchufe, él no me pasaba una. En casa, era un hombre muy chistoso, muy divertido. Nos reíamos mucho juntos. Pero, en el colegio, le tenía bastante respeto; no me libraba de un solo castigo. Era estricto y justo, pero no rígido. A veces te corregía por algo que habías hecho mal, pero también alababa lo que hacías bien. Sabía ver lo bueno, y ensalzar el mérito, donde lo hubiera.»

Ahora me explica su evolución: «De no querer ir a Salem por nada del mundo, a partírseme el alma cuando tuve que dejarlo. Al principio, tenía una sensación extraña, por estar fuera de mi país, y en un sitio y con unas personas con quienes yo no iba a hacer mi vida, en adelante. Me preocupaba perder lo que había aprendido en Grecia, incluso olvidar el griego. Me costaba el idioma alemán. Y el clima. Suspiraba por volver a ver la luz de mi tierra. Pero, pasado el primer trimestre, de desconcierto, de desajuste, cuando vi que me atraía convivir con todo el mundo en el internado, y ser una más, empecé a integrarme en todo, y a tener amigas y amigos... Por conducta y estudios, obtuve la tirilla blanca y lila. Y un grupo de pequeños a mi cargo.

»Hice muy buenas amigas. Que ahora me acuerde, Helen Wätjen, Karin Osterhage, Brigitte von Waldenfels, Rita

Reinhardt, que murió de leucemia siendo alumna de Salem, y en su funeral le cantamos la *Misa de Réquiem* de Mozart, que teníamos ensayada.

»Y también amigos entre los alumnos: ingleses, franceses, un hindú, un afgano, que era encantador, y se llamaba Asisudin... Y alemanes: Dirk von Haeften, Franz Ludwig, Von Pletenberg, Von Staufenberg... Éstos eran los hijos de los que lucharon contra Hitler. Dirk von Haeften había llegado a ser encargado-responsable. Debió de hacerse diplomático. Pasados los años, en 1965, yo ya casada y viviendo en España, un día en el concierto del Teatro Real vi que él estaba sentado en el palco de enfrente. Luego supe que le habían destinado a la embajada de Alemania en Madrid.»

–Majestad, ¿ha vuelto a Salem alguna vez?

–Sí, he vuelto.

–¿Y... estaba igual, como el árbol de Alejandría?

–No. He estado en reuniones de antiguos alumnos, pero no de mi promoción. ¡Había cambiado tanto! Había cambiado el sistema educativo, el ideario, el espíritu aquel... Me apenó ver un Salem decadente, acusando una tremenda crisis de valores, un desmoronamiento de cosas valiosas. Los chicos ahora están en los cuartos de las chicas, todos revueltos. No llevan los uniformes. Van desastrados, mal vestidos, despeinados... dejados. Es posible que a estos chicos, y quizá a sus maestros, no les importen ya ciertos valores morales: la formación del carácter, la exigencia personal, la fortaleza, el temple competitivo, las buenas maneras, la entrega de lo mejor de uno mismo a los demás, el servicio y el favor sin pedir retribución en pago, el código de honradez... Quizá hoy todo esté orientado al único interés: el dinero. Dinero para conseguir cosas materiales, coches, casas, barcos de recreo, bienestar, pasarlo bien, divertirse a tope... Cuando al hombre se le mete aquí la maldita obsesión del dinero, ¡malo, malo, muy malo!

Ha apoyado la yema del dedo índice entre ceja y ceja,

con fuerte presión. Y ha cerrado los ojos, pensativa. No sé en qué o en quién pensará, pero ese pensamiento, el que sea, le ha ensombrecido el rostro, de repente. Le ha nublado la sonrisa llena de luz que tenía hasta hace un momento. Y ahora veo ante mí a una reina silenciosa y cariacontecida. Aguardo unos segundos, a ver. Quizá me hable de la corrupción en las altas esferas, de la gente guapa que hace negocios feos, de la utilización espuria del poder... Pero no. Inmediatamente es ella otra vez, aplicada al inocente relato que traíamos:

«Cuando llegué a Salem, en 1951, yo era muy ingenua, muy candorosa, muy niña: una adolescente que no decidía por sí misma, porque todo se lo daban resuelto. Y eso fue lo que me resultó más arduo de la vida en la Schloßschule. Más que el frío, más que el rigor: tener que decidir. Usar de mi libertad con responsabilidad, apechando con lo que yo solita decidía. Y, por supuesto, con mis errores si me equivocaba. ¡Y claro que me equivocaba!

»En Salem me encontré a mí misma. Me conocí a mí misma. Supe que podía ser seria y alegre a la vez. Respetuosa y bromista. Reservada para ciertas cosas, y comunicativa para otras. Descubrí la amistad. Y la rebeldía. Esto sí que me pareció un auténtico "privilegio de lujo" que mis compañeros podrían ejercer siempre, cuando salieran de Salem. Y yo no. En el colegio sí, podía rebelarme. Con suavidad, sin montar una guerra, pero podía protestar por un horario, quejarme por un castigo, hacer mal un examen, o criticar cualquier disposición de los profesores. Podía desahogarme con la de al lado, "¡Vaya pelma!, ¡menudo fastidio!". Pero en Grecia no había escape: las cosas, cuando había que hacerlas, había que hacerlas. No cabían protestas. Yo era bien consciente de mis deberes como princesa, como *basilópes*. Incluso, de los aburridísimos deberes de protocolo. A donde se me decía que tenía que ir, iba. A donde me decían que no, no iba. Sabía que era la hija del rey. Y a ello me debía, con ganas y sin ganas. Por eso, a pesar de ser un inhóspito internado, Salem fue para mí un oasis de libertad. Yo allí fui, simplemente, *una chica griega, rubia, llamada Sofía*. Y todo el calor humano que recibí me lo dieron a mí: a *Sofía a secas*.

En un zigzag de la conversación, y a propósito de Salem, y de estudiar fuera de casa, me habla de cómo el rey y ella decidieron que las infantas Elena y Cristina y el príncipe Felipe salieran pronto de palacio «a conocer la vida de por ahí, a afrontar dificultades, y a hacer su propio mundo de relaciones, de experiencias».

«Es importante –dice– que los hijos salgan fuera. Que no se críen sólo en palacio, y a la sombra de sus padres. A mí, como madre, me apetecía más tenerles conmigo. Pensaba "aquí podemos prepararles la mejor educación del mundo, y sin riesgos". Pero enseguida me di cuenta de que eso no era bueno para ellos. Y todos, los tres, salieron a formarse fuera, a estar fuera, a... ¿bandearse?, a bandearse fuera. El príncipe, en Canadá, en las academias militares y en Estados Unidos. Cristina, en París y en Barcelona. Elena, también en París y en Londres. Llega un momento en que los padres han de renunciar (yo he renunciado) al egoísmo de tenerlos cerca: para que ellos sean lo que son, lo que de verdad son. Y para que lo sean por sí mismos. ¿Estoy más sola? ¡Pues no! Tenemos menos contactos en cantidad, pero de más calidad. No estamos juntos mucho tiempo; pero, cuando nos reunimos, disfrutamos, tenemos mil cosas que contarnos. Es una gozada.

»A Felipe, al príncipe, de pequeño, entre todos lo habíamos malcriado. Le gustaba dormir mucho, y madrugar poco. Tenía tendencia a la comodidad, al capricho, a hacer lo que le daba la gana, a salirse con la suya... Por eso, convenía exigirle. Y nos planteamos enviarle a un internado fuera y lejos. Que pasara por ese "potro", antes de ir a las academias militares. Piensa que en las academias: ¡tararíííí!, suena la corneta y, si te quedas en la cama, se te cae el pelo.

»Una vez, los fabricantes de juguetes de Valencia y Alicante, días antes de la Navidad, habían enviado muchos juguetes, para los hijos del personal que trabaja aquí, en palacio. Lo preparamos todo en una sala grande, para repartirlo. En éstas, entra Felipe, que era pequeño. Ve un balón de fútbol, entre los regalos. Y, sin más ni más, lo coge y "¡éste es mío!". Yo le dije: "No. Nada de 'éste es mío'. Éste se lo tienes que dar tú a otro niño. Y todo lo que ves aquí tenemos que darlo a los demás." ¡Agarró una pataleta...! Gritaba, lloraba, berreaba... Y yo no podía ablandarme: "¡Felipe, si sigues así, te vas a tu cuarto, y ni regalos, ni nada!" No había modo. Tuve que cogerle del brazo y zarandearle con fuerza, para que viera que eso iba en serio. Al final, razonó.

»El ejército, la disciplina, fue fundamental. Eso es lo que te hace ser libre: someterte a una disciplina, saber dominarte a ti mismo. Si no, estás perdido. También el Lakefield College de Canadá fue muy duro.[4] Estaba lejos, con mucho frío, a veintitantos grados bajo cero, sin amigos, sin familia. "¡Qué frío estará pasando mi niño!", pensaba yo. Pero volvió hecho un hombre. Su padre, el rey, aún lo pasó más duro: a los nueve años, tuvo que venirse a Madrid, separado de sus padres, y de sus hermanos, y en manos de preceptores mucho mayores que él. Y después, en las academias, como uno más, pero de verdad. Por eso quisimos que nuestro hijo también se formara en los tres ejércitos, como un cadete más, o como un alférez más, o como un guardiamarina más.»

Gustavo Suárez Pertierra,[5] que a su paso por los ministerios de Defensa y de Educación había tenido datos de primera mano sobre la formación del príncipe Felipe, tanto en el ámbito castrense como en el universitario civil, me habló un día de la visita de la reina a la Academia de Zaragoza, para ver dónde iba a estar alojado su hijo. En su momento, también había ido a conocer por dentro Lakefield College, en

4. Entre 1984 y 1985, el príncipe Felipe de Borbón cursó en Canadá los estudios similares al COU preuniversitario.
5. Catedrático de derecho canónico. Fue subsecretario y ministro de Defensa, y también ministro de Educación, en distintos gobiernos de Felipe González.

Canadá. «He constatado –me dijo Suárez Pertierra– la preocupación, el interés, el seguimiento de la reina, mientras su
hijo desarrollaba sus estudios en las academias militares.
Las notas le importaban. No se lo tomaba como un trámite
que había que pasar. Y en la Universidad Autónoma, bajo la
dirección de Aurelio Menéndez,[6] que era entonces el precep-
tor del príncipe Felipe, le diseñaron una carrera universitaria con muy buen criterio, incrustándole otras disciplinas
claves para quien ha de ser rey: economía, dada por Enrique
Fuentes Quintana.[7] Teoría política, por Francisco Tomás y
Valiente.[8] Historia, por Carmen Iglesias.[9] Luego vino el *master* en Georgetown. Y la reina me preguntaba: "¿Es interesante
que vaya allá? ¿Esos estudios le añaden algo, le completan lo
que tiene...?" No le interesaba la vitola de "haber pasado por
Georgetown", si eso no tenía contenido.

»En el aspecto militar, el príncipe asciende al ritmo de su
promoción. Es lo mismo que hizo su padre. Franco, a don
Juan Carlos, al nombrarle sucesor lo ascendió de golpe a
general. Pero él con quienes se ve cada equis tiempo es con
los de su propia promoción. Y el príncipe Felipe sigue siendo
lo que le toca: un capitán. Y no miento –me contó Pertierra
en esa misma ocasión– si digo que he visto esfuerzos en la
reina para ser considerada como una madre más, a la hora
de la jura de bandera del príncipe en Zaragoza.[10] En La Zar-

6. Catedrático y ex ministro de Educación en el primer gobierno de
Adolfo Suárez.
7. Catedrático de economía. Fue vicepresidente para Asuntos Econó-
micos en el primer gobierno de Adolfo Suárez.
8. Catedrático y ex presidente del Tribunal Constitucional. Murió asesinado por el *comando Madrid* de ETA, en 1996.
9. Catedrática de historia. Académica de número de la Real de la Historia y directora del Centro de Estudios Constitucionales.
10. Juró bandera el 11 de octubre de 1985, como cadete de la XLIV promoción en el patio de armas de la Academia General de Zaragoza. Ese día, los
cadetes estrenaron el nuevo uniforme de gala, que reproducía el de 1882: guerrera azul de cuello alzado, pantalón rojo con dos franjas azules en la parte
exterior de cada pernera, y gorro de ros con penacho rojo. En su discurso, el
rey Juan Carlos se dirigió nominalmente a su hijo: «No olvides nunca, Felipe,
que este compromiso (servir a España) conduce al mayor sacrificio.»

zuela querían que la ceremonia fuese castrense y familiar, pero de todas las familias y de todos los que juraban, y que el príncipe fuese uno más, y su familia también una más. Ni tribuna para los reyes, ni discurso del rey. Querían que fuese todo el mundo igual, como años más tarde en la ceremonia de graduación de Georgetown. Pero... estaba en Defensa una persona [11] a quien gustan mucho los montajes espectaculares, la parafernalia, el protocolo a todo gas. Y convenció al jefe de la Casa de Su Majestad de que el príncipe, siendo el heredero del trono, no podía ser en ese acto "un cadete más"; que su familia no era "una familia cualquiera", sino la Familia Real; y que todo eso tenía que subrayarse y notarse. Pero la idea de fondo del rey y de la reina, en la formación militar de su hijo, era que se le tratase y se le formase como a cualquier otro alumno de su promoción. Y eso se cumplió. Tenía más vigilancia y más escolta, cuando salía del recinto, y algunas ausencias previstas, por razones de protocolo, pero pocas.»

Con idéntica insistencia, quiso la reina que la infanta Cristina, en la universidad, fuese «una estudiante normal». Y así se lo indicó a Carmen Iglesias: «Que haga lo mismo que hacen sus compañeros.» Eso sí, pidió que además del programa común, a su hija le impartiesen algunas materias, en seminarios o en clases particulares, para que pudiera profundizar.

Almorzando un día con Carmen Iglesias, me hacía ver lo insólito de que una infanta de España haya sido una alumna común, desde el primer curso hasta el último de la carrera, en una universidad pública, y, por tanto, abierta y expuesta a todo: desde un desaire o una burla, o una grosería, hasta un atentado.

«Recuerdo que, en el primer trimestre del curso 1984-1985,

11. Se refiere a Lluís Reverter, hombre de la confianza del entonces ministro de Defensa, Narcís Serra. Famoso por su afición a lo suntuario, Reverter fue quien organizó el espectacular entierro del alcalde de Madrid, Enrique Tierno Galván.

cuando acababan de asesinar a Santi Brouard y al senador socialista Enrique Casas, y había un pulso a muerte entre ETA y los GAL, me telefoneó Sabino Fernández Campo:

»–Carmen, ¿podrías venirte a Zarzuela, ahora mismo? La reina quiere verte.

»–¿Ocurre algo?

»–Bueno... Es que, al parecer, los de Seguridad han tenido noticias de algo raro, y están asustados. Quieren retener a la infanta Cristina en palacio, para que no vaya a clase.

»Como yo me encargaba de los estudios de la infanta, fui para allá enseguida. Hubo una reunión con el coronel Blanco, y alguno más de los de Seguridad. Y la reina quiso estar delante. La reina era partidaria de que la infanta siguiese yendo a sus clases. En cierto momento, y con una sangre fría que me dejó pasmada, intervino:

»–Pero vamos a ver, Blanco, ¿qué es lo que teméis?, ¿el tiro?, ¿una bomba?

»Blanco contestó:

»–No, señora. Ni el tiro, ni la bomba, porque eso para ETA sería echarse impopularidad encima.

»–Entonces, ¿qué?

»–Pues, por la información que tenemos, podrían estar planeando un secuestro. El secuestro de una hija de los reyes sería para ETA el mayor impacto jamás logrado...

»La reina le escuchó con gran serenidad. Ni el más mínimo gesto de nerviosismo. Casi impertérrita. Y a partir de ahí, entró a analizar la "hipótesis", como si no se estuviera hablando de su hija Cristina:

»–¿Cómo van a intentarlo, si la infanta va protegida por nuestra gente?

»–Es que, majestad, nuestra gente, los inspectores, se quedan fuera del aula. Dentro, en la clase, la infanta está sola. Y si ocurre algo ahí, nosotros no podemos hacer nada. Y la inspectora que va con ella es como si no existiera, porque una mujer sola, frente a un comando de ETA en acción, no puede actuar. La neutralizan en dos segundos. Eso es como nada.

»–Pero, en esa aula, la infanta no está sola: están todos sus compañeros, ¿no?

»–Sí...

»–¡Pues ellos la defenderán!»

Esta vez, yo misma miro el reloj: hemos rebasado con creces el tiempo previsto. Pero, ya que estamos en el tema de la educación de los hijos, pido a la reina que me hable del príncipe, tal como ella lo ve, a fecha de hoy:

–El príncipe es ya un hombre que sabe lo que quiere. Y sabe administrarse. En las reuniones que tenemos para la previsión de actos, viajes, protocolos, etc., estudiando las invitaciones que se han recibido, él decide con gran soltura «a esto voy, a esto no voy». Tiene un criterio muy formado. Incluso, a veces, a nosotros nos dice cosas, sobre actuaciones hacia el exterior, que no se nos habían ocurrido.

–El trono se hereda, pero ¿también se hereda la aptitud para ser rey? Ser buen príncipe, ser buen rey, ¿es cosa de casta?

–Yo pienso que un rey nace, y se hace. Las dos cosas. Es intuición. No hay escuela. No puede haberla, porque las circunstancias de uno son diferentes de las que le tocó vivir a su padre, y diferentes también de las que le tocará vivir a su hijo. Por otro lado, el príncipe Felipe tiene una formación impresionante, como no la ha podido tener su padre, como no la tiene casi ningún rey, y que ¡ya quisiera tenerla yo! Pero ¿ser buen príncipe, ser buen rey? Eso tiene que venirle de dentro, tiene que ser innato. Y yo, que soy su madre, ¿qué puedo decir? Pues... que sí, que noto que lo lleva dentro. ¡Me da cada lección a veces!

Volvemos a Salem. En no sé qué momento de esta conversación, yo le había preguntado a la reina por qué no terminó allí sus estudios. Me responde ahora:

«Salí de Salem con mucha pena. Pero la decisión fue mía. Mis padres me plantearon la disyuntiva: o interrumpir los estudios de la Schloßschule ya al terminar ese curso, en 1955, cuando iba a cumplir diecisiete años, y volver a Grecia; o, si continuaba, alcanzar una titulación y permanecer tres años más, hasta los veinte. No era una elección sencilla. No quería perder el contacto con mi país, con la gente de Grecia. No me gustaba estar tanto tiempo, cuatro y tres, siete años, ausente, desligada, como una extraña. Sin embargo, lo pasaba muy bien en Salem, y me daba una pena inmensa dejar a mis amigas, y a mis amigos, y el coro, y la convivencia aquella, y los bailes de fin de semana, y el hockey sobre hierba, y las excursiones en bicicleta, y las celebraciones navideñas, que empezaban en Adviento, con concursos de adornos, con villancicos, con representaciones del Nacimiento... Me costaba irme, pero mi sitio era Grecia. Tenía que volver. Y eso también lo comprendí en Salem. Hubo unos días críticos, de dilema, de dudas, de reflexión, de pesar pros y contras. Yo estaba sola para decidirlo. Y era libre. Pero, por mucho que me costase el tirón de irme, mi futuro no estaba en Alemania, estaba en Grecia. ¿Qué hacía yo en Alemania? A mi edad, siendo la mayor, debía acompañar a mis padres en la vida hacia adentro y en la vida hacia afuera. A los veinte años, me habría sido muy difícil adaptarme de nuevo a la vida de hija del rey, de infanta, de *basilópes*. Tomé la decisión sintiéndome libre, libre, libre. Pero esa misma libertad me llevaba al sentido del deber. Y resolví volver a mi tierra, con los míos.»

V

Oh, tierra de Jonia, es a ti a quien aman,
a ti a quien añoran todavía. Cuando sobre ti
surgen las mañanas de agosto, el temblor
de sus pies atraviesa la atmósfera...

CONSTANTINO KAVAFIS. *XXVIII, Jónico.*

Si el *trivium* de virtudes laicas que Salem trataba de inculcar –¿o más bien suscitar?– en sus alumnos era «capacidad de calibrar con precisión un estado de cosas», «capacidad de decidir lo que debe hacerse en cada situación» y «capacidad de hacer lo que se considera acertado», hay que concluir que la estadía de Sofía de Grecia en esa escuela había sido un éxito. Un éxito cuya «prueba del nueve» era, precisamente, su decisión «libre, libre, libre» de dejar Salem y volver «a ocuparme de las cosas de mi país, en mi condición de hija del rey». Por lo demás, era razonable, ya que sus hermanos estaban también estudiando fuera de casa: Irene, en Salem. Y Constantino, en Anavrita, otra de las escuelas de elite de Kurt Hahn.

Durante las vacaciones de primavera y de Navidad, en cursos anteriores, Sofía había visto cómo sus padres desarrollaban una intensa, extenuante, actividad de viajes por pueblos y aldeas miserables, siempre en jeep descubierto, aunque lloviera o nevase, para no hurtarse al contacto cuerpo a cuerpo con la gente. No buscaban con ello popularidad –o no la buscaban exclusivamente–, sino llevar a esas poblaciones, hundidas por las guerras y agobiadas por la pobreza, una bocanada de calor humano, una mirada amistosa, una sonrisa franca, un apretón de manos fuerte, una escucha atenta de tales y cuales problemas, una palabra de aliento...

En 1954, un seísmo atroz resquebrajó las islas Jónicas, devastando muchos pueblos y aldeas. La familia real griega se desplazó allá inmediatamente, y permaneció varios días en esa zona. Por su parte, el director de Salem, Jorge Guillermo de Hannover, fue a Kefalonia con un grupo de alumnos voluntarios que quisieron dedicar parte de sus vacaciones a rehabilitar casas, arreglar puentes derruidos por el terremoto, construir barracones que sirvieran de albergue a mujeres y niños...

«Eran muy emprendedores –recuerda ahora la reina–. Les vimos en uno de nuestros desplazamientos. Nosotros, mi familia, dormíamos en el dragaminas *Polemistis*, y durante la jornada visitábamos los lugares afectados: Zante, Kefalonia... Pateábamos todo aquello. Mis padres hablaban con los hombres y las mujeres del pueblo. Me impresionó tremendamente la llegada a Zante: todo había sido arrasado. No se veía señal de vida. Silencio. Polvo. Humo. Y olor a cadáveres. Sólo quedó el campanario de una iglesia. De pronto, de detrás de un montón de escombros salió un pope anciano, con una barba blanca, muy descuidada, y la sotana sucia y andrajosa. Se echó en brazos de mi padre, llorando, sollozando. Oímos que le decía: "¡No puedo más, majestad, sáqueme de aquí! Llevo todo el día y toda la noche, de pueblo en pueblo, de casa en casa, enterrando muertos... Soy demasiado viejo, no tengo salud, ni fuerzas. ¡Sáqueme de aquí en su barco, señor!" Mi padre le pasó el brazo por la espalda. El pope se veía muy pequeño a su lado, porque el rey Pablo era muy alto (medía 1,93) y ancho de envergadura. Caminaron así, juntos, entre las ruinas, un rato. Mi padre se propuso devolver el ánimo a ese pope, y convencerle de que allí, en Zante, con aquellos supervivientes desquiciados por la pena y el horror, que habían perdido sus casas y sus seres queridos, allí estaba su misión, allí estaba su deber.»

Vivencias como ésa pesaron a plomo en la conciencia de Sofía, a la hora de decidir su regreso a Grecia.

La reina lleva hoy un vestido muy elegante, con falda plisada de vuelo, color tierra, rameado de hojarasca parda y oro.

Tonos otoñales, como el día: un 28 de septiembre, con su sol de membrillo nimbando el paisaje de dorada quietud.

Acaba de celebrarse la Conferencia de Pekín sobre la Mujer. Ella no ha ido. Estas cosas feministas no acaban de... Me lo ha comentado alguna vez: «No me gustan ni el feminismo ni el machismo. Prefiero la integración normal entre niños y niñas, chicos y chicas, mujeres y hombres. Sinceramente, el feminismo no me interesa. Algunas ya... se pasan. En cambio, sí quiero igualdad de derechos, igualdad de trato, igualdad de oportunidades. Pero ¡nada de "cuotas"! Eso es una trampa.»[1] Dentro de un rato recibirá en audiencia a la primera dama de algún país centroamericano. Antes, estuvo con otras mujeres, feministas activas, supongo, de la «caravana de Pekín». En el telediario del mediodía ha visto a la infanta Elena y a su marido, recibidos en el Vaticano por Juan Pablo II.

Sigue contándome de aquel viaje oficial de 1954 por las destrozadas islas Jónicas: «Estando una de las noches a bordo del *Polemistis*, hubo otro temblor de tierra. Quizá un maremoto, que removió el ancla. Notamos una sacudida tremenda, como un azote a nosotros y al barco, y un ruido muy fuerte. ¡Qué susto pasé!

»Era mi primer terremoto. Pero no el último... Me tocó vivir otro, treinta años después: el de Los Ángeles, en 1985. Estábamos el rey y yo alojados en un hotel, el Century Hall, que es un edificio muy alto. Nuestra suite estaba en

---

1. El Partido Socialista (PSOE) había establecido una «cuota», porcentualmente tasada, de participación de mujeres en listas electorales y cargos internos del partido. La medida incurría en el mismo fallo que pretendía remediar: al «conceder» a las mujeres una «cuota» participativa del 25%, seguía discriminándolas respecto al indiscutido 75% de varones. Además, poniendo una «cuota», ponía un tope: negaba la posibilidad de que hubiera más mujeres políticamente valiosas, por encima de ese 25%. El Partido Popular, a su vez, estableció otra «cuota», más «generosa», del 33%, pero cayendo en el mismo error de fondo.

el piso 36. A las ocho de la mañana empezó a moverse todo en la habitación. Lo extraño era que se movía todo a un tiempo. Todo ordenadamente. Todo en la misma dirección. Yo iba en ese momento hacia la bañera, que estaba medio llena de agua, y la vi inclinada: ¡el agua, inclinada! Sentí algo raro alrededor. Como calma. Pensé en una alteración de la atmósfera, o en un huracán... Fui hacia la ventana. Miré al exterior. Pero todo estaba quieto. Como está esto ahora. –Se vuelve hacia el ventanal corrido que da al jardín de La Zarzuela, y alza con la mano uno de los visillos. En efecto, no se mueve ni una hoja, ni una brizna de hierba–. La sensación era rarísima: fuera estaba todo parado, y dentro todo moviéndose. Entonces entendí lo que sucedía.

»El rey se había despertado, claro, con toda esa "movida". Se puso la bata, y salió al pasillo a ver qué... Uno de los escoltas americanos preguntó, muy atento el hombre: "¿Necesita algo?, ¿podemos hacer algo?" El rey se echó a reír, y, con su sentido del humor, que no lo pierde ni en momentos como ése, les dijo: "Oye, si esto os pasa estando con el presidente Reagan, ¿qué hacéis con él? ¡Pues... lo mismo!"

»La verdad es que tuvimos mucha serenidad los dos. Pero impresionaba saber que estábamos a treinta y seis pisos del suelo, y con no sé cuántos más encima de nosotros. Si ocurría algo, ¡menuda tortilla!»

Algo me comenta del terremoto de México, y que ella acudió enseguida. «De todos modos –agrega–, es un tema delicado este de ir o no ir al lugar de una tragedia. Nunca sabes muy bien si vas a ayudar o si vas a estorbar. Si haces falta, o si sobras. Nosotros en Grecia, sólo podíamos dar presencia de ánimo. ¡Poco es! En un pueblo pequeño, puedes abrazar a la gente, estar con ellos, interesarte por lo que han perdido... Pero cuando la desgracia ocurre en una gran ciudad es distinto, porque allí hay de todo, hay remedios, hay Cruz Roja y bomberos y organismos de protección civil trabajando sobre el terreno. La gente damnificada tiene a su alcance lo que necesita. Incluso, puede disgustarles que tú vayas: "¿A qué viene esta señora aquí?, ¿a hacerse fotografías?" En cambio, a la gente sencilla, a la gente de los pueblos, le gusta que los reyes vayan. A mí el cuerpo me pide ir siempre. Me quedo muy mal no yendo. Pero una no decide sola. Y el gobierno, pensando en la coordinación y en la eficacia, es el que al final dice: "conviene que vayan" o "mejor que no vayan". No sólo cuenta el deseo espontáneo. Puedes ir, y encontrarte sobrando allí. En estos casos, hay que tener mucha mano izquierda...»

Mientras hablaba doña Sofía, me vino a la mente un comentario que le escuché en cierta ocasión a la princesa Irene: «A mi hermana, en cuanto hay un desastre, su instinto le empuja a salir, rápido, rápido, para allá. Lo malo es que enseguida las autoridades lo complican: "Señora, si va, habrá que montar un dispositivo de seguridad... Y ahora todo debe concentrarse en salvar vidas." Y yo le digo a veces: "Mira lo que hacían papá y mamá: primero iban... y después preguntaban."»

«Pero en Grecia –sigue la reina– todo era más sencillo, menos protocolario. El mismo verano de 1955, recién salida de Salem, hice varios viajes, sola, sin mis padres, como princesa, como *basilópes*, para estar en los lugares devastados por el terremoto.» En esas visitas le acompañaba la señora Helena Korizi, una dama de la corte griega, corte sin nobles,[2] por cierto.

2.   La corte griega, en tiempos del rey Pablo, se reducía a poco más que un staff de ayudantía: Levidis, jefe de protocolo, y Leloudas, jefe de la secretaría de la reina Federica. María Carolou, camarera mayor; y las damas Helena S. Papparigopoulou, Helena Korizi y Helena A. Coundourioti, para atender y acompañar a la reina y a sus hijas.

«Recuerdo mi vuelta de Salem a Tatoi, al comenzar aquel verano de 1955. Yo tenía dieciséis años. Llegué en coche, desde la estación. Entonces viajábamos mucho en medios públicos: tren, ferry, barco... Al cruzar la cancela de entrada, me asomé a la ventanilla del coche para respirar, hummm, el olor del campo, el inconfundible olor de Tatoi: una mezcla de jaras y retamas, de romero y hierbabuena, de comino ¡tan aromático!... Y el trigo, y el heno, que también huelen. Y los pinos, los cipreses, los castaños, los eucaliptos... A mí los olores me dicen mucho. Y en aquel momento, me hicieron sentirme "en casa". Volvía cargada de paquetes y maletas, y me acompañaba la condesa austriaca.»

Se ríe, al acordarse de un pequeño suceso: «¡Qué sofocos se llevaba conmigo esta mujer! Una vez, estando yo en Salem, me avisaron que debía acudir a la celebración del ochenta cumpleaños de una pariente de mis padres: era la princesa Margarita de Hesse, hermana del káiser y de mi abuela paterna Sofía de Prusia. Se celebraba en Francfort. La condesa y yo teníamos que tomar el tren desde Salem. En la estación, me puse a pasear por el andén. La condesa subió con el equipaje, se instaló y me esperó sentada. Pero yo me distraje mirando algo, no sé, me despisté. Y el tren arrancó. Entonces, empecé a oír unas voces frenéticas, cada vez más lejanas. Me llamaban, pero el tren iba alejándose por la vía... Tuve que correr con todas mis fuerzas, y jugármela, subiendo en marcha. La condesa, con medio cuerpo fuera del vagón, agitaba los brazos y gritaba. Alguien me tendió la mano, y logré subir. Ella, ¡pobre!, estaba casi al borde del patatús. Y yo, un poquito jadeante, pero más fresca que una lechuga.»

«En fin, volvía a donde ya me tenía que quedar. Vivíamos en Tatoi desde que lo pusieron en condiciones en 1949. Al palacio de Atenas íbamos muy a menudo, para actos oficiales. En Semana Santa nos quedábamos allí. Abajo, por indicación de mi padre, montaron una capilla: una sala con un recinto circular, acotado, formado por una especie de biombos. En cada paño del biombo había un icono. Eran los apóstoles y la Virgen, y Jesucristo y varios santos. Esa capilla se llamaba el *iconostasio*. Allí se celebraban misas y oficios de Semana Santa. Realmente, en la liturgia ortodoxa, después del carnaval viene la *Kazari Ebdomada*, la Semana Limpia, primera semana de cuaresma, unos días para purificarse, preparando la Pascua de Resurrección. Y como en Grecia la religión ortodoxa es la religión nacional, el rey y su familia y toda la corte y dignatarios asistíamos a los oficios. Dos veces al día, durante toda la semana, y tres cuartos de hora cada vez. Con todo respeto a la tradición, pero... me parecían larguísimos. Se me hacían muy pesados. Mi padre, disfrutaba con aquellos ritos y aquellas salmodias... Él era muy creyente, muy ortodoxo, muy riguroso en la religión. A lo largo de toda la Cuaresma, íbamos a misa los miércoles, los viernes y los domingos.»

Al afirmar la reina el alto grado de religiosidad de su padre, le expongo una duda fuerte que tengo desde hace tiempo: el teniente general de aviación, laureado, Emilio García Conde, que estuvo al servicio del príncipe Juan Carlos desde 1955, ha contado[3] que, un día de 1960, Franco le llamó a El Pardo. Sólo quería sondearle acerca de algunas princesas europeas, o jóvenes aristócratas, entre las que encontrar novia para el príncipe que, por esas fechas, vivía su romance con la princesa María Gabriella de Saboya, una de las hijas de Humberto II. En aquel momento había en Europa treinta y ocho princesas casaderas. Pero a Franco no le parecía exigencia *sine qua non* que don Juan Carlos hubiera de casarse con una princesa de sangre real; y, al parecer, en el decurso de esa conversación, que inusualmente duró dos horas y cuarto, señaló como «posibles novias» a las hermanastras del rey Balduino –hijas del rey Leopoldo de Bélgica con su segunda esposa, Liliana de Rethy– y a cierta joven dama de la familia Medinaceli. Según el propio García Conde: «En un momento

3. Cfr. Fernando Rayón, *Sofía de Grecia. La Reina.* Tibidabo Ediciones. Barcelona, 1993, pp. 91-92.

dado, y sin ninguna intención, pregunté a Franco su opinión sobre las dos princesas griegas. La reacción de Franco fue fulminante: "Don Juan Carlos –me dijo– no se casará nunca con ninguna princesa griega." Y a continuación me contó que estando el rey Alfonso XIII en Fontainebleau, en el exilio, recibió la visita del rey Pablo de Grecia, padre de doña Sofía. Éste le dijo a don Alfonso XIII que, si quería recuperar el trono de España, debía hacerse masón. Yo le dije a Franco que esa anécdota era evidentemente falsa, pero él insistió en que "don Juan Carlos no se casará nunca con la hija de un masón". La conversación acabó en aquel momento. No volví a despachar nunca más con él.»

La reina me ha escuchado, seria y en silencio, hasta el final. Ahora me dice con firme contundencia:

–No. Mi padre nunca fue masón. Nunca. Su hermano, mi tío el rey Jorge II, sí lo era. Mi marido, el rey Juan Carlos, ni lo es ni lo ha sido. Y tampoco don Juan. Se ha tenido siempre un extraño interés en decir eso. Pero no es verdad.

–Bueno, en Inglaterra el rey es masón porque se le exige. Del mismo modo que se le exige ser jefe de la Iglesia anglicana y mando supremo del ejército. Quizá un rey en apuros, buscando apoyos de su tradicional madrina, la Gran Bretaña...

–Es posible que en Inglaterra haya esa exigencia; pero en Grecia no la había, y en España tampoco. Aunque, la verdad, sí que hay ciertos proselitismos, ciertos intentos de captación... Por ejemplo, sé que los hubo en el caso de mi padre, y que él se negó siempre.

No agrega nada más. No insisto. Dejo la conversación a su caer. A su buen caer, que eso es conversar.

«Al final, con el paso del tiempo, te vas quedando con lo mejor de lo mejor de tus seres queridos que se fueron. No sé qué pasa con la muerte, que te hace recordar sólo lo bueno.»

Ah, sí, pienso: la abeja terca, la empecinada abeja de la memoria exprime el entrañable zumo, sólo el dulce y perfu-

La familia real griega en Tatoi, a las afueras de Atenas.
De izquierda a derecha: *la princesa Sofía, la reina Federica, el príncipe heredero Constantino, el rey Pablo y la princesa Irene.*

El rey Pablo de Grecia, padre de doña Sofía.

La reina Federica de Grecia, madre de doña Sofía.

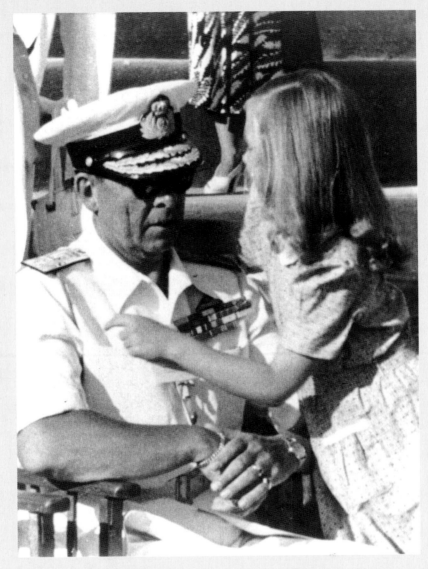

Doña Sofía con su padre, el rey Pablo.

Arriba: *las princesas Sofía e Irene.* Abajo: *el heredero
del trono griego, Constantino.*

La familia real griega en Tatoi (1947).

*En la dura posguerra (1949), la princesa Sofía acompañó
muchas veces a sus padres, los reyes, en sus visitas a las zonas
más castigadas por la pobreza.*

Los reyes de Grecia con sus tres hijos.

Las princesas Irene y Sofía.

Doña Sofía con su prometido, don Juan Carlos, y el padre de éste, don Juan, conde de Barcelona, en Tatoi (19 de junio de 1961).

Instantánea tomada el día del anuncio oficial del compromiso de bodas entre don Juan Carlos y doña Sofía. De izquierda a derecha: la princesa Irene, el príncipe Constantino, la reina Federica, don Juan de Borbón, la princesa Sofía, don Juan Carlos, el rey Pablo y doña María de las Mercedes.

Doña Sofía y don Juan Carlos en la carroza que les llevó por las calles de Atenas tras la doble ceremonia nupcial.

Antes de abandonar Atenas, doña Sofía y don Juan Carlos visitaron Mitera, la escuela de enfermería y psicología infantil donde ella había cursado sus estudios.

Don Juan Carlos y doña Sofía llegan al estadio Panateniense con motivo de una exhibición atlética celebrada en su honor (mayo de 1962).

Un momento de intimidad de la pareja durante el viaje de bodas.

La llegada al palacio de La Zarzuela, tras el viaje de bodas.

mado zumo, y, afanosa, va llenando el panal, secreto relicario, con el néctar más noble de nuestros amadísimos cadáveres. Ah, sí, vuelvo a pensar: de no ser unos hijos desalmados, con permiso de Jorge Manrique, «cualquiera *muerto* passado fue mejor».[4] Y ahora la reina –abeja reina, es claro– ensarta, teje, trenza, borda a realce recuerdos, recuerditos, de su padre, Pablo rey, y de su madre, Federica reina:

«Nadie me ha dado jamás mejores consejos que mi madre: "No tengas rencor, aunque estés bien segura de que alguien te ha hecho mal: déjale, deja pasar el tiempo, dale ocasión de rectificar"; "Por nada del mundo quieras tener enemigos: y si ellos quieren serlo, tú no, Sofía, tú no". Eran sus experiencias.

»Pero en mí influyó más mi padre, por su forma de ser, por su carácter. El rey Pablo era un hombre templado, mesurado, más apacible y sereno que la reina Federica, que era más dinámica, más activa. El rey Pablo nos leía en griego leyendas mitológicas, historias bizantinas, sentados junto a la chimenea, después de cenar, en su salón privado. Solía haber música clásica de fondo. *Nocturnos* de Chopin, por ejemplo. En Grecia, mientras yo viví allí, no teníamos televisión. La televisión no entró en mi casa hasta que me vine a España. Y no me gusta tenerla mientras estamos reunidos en familia. La televisión mata la conversación. Si la enchufas, ya sólo habla el señorito ese, o la señorita esa. Y los demás, a callar.

»El rey Pablo tenía una forma de vida muy metódica, muy... ¿regulada?... ¿reglada?..., casi rutinaria: prácticamente, siempre era lo mismo. Bueno, en apariencia, porque la actividad externa de un rey es siempre cambiante. Pero ese orden le daba mucha estabilidad a él, y a la vida de toda la familia con él. Sin dudarlo, mi padre era el soporte familiar. Mi madre ponía la alegría. Él, la seguridad. Dicen que

---

4. *Cfr.* Jorge Manrique (1440-1479), *Coplas por la muerte de su padre*: «...cómo, después de acordado, / da dolor, / cómo a nuestro parescer, / cualquiera tiempo passado / fue mejor».

yo me parezco a él. Y también mi hijo Felipe le sale bastante... Es asombroso, ¿verdad? Sin haberle conocido siquiera, el príncipe saca cosas del carácter de su abuelo Pablo: el aplomo, la serenidad, el orden, el ser un poco introvertido, el sentido del humor...

»Con mi padre yo me lo pasaba muy bien, por aquel sentido suyo del humor. Cuando íbamos a los conciertos, todos de gala, y nosotros en el palco real, él, aprovechando la oscuridad del teatro, se ponía a imitar con la boca los instrumentos –la reina frunce los labios en u, infla los mofletes, los desinfla, los vuelve a inflar, mientras con una mano, acercándola o alejándola de su boca, simula el movimiento de un trombón; y todo ello, al tiempo que emite el sonido metálico bajo: "pumba, pumba, pumba, pumba"–, y nos hacía reír. Pero, claro, cuando te entra la risa, y no puedes reírte, porque tu obligación es estar allá arriba, muy seria, muy seria, aún te dan más ganas de reír, te ahogas de aguantarte, lloras de risa floja... ¡te crees morir! Y él seguía, imitando yo qué sé, el violonchelo. Y nosotros, escondiéndonos por los rincones del palco, "¡Papá, por favor, no sigas, no sigas!".

»¡Era un buen compañero! Y me encantaba estar con él. A los hijos nos trataba exactamente igual, sin distingos. Pero a cada uno nos daba "lo nuestro". Yo era la mayor, y notaba que mi padre tenía más confianza conmigo. Irene era la más pequeña, y necesitaba más mimo, más atenciones. Además, Irene era un poco trasto, y se pasaba el día imitando a los mayores, la llamábamos *copy cat*, gato copión, mono de imitación. A mí me traía frita, porque quería hacer todo, todo, todo lo que yo hiciera, vestirse como yo, ir a Salem como yo... Harta ya, a veces le decía: "Anda, rica, ¡déjame un ratito en paz!" Otra cosa de Irene, cuando era niña, es que lo preguntaba todo sobre la marcha. Si venía a una boda o a un funeral nuestra tía Alicia de Battenberg, la madre de Felipe de Edimburgo, la que al enviudar entró en un monasterio, Irene empezaba a preguntar en voz alta: "Si está sorda, ¿por qué tiene orejas?" Y todo el mundo, volado... Constantino era el heredero, el *diadokos*, y mi padre se volcaba preparándole desde muy pequeño. Había una gran diferencia de edad entre padre e hijo. Supongo que el rey Pablo se daba cuenta de que no tardaría mucho en morir, y Tino tendría que reinar siendo muy joven.»

–Una pregunta, majestad: ¿se encaja bien el que un hermano nacido después, por el hecho fisiológico de ser varón, pase a tener los derechos al trono, y la primogénita los pierda?

–Aunque alguien quiera ver ahí una discriminación sexista, es un hecho de tradición aceptado. Y las monarquías se asientan en la tradición. A mí me lo explicaron al morir el rey Jorge y empezar a reinar mi padre. Desde ese momento, mi hermano Tino pasaba a ser el más importante. Él tenía seis años, y yo casi ocho. Mi hija Elena, por lo que a ella le afecta, lo fue sabiendo desde antes: desde que tenía cinco añitos, que es cuando nació Felipe.

»Lo que sí hay son celillos y envidias de niños. A mí me fastidiaba bastante que, de repente, ¡hala!, todos los regalos le llegasen a él: las bicicletas, las pelotas, las cajas de juegos, los libros, los cuentos, las pinturas, los lapiceros... ¡todo! Y eso que a mí, por ser la mayor, aún me tocaba algo. Pero a Irene, ¡ni las raspas! Recuerdo que en el cortejo de los actos oficiales pasaban primero los reyes; inmediatamente detrás, el *diadokos*; después iba yo. Y hasta ahí, la gente respetaba. Pero luego, empezaban ya los altos dignatarios, y las personas de la corte, a meterse dentro... y a la pobre Irene, de pronto, la perdíamos de vista, porque se quedaba atrás, atrapada entre la multitud, y había que volverse, para rescatarla.

»Yo tuve celos al principio, cuando pasé a "segunda". Pero en Salem, al ser tratada como *Sofía de Grecia, a secas*, empecé a verlo de modo distinto, con normalidad. Sí: en Salem lo encajé.

En 1954, un armador griego, Eugenides, pidió a la reina Federica que amadrinase la botadura de un transatlántico de su propiedad. La reina accedió; pero, mujer lista y calculadora, propuso al naviero: «Y, en lugar del tradicional broche de brillantes que se suele regalar a la madrina, ¿no me proporcionaría usted los medios para organizar un crucero, un crucero por nuestros mares e islas, al que invitaríamos a todas las familias de la realeza europea? No se trata sólo de relacionarnos y pasárnoslo bien nosotros, sino de atraer la atención de la prensa mundial, de la opinión pública mundial, y, en definitiva, del turismo mundial.»

Ciertamente, el fin se logró. Durante el mes de agosto de ese año 1954 los periodistas tuvieron «noticias de sangre azul» en cada puerto en que atracaba el *Agamemnon*, con su selecto pasaje de más de un centenar de reyes, reinas, príncipes, grandes duquesas... Y a partir de ese evento, excitado el deseo de emulación, el propio Eugenides y su mujer, la americana Maxwell, y después otros navieros griegos, montaron cruceros chárter, siguiendo el mismo itinerario que el que la prensa ya había bautizado como *Crucero de Reyes*.

«Fue un gran éxito –escribe la reina Federica–. Éramos ciento diez personas, de veinte nacionalidades y hablando unos quince idiomas diferentes, a pesar de lo cual no hubo la menor dificultad para el entendimiento y la convivencia durante los diez días que duró el viaje.» Y la reina Sofía me subraya la importancia que, para los anfitriones y para sus invitados, tenía el brindar «una ocasión de reunirse las familias reales europeas, porque, después de la guerra mundial, o no se habían visto entre sí, o ni siquiera nos conocíamos».

La familia real griega, a bordo del dragaminas *Polemistis,* llegó a Nápoles, que era el punto de reunión y de partida. Los únicos que no embarcaron en Nápoles, sino en alta mar, una vez traspasada la línea de aguas territoriales italianas, fueron los depuestos reyes de Italia Humberto II y María José, con sus hijos Víctor Manuel y María Pía: el gobierno de Alcide de Gasperi les expulsó del país, al proclamarse la república en julio de 1946; y seguía en vigor para ellos la prohibición de pisar suelo italiano.

Aunque en las «normas de selección» se había fijado una edad mínima de catorce años, Constantino e Irene fueron admitidos: «Alguna ventaja debíamos tener los *sponsors*, ¿no?», me comenta la reina riendo.

–De España vinieron los Barcelona: don Juan, doña María de las Mercedes, la infanta Pilar y el príncipe Juan Carlos. Los otros hermanos, Margarita y Alfonso, no tenían la edad. Y también, me parece, al estar ciega Margarita, se pensó que podía ser peligroso para ella andar por un barco, subiendo y bajando cada dos por tres.

Me ha chocado oírle decir «los Barcelona». Pero así los llama, haciéndose eco de cómo se les conocía entonces entre la realeza de Europa. En cambio, cuando en algún momento mencione a doña Victoria Eugenia de Battenberg, dirá «la reina».

–Las listas –continúa–, las invitaciones, el programa, todo, lo organizaron mis padres, muy en contacto con los condes de París, Enrique e Isabel. Estaba también en el ajo Miguel de Grecia, que es primo hermano de mi padre, pero de nuestra generación: de la edad de Tino. Este Miguel es hijo de...

–No se esfuerce, majestad: creo que, al menos esta vez, sé de quién me habla. Un tío del rey Pablo, Christopher, se casó en segundas nupcias con la princesa Françoise de Orleáns, hermana del conde de París. Miguel es el hijo de Christopher y de Françoise. ¿Es así?

–Sí. Es así. Miguel ha vivido muchísimo con nosotros, en casa, en Grecia. Bien. En el *Agamemnon* el plan era un poco como en familia: ropa informal, sin protocolos... Lo único que se «recomendaba» era no sentarse a la mesa ni bajar a tierra en shorts. Había baile todas las noches, y muchas diversiones de esas de jugar en grupo, en pandilla: las prendas, las adivinanzas... Para evitar que se hicieran grupitos cerrados, o capillitas de «rancho aparte», se ideó un modo de mezclarnos a todos: antes del desayuno, de la comida, y de la cena, ponían dos cubiletes llenos de papelitos. Ellos por un lado, y ellas por otro, todos teníamos que sacar un papelito con un número, y buscar a la pareja que tuviera el número igual. Podía resultar que a la reina Juliana de Holanda le tocase de vecino de mesa un chico de quince años. Bueno... algunos jóvenes hacían cambalaches, bajo cuerda, y cambiaban sus números con otros, para caer al lado de quien les gustaba más. Pero eso, tres veces durante diez días, hizo posible que todos conectásemos con todos. Sin ir más lejos, Juan Carlos, con dieciséis años, se hizo íntimo de mi tío abuelo Jorge, *uncle Jacob*, que entonces tenía ochenta y cinco. Sí, era una relación extraña, pero hicieron migas. Tío Jorge era gobernador de Creta, y llevaba unos bigotes blanquísimos, de guías muy finas y largas, engominadas hacia arriba. –Se pone los dedos índices sobre el labio, y dibuja en el aire los bigotes del príncipe Jorge–. Parecía una figura del siglo pasado.

–Entre tantos invitados, ¿se fijó ya en el príncipe Juan Carlos?

–Sí, me fijé. Era simpatiquísimo, muy divertido, muy bromista. Un gamberro. Ésa es la impresión que me hizo, porque fue entonces cuando le conocí. Me molestaba, me enfadaba, que a él, con sólo unos meses más que yo, sus padres le dejasen quedarse hasta las tantas, bailando y juergueando; y a mí, en cambio, los míos a las doce me mandaran a la cama. El chico de los Barcelona me pareció muy revolucionario, muy gracioso, muy gamberro. Teníamos los dos quince años; pero diferentes núcleos de relación. Me di cuenta en ese viaje. Él alternaba más con las familias francesas e italianas; y yo iba más con los alemanes y los ingleses. Pero, personalmente, entre Juan Carlos y yo no hubo nada de nada. No me sacó a bailar ni siquiera una vez. Aunque creo que él se lo pasó... en grande. Y yo también.

»Realmente, el *Agamemnon* era un hotel flotante que nos iba trasladando a diferentes lugares. Hicimos un recorrido por el Peloponeso. Fuimos a ver el monte Olimpo. A Creta,

Rodas, Corfú, Thesalónica, Bolos, Mikenas, Knosos... En el teatro de Epidauro asistimos a una representación del *Hipólito* de Eurípides. El barco navegaba de noche, mientras dormíamos. Nuestra casa era el mar. De día, hacíamos turismo (mi padre era el cicerone, y en varios idiomas): visitábamos lugares de interés artístico o histórico. Después, nos bañábamos. Yo llevaba un cuadernito de autógrafos, y a todos los invitados iba pidiéndoles su firma. ¡Cosas de cría! Todavía estaba interna en Salem.

A su definitivo regreso del internado, Sofía se encara a una vida muy llena, sin márgenes para el aburrimiento: además de las actividades y viajes oficiales, amplía su formación cultural con Theofanos Arvanitopoulos, su querida profesora de saber universal, que les ha acompañado en Psychico y en Tatoi, e incluso alguna temporada en Salem. Realiza estudios arqueológicos, trabajando en unas excavaciones de Decelia. Y se matricula en la escuela de enfermería infantil Mitera: obtiene la diplomatura después de estudiar los dos cursos, desde 1956 hasta 1958, y luego prolonga sus prácticas hasta 1961. También dedica algún tiempo al scoutismo:

«De pequeña me encantaba el scoutismo. Era un movimiento fantástico para la gente joven, y para la gente menuda: te ayudaban a pensar en el prójimo, a hacer salvamento, a ser valiente, a poner en marcha tus propios valores, a aprender las virtudes que los demás tenían y a ti te faltaban. Y todo eso, pasándoselo una muy bien. Lo dejé por ir a Salem. Al volver, me hicieron capitana nacional de la Asociación de Guías Helenas. Pero lo de ser jefa era un honor oficial que no me hacía ninguna gracia: no participabas, no convivías, no corrías riesgos... La verdad, no me divertía nada. Más bien, me aburría mortalmente. Lo que yo quería era hacer acampadas, fuegos de campamento... Desde entonces, tengo guardada la idea de irme por ahí, con una caravana o una roulotte. Me apetece muchísimo. Ah, y no lo doy por perdido: ¡eso está pendiente!»

Las clases de filosofía, literatura, historia y griego clásico, en Tatoi, se completan con excursiones para visitar monumentos y yacimientos arqueológicos. Van Sofía e Irene con la profesora Theofanos. La reina me habla de ella, una vez más, con admiración entusiasta:

«Era una arqueóloga magnífica, culta, amena. La veías disfrutar con su trabajo. Íbamos en coche, de un modo sencillo e informal, a ver cosas de interés. Por supuesto, en la misma Atenas, el Partenón, los Propíleos, el templo de Atenea Niké, el Teseión... Los santuarios de Olimpia, Delos, Eleusis, Delfos... Los teatros de Epidauro, de Dionisios, de Megalópolis. Las esculturas de Mirón, de Fidias, de Policleto, de Praxíteles, de Scopas, de Lisipo... La cerámica negra, y la roja... Con Theofanos era volver a vivir los tiempos de antes de Cristo. Nos lo hacía ver, con todo el esplendor, toda la belleza y toda la grandeza de la Grecia antigua. Y te enamorabas de tu patria. Sin nacionalismo: por amor a tu propia tierra. De algún modo, ella me inculcó, no una conciencia nacionalista, pero sí una identidad nacional griega, que yo hasta entonces no tenía: que si por el exilio, que si por Salem, que si por toda esta mezcla de familias, la cosa es que yo no me sentía de ninguna parte.»

Pregunto a la reina si alguna vez se mezclaban, anónimamente, con la gente de la calle. Y me dice que sí: «En esas mismas excursiones, de vez en cuando, íbamos con Theofanos a algún cine, o a merendar en una cafetería de pueblo. Al no haber televisión, nuestras caras no eran demasiado conocidas. Y pasábamos de incógnito con facilidad.

»Recuerdo que una vez, en carnaval, viviendo en el Palacio Real de Atenas, nos disfrazamos de máscaras, con unas túnicas de raso negras, de arriba abajo, y el capuchón con aberturas en los ojos y en la boca. Tino, Irene, el primo Miguel, mi primo Karl de Hesse, que también entonces vivía con nosotros, y yo. Los cinco, de incógnito, salimos de palacio al anochecer. Mis padres lo sabían, pero escapamos como fugitivos, para que no se enterasen los soldados de la guardia. Fuimos a todas las fiestas y verbenas populares que había en Atenas esa noche, entramos en varios night-clubs. Bailamos con todo el mundo que quisimos, sin darnos a conocer, claro. Fue una experiencia única. Inolvidable.»

La finca de Tatoi está asentada sobre una ciudad anterior incluso a la fundación de Atenas. Correspondía a un territorio, Decelia, dentro del Ática, *la Grecia de la Grecia*: «Aunque en los mapas antiguos venía mencionada esa polis, esa ciudad, fue Theofanos quien la localizó. Y allí, en el mismo suelo de Tatoi, nos pusimos a excavar, buscándola, hasta dar con ella. Trabajábamos las tres solas, pidiendo ayuda a veces, de 9.30 de la mañana hasta la hora del almuerzo. Yo allí sudé como nunca en mi vida, pero era apasionante. Por las tardes, limpiábamos, clasificábamos y uníamos los fragmentos en una especie de taller que montamos cerca del yacimiento. Encontramos trozos de utensilios domésticos: jarras, platos, vasijas... Una columna funeraria, y piezas grandes de cerámica. Llegamos a reconstruir unas vasijas de los siglos V, IV y III antes de Cristo.»

En 1959 las princesas Sofía e Irene y su profesora Theofanos publicaron un librito, *Cerámicas en Decelia*, completado pocos meses después con otro opúsculo, *Miscelánea arqueológica*, en el que daban noticia de «la gran variedad de hallazgos que no se mostraron en la obra anterior».

Para las jovencitas que deseaban «hacer algo más» entre el colegio y la boda, tradicionalmente estaba la tarea de «bordar el ajuar». Pero en los años cincuenta la aguja y el bastidor habían pasado de moda. A las *teenagers* que no pensaban acudir a la universidad, se les ofrecían «carreras cortas» muy atractivas: figurinismo, decoración de interiores, asistencia social, enfermería, ciencias del hogar, peritaje mercantil, secretariado, idiomas... Sofía decidió matricularse en Mitera,[5] Escuela de Enfermería y Psicología Infantil. Y empezó las clases el 16 de noviembre de 1956.

«No me matriculé –me dice– por pasar el rato: quería ser enfermera infantil, y eso soy, y eso me siento.»

Ha circulado mucho esta anécdota: un día, en clase de psicología infantil, cierto profesor les explicó: «Conviene saber que los recién nacidos tienen ya sueños y sensaciones eróticas...» Sofía, volviendo levemente la cabeza hacia su compañera de pupitre, musitó por lo bajini: «¿Y qué bebé le habrá ido con ese cuento a nuestro profesor?»

«Sí –me corrobora la reina–, yo les tomaba un poco el pelo a esos psicólogos. ¿Cómo iban a saber ellos que un bebé, todavía no parlante, tenía sueños y movimientos eróticos? Por eso preguntaba si es que el bebé les había hecho esa revelación. No me interesa la psicología. Me parece que lo importante es la experiencia de la madre que conoce a cada uno de sus hijos. Cada uno es distinto. Y no hay teorías, ni libros donde vengan reflejados ¡ni de lejos! Y, ante un mismo estímulo, cada niño tiene sus propias y diferentes reacciones. Se equivoca, de cabo a rabo, la madre que pretenda tratar a sus hijos siguiendo un manual: ¡¡cada uno es un mundo distinto del otro!!»

Me dice que le gustan mucho los niños: «Me gusta cuidarlos, no protegerlos.»

En Mitera, vivía el horario de sus compañeras: de seis y media de la mañana a dos de la tarde, unos días; otros, de doce a ocho de la tarde. Después se enroló en los turnos de noche. Ella lo cuenta con gran vivacidad: «Me había matriculado para aprender de verdad. Quería hacer lo que hacían todas las demás, sin ser excepción. Para empezar, iba conduciendo yo mi coche, un Volkswagen de color azul celeste. Madrugaba muchísimo, porque tenía que ir desde Tatoi, que está a unos quince kilómetros al norte de Atenas, y estar en clase a las seis y media, con el uniforme puesto,

---

5. *Mitera*, voz griega que significa «madre».

impecable. Iba a recoger mis deberes, a asistir a las clases, o a hacer las prácticas. Luego, cuando me dieron el diploma, me quedé un año más, con alumnas a mi cargo, y un pabellón con doce niños recién nacidos. Hubiese querido vivir allí mismo, pero no me dejó mi familia. Lo intenté de mil modos. Y nada. En cambio, me puse firme cuando llegaron los turnos de noche. Dije que tenía que hacerlos, y que tenía que hacerlos. Durante una semana seguida hacíamos noche, y después nos daban dos días libres, para recuperar sueño y ponernos en forma. En casa, al principio, estaban un poco moscas; pero, al ver que no ocurría nada, ya dejaron de oponerse.

»Yo he pensado muchas veces que, todas esas batallitas de libertad, mis hijas, las infantas, se las han encontrado resueltas... sin ellas saber que, para su madre, aquello fue como *poner una pica en Flandes*. Y es que, en muy pocos años, la vida ha cambiado mucho. De lo que nos dejaban hacer a nosotras, a lo que ellas pueden hacer... ¡no hay ni color!

»Una cosa graciosa de los tiempos de Mitera fue lo del turno de cocina: teníamos que probar los biberones y las papillas. Como estaban buenísimas, lo que los niños no se tomaban, nos lo comíamos nosotras. La consecuencia práctica, ¡y bien práctica!, se nos puso aquí... ¡ja, ja, ja!» Ríe a carcajadas, mientras coloca ambas manos, como si fueran cataplasmas, sobre sus caderas.

Después, haciendo una transición rápida de la broma a la seriedad, me comenta que, por su gusto, se hubiese dedicado a la puericultura, o al ejercicio de la enfermería, o a la arqueología: «Pero no como aficionada, sino como el quehacer de mi vida.» Igual que le apasionaba la música, y las clases de piano que Gina Bachauer les daba a su hermana Irene y a ella, en Tatoi.

«Sí, tuvimos esa suerte, ese privilegio –me contó en otro momento la princesa Irene–. Y también venía mucho por casa Yehudi Menuhin. Gina y él eran viejos amigos de mis

padres. A Sofía le ha gustado siempre la música. En Tatoi
sonaba música clásica por todas las habitaciones. Mi madre
se inventó un sistema, que era una especie casera del "hilo
musical". Cuando Sofía se casó y se vino a España, lo único que pidió de sus cosas personales, así que yo recuerde,
para que le enviásemos, fue su piano. Pero luego... ¡la vida
misma! Jamás sacaba tiempo para practicar.»

«Yo hubiese querido –sigue la reina– dedicarme de verdad a la historia, a la arqueología, a la música, y a alguna
actividad concreta en relación con los niños. Como me hubiera gustado seguir en Salem tres años más, ¡ya lo creo!
Pero tenía bien claro que mi deber era estar en Grecia, y
"disponible" para lo que viniera después. Y vino... esto.»

Al decir «esto», ha extendido levemente el brazo derecho
y, con la mano abierta y la palma hacia arriba, ha descrito
en el espacio un amplio arco gradual, un imaginario horizonte curvo, de izquierda a derecha. Tiene fuerza esa mano
de la reina. Es una mano grande, de dedos largos y palma
poderosa. Mano faenera. Mano firme. Mano de matrona. En
este punto, y aunque percibo que todavía no hay clima para
pasar a «palabras mayores», me atrevo, me lanzo, con esta
pregunta:

–Majestad, ¿qué cosa es *ser reina*?

Breve silencio. Ha vuelto a entrelazar las manos, sujetán-
doselas con vigor.

–No lo sé. Tienes que dejarme pensarlo. Cualquier
cosa... menos «una profesional» ¿Dónde está la escuela?
¿Dónde el escalafón? Si por profesional se entiende tener
una formación universitaria específica, no soy una profesional. Pero si con eso se habla de una dedicación, de echarle
horas, de prepararse los temas, entonces sí me considero
una profesional.

En mi libretilla anoto: *Volver a preguntarle «¿qué cosa es ser
reina?»*.

108

La idea de la reina Federica, patrocinada por un naviero privado, pero con las facilidades del gobierno del mariscal Papagos, obtuvo unos interesantes réditos en la cuenta que entonces se habría llamado de información y turismo, y ahora de márketing político. Y tanto que, dos años después, en 1956, los reyes griegos organizaron otro crucero. Esta vez, a bordo del *Aquiles*. Pero el premier británico sir Anthony Eden ordenó por entonces el cierre del canal de Suez.

–No hicimos el crucero –explica la reina–; pero sí una reunión festiva, de recreo, para jóvenes de las familias reales. No recuerdo cuántos días duró. Fue en verano, y el *Aquiles* estuvo atracado todo ese tiempo en el muelle de Corfú. Allí mi familia tenía la casa antigua, la que hizo construir Jorge I, el fundador de la dinastía griega. En esa casa, Mon Repos, había nacido mi tío Felipe de Edimburgo. Juan Carlos no asistió. Los demás nos conocíamos del crucero anterior. Habían pasado dos años, y nos reencontrábamos como mayores. Ese mismo verano, y en aquella ocasión, fue mi «puesta de largo», mi baile de debutante. ¡Ufffffff! Yo no quería de ninguna manera. Mi madre se empeñó. Lo odié con toda mi alma. A mí me gustaba pasármelo bien, pero sin concentrar en mí todas las miradas. Lo de siempre: un trasfondo horrible de timidez. Porque yo era muy, muy, muy vergonzosa. El vestido era de mosquitera...

–¿...?

–¿Cómo se llama en castellano esa telilla que se pone en las cunas de los niños, para quitarles las moscas... y las novias a veces lo usan de velo...?

–¿Tul?

–¡Exacto! ¡Tul!

–¡Oh, oh, oh... «tul ilusión»!

–Bueno, a mí no me hacía especial ilusión. Era un vestido con mucho vuelo, con flores... Muy aparatoso. Hay fotos por ahí...

La reina ha pasado por alto –tal vez se le haya olvidado– que el verano anterior, el de 1956, los condes de Barcelona y la infanta Margarita estuvieron en Corfú, en Mon Repos, invitados por los reyes de Grecia. Esa invitación respondía a un amistoso deseo de ofrecerles un poco de compañía y de consuelo, tras el accidente trágico que había provocado la muerte de su hijo, el infante don Alfonsito. De modo que don Juan Carlos no acudió a Corfú, ni en 1956 ni en 1957, pese a las consecutivas invitaciones.

Cuando vuelvan a encontrarse, aquel «chico de los Barcelona, divertido, gracioso y un poco gamberro», no sólo habrá pegado el estirón de muchacho a hombre, sino que un desgarrón de duelo le habrá mellado el alma de por vida.

«En otoño –prosigue la reina– hacíamos viajes en coche, los cinco de la familia: mis padres, mis hermanos y yo, para conocer Europa: Yugoslavia, Austria, Alemania... Un año, en 1959, fuimos a los países escandinavos, a Dinamarca, Noruega y Suecia. En Dinamarca conocimos a los reyes daneses, Frédérik e Ingrid, y a su hija, la princesa Ana María, que entonces era una adolescente de trece años. Pasado el tiempo, sería la mujer de mi hermano. Ese día se vieron por primera vez.

»Yo iba a cumplir veintiún años. Y no había visto en mi vida al príncipe Harald de Noruega. Pues bien, nada más pisar tierra noruega, nos desayunamos con que los periódicos de Oslo nos daban ya como pareja. ¡Increíble! En primera página, fotografía del príncipe Harald, y fotografía mía. ¡Y no nos conocíamos! Él no había venido al crucero del *Agamemnon*. ¡Nunca nos habíamos visto!

»Yo sé que hubo mucho interés en casarnos. Se provocaron encuentros, se hicieron cábalas, corrió mucha tinta, etcétera, etcétera, etcétera. El resultado de ese emparejamiento forzado fue nulo.»

Le he preguntado –a su caer, siempre a su buen caer–
por otros amores incipientes, noviazgos que no llegaron a
cuajar...

«Antes de conocer a Juanito, al príncipe Juan Carlos, yo
me había enamorado, enamoriscado, muchas veces: los típicos amores juveniles. Había tenido relación de buena
amistad, y de enamoramiento, ¿por qué no voy a decirlo?,
con algunos compañeros de Salem. Ah, y amor platónico, de
pura fantasía, por algún actor de cine: Jeffrey Hunter, Robert
Wagner y James Dean. Hunter era el protagonista de una
película religiosa que me encantaba, y que la vi no sé cuántas veces: *Rey de reyes*. Él hacía de Jesús. Y yo lloraba como
una Magdalena, ¡ja, ja, ja, nunca mejor dicho! A Robert
Wagner le vi en *Lanza rota*, en *El príncipe valiente*, y en
alguna más. De James Dean, me chifló *Al este del Edén*, y
también la última suya, *Gigante*. Yo era una chica románti-
ca. Pero no tenía romances sentimentales, no tenía novios.
Juan Carlos sería el primero. Y el único.»

En 1959 se celebra en el castillo de Altshausen, en Stuttgart,
la boda de Elisabeth de Württenberg con Antonio de Bor-
bón-Dos Sicilias. Sofía de Grecia y Juan Carlos de Borbón
asisten, pero la relación no pasa de un cortés saludo. Sin
embargo, la princesa se fija en que «él llevaba el uniforme
de gala de marino: estaba en la Escuela Naval de Marín».
Asimismo recuerda que «le acompañaba su equipo de ayudantes, militares los tres: Nicolás Cotoner, marqués de Mondéjar, Alfonso Armada Comyn, y Emilio García Conde».

Al año siguiente, el 21 de julio, y también en Altshausen, se
casa Karl, el duque de Württenberg, con Diana de Orleáns,
hija de los condes de París. Juan Carlos, que por entonces
mantenía una relación afectiva con María Gabriella de Saboya, acude a la fiesta. No así Sofía. Le he preguntado por
qué, y me ha contestado del modo menos protocolario que

me podía imaginar: «No me apetecía. No me interesaba. Podía ir o no ir... Y no me dio la gana.»

Pienso que puede decirlo así, con esa soltura, y sin recámara, porque entre los reyes de España y los duques de Württenberg hay una muy buena relación de amistad. Y Juan Carlos es padrino de bautismo de Flor, una de las hijas de Karl y Diana, con quienes, además, coinciden todos los veranos en Mallorca.

Todos los días del año 1959, ya hiciera frío o calor, o llovieran chuzos de punta, Constantino y Sofía, si no tenían alguna actividad oficial, o algún viaje, o las prácticas de ella en Mitera, se levantaban con las luces malvas del amanecer, salían de Tatoi, y marchaban hacia el embarcadero de la bahía de Falerón. Allí estaba atracado el *Nereus*, un balandro de la categoría Dragón, que la marina de guerra griega había regalado al príncipe heredero, con ocasión de su mayoría de edad. No existía otro barco de ese tipo en toda Grecia, de modo que Constantino no tenía competidores. Tremendo hándicap para un regatista, pues, al no poder medirse con ningún contrincante, no sabe si está bien o mal preparado para afrontar una prueba.

«Sofía y Tino –me contaba la princesa Irene– siempre estuvieron unidísimos, como uña y carne. Incluso cuando bailaban, parecían una sola figura, acompasados en todos sus movimientos. Tenían una profunda amistad de hermanos. Y en el deporte formaban equipo. Eran una piña. Ella estaba dispuesta a todos los sacrificios, y madrugones, por él. Y él era su compañero y su gran protector. Yo me metía con los dos, para hacerles rabiar, usando una palabra, *ginekopeda*, reflejo de ese machismo griego que cuida y protege a las mujeres como si fuesen niños. ¡Huy, se enfadaban mucho conmigo!»

«Nos entrenábamos durante toda la mañana, hasta la hora del almuerzo –me cuenta la reina–. Mi misión en el equipo era estar pendiente de la cuerda mayor... oh, perdón: ¡del "cabo" mayor! Si mi marido me oyese decir "cuerda", enseguida diría que "¡en marinería no hay más cuerdas que las de los relojes!".

»Al principio no pensábamos para nada en los Juegos Olímpicos. Simplemente, nos adiestrábamos. Pero poco a poco fue entrándonos el gusanillo, las ganas de competir, de tener, no sé, un horizonte, una meta ilusionante para todos aquellos esfuerzos.

»Cuando dijimos en casa que nos queríamos presentar, enseguida intervino el gobierno, por tratarse del príncipe heredero, y de unos Juegos Olímpicos que habían nacido en Grecia: "El *diadokos* griego no puede correr el riesgo de perder. Si se presenta, tiene que ganar. Cualquier otra cosa, una medalla de bronce, sería un desastre." ¡Así de tremendo se lo tomaron! El primer ministro era Constantino Karamanlis (muy monárquico, por entonces). Había sido un excelente ministro de Obras Públicas: en siete años rehízo Grecia, que estaba destrozada por las guerras. Y era una gran promesa de futuro. Fue mi padre quien lo eligió para presidir el gobierno.[6]

»Bueno, para nosotros dos lo importante era competir, y "servir a la Victoria, la obtenga quien la obtenga". Pero, tal como nos lo ponían, o todo o nada, "o se gana, o no se compite", aquello era un desafío. Un gran desafío: se trataba de romper moldes. ¿Por qué un príncipe tiene que ser el mejor balandrista de la categoría Dragón? ¿Por qué un príncipe no puede competir sin ganar ninguna medalla? Había que afrontar el riesgo de la derrota.»

Una vez más, a la reina se le anima el rostro, y hay un no sé qué de pujanza en su mirada garza, cuando dice la palabra *desafío*. No falla: y ya llevo apuntadas tres.

---

6. Cuando la reina Sofía hace este comentario, tiene ya un duro *background* de experiencia: ese mismo Karamanlis presidió después la república griega, birlándole el trono a Constantino II, aquel «*diadokos* de Grecia que no podía perder en las Olimpiadas».

«Hicimos regatas en Francia y en Italia –continúa la reina su relato, muy animada, y algo en el tono de su voz, y algún gesto de sus manos, como abreviando tramos, quemando etapas, me hace entender que todo esto de las olimpiadas conduce a algún vericueto desconocido para mí–. Íbamos quedando bien. Con Tino y conmigo venían dos del equipo, Zaimis, que era el suplente, y Odiseas Eskitzoglou, oficial de marina, para el entrenamiento diario desde Tourkolimano[7] hasta la bahía de Falerón.

»Navegando por el puerto de Génova, un día de febrero del mismo año 1960, antes de los Juegos, tuvimos un accidente. Estaba nevando, y hacía un frío espantoso. Íbamos a todo meter. El barco giró bruscamente, y me golpeé la cabeza con el sotavento. Salí despedida y caí al mar. El agua estaba helada. Y yo me hundía en el hielo porque, al caerme vestida, el pullóver y el anorak no me dejaban bracear. Tuvieron que tirarse al agua Constantino y Eskitzoglou. Entre los dos me sacaron. Poco antes de ir a la olimpiada, después de una regata en Nápoles, en mayo de 1960, le dije a mi hermano: "Tino, lo voy a dejar. Lo he pensado bien. Un percance así puede volver a ocurrir en plenas competiciones, y yo no me perdonaría nunca que perdieses por mi culpa."

»Los Juegos se celebraban en Nápoles, entre el 29 de agosto y el 7 de septiembre. Fuimos toda la familia. Yo ya como suplente del equipo. Nosotros veíamos las pruebas de balandro desde el yate de unos amigos italianos. Duraron cuatro días. Teníamos encima toda la atención de la prensa y de las televisiones del mundo entero, porque era el único príncipe heredero que competía. ¡Qué nervios…! El primer día, Constantino, tripulando el *Nereus*, llegó el décimo. Y todos, esa noche, de capa caída. Al día siguiente, llegó el tercero. Eso ya se ponía bien. Al otro, llegó el segundo. Y el último día, el definitivo, nuestro *Nereus* llegó ¡el primero! De las emociones que yo había vivido hasta ese momento, ésa

7.   Ahora, Limin Mounikhias.

114

fue la más excitante. Mis padres se abrazaron, riendo y llorando. Yo exultaba. Mi primo Karl de Hesse, que era muy amigo de mi hermano, se arrojó al agua con la botella de champán y las copas. Fuimos enseguida a tierra, para recibirle como *olympionikis*. Cogí una manguera y empecé a bañarles con agua. Bueno, fue una apoteosis. Oír el himno nacional de Grecia, con todo el estadio en silencio, y mi hermano en el podio con su medalla de oro... Para Grecia era importantísimo. No olvidaré la llegada a Atenas: había cinco filas de personas en cada arcén, desde el aeropuerto hasta el monumento al soldado desconocido, en el centro de la ciudad. Toda Atenas llena de gente. Se habían echado a la calle. Había un orgullo nacional colectivo maravilloso y emocionante. Era la primera medalla de oro que se ganaba en las Olimpiadas, desde antes de la Primera Guerra Mundial. Y el pueblo valoraba que el vencedor fuese un príncipe griego, y trajese el oro para la patria olímpica.

»Pero vuelvo a Nápoles. Aquella noche hubo una fiesta en el hotel donde nos alojábamos. Los Barcelona habían asistido a los Juegos, y, aunque no les vimos en el baile, les invitamos a cenar al barco nuestro, al *Polemistis*.

»Con don Juan y doña María, vino también Juan Carlos. Llevaba bigote. Yo le dije: "No me gustas nada con ese horrible bigote." "Ah, ¿no? Pues... ahora no sé cómo lo voy a poder arreglar." "¿No sabes cómo? Yo sí se cómo. Ven conmigo." Le llevé a un cuarto de baño del barco. Le hice sentarse. Le puse una toalla por encima, como en las barberías. Cogí una maquinilla. Le levanté la nariz. Y se lo afeité. Él... se dejó.»

Diez meses después de ese curioso episodio, que me sugiere demasiado fácilmente aquel otro, también de tonsura capilar, entre Sansón y Dalila, Sofía y Juan Carlos van a reencontrarse en *territorio neutral*: en la británica York, y al socaire festivo de la boda de Edward, duque de Kent, y Katherine Worsley.

–La boda era en York el 8 de junio de 1961. Los invitados llegamos a Londres unos días antes. Yo, sinceramente, no tenía interés en ir. Luego supe que a Juanito tampoco le apetecía. Él acudió con su padre. Yo, con mi hermano. Mejor así, porque todo pudo desarrollarse con más naturalidad, con más informalidad, con más libertad. Muchas veces he pensado que, si hubiesen estado allí mis padres, quizá no habría llegado a producirse el encuentro personal entre Juan Carlos y yo. Casi seguro: no habría pasado nada entre él y yo.

–¿Es cierta esa frase que se atribuye a vuestra majestad de que «por una vez el protocolo ha hecho bien las cosas», refiriéndose a que le habían designado a Juan Carlos como *caballero acompañante*? Porque, de ser verdad, esa frase es muy delatora.

–Es verdad. Yo lo dije. Pero... porque antes habían ocurrido ya unas cuantas cosas.

Me cuenta la reina que, en el momento mismo de llegar al hotel Claridge de Londres, mientras el conserje entregaba al príncipe Constantino las llaves de las habitaciones, ella –curiosa como cualquier mujer– pidió el libro de huéspedes, para saber quiénes se alojaban en el mismo hotel.

Apoyada sobre el pupitre de recepción, estaba leyendo la lista de quiénes habían llegado y quiénes estaban por llegar. «Los conocía a casi todos.» Lógico. El gueto del *Gotha*: del *Gotha* jurásico y del *Gotha* veinteañero.

«Pero, de pronto, leí *Duque de Gerona*. Y dije: "Y este *Duque de Gerona*, ¿quién es?" Entonces, a mi espalda oí: "Soy yo."

»¿Esa voz? Me volví. Y era él.»

VI

El amor siempre llega cuando tienes
una lágrima a punto,
y no la puedes llorar solo.

LUIS ROSALES, *La casa encendida*,
quizá pensando en él.

Then come kiss me, sweet and twenty,
Youth's a stuff will not endure.[1]

WILLIAM SHAKESPEARE, *Twelfth Night*,
quizá pensando en ella.

Viste hoy la reina un traje azul oscuro, entallado, de falda recta y chaqueta corta. Estamos a 9 de octubre, y acaban de almorzar, ella y el rey, con Jacques Chirac, presidente de la república francesa. Esta misma mañana, o tal vez anoche, vio por la CNN un desagradable incidente contra Yassir Arafat. Me lo comenta, visiblemente disgustada: «¡Parece mentira! Estamos en un delicadísimo proceso de paz en Oriente Medio, que es difícil y complejo. Todo cuidado es poco... En éstas, Arafat, como invitado del presidente Clinton, asiste a un concierto en Nueva York. Y cuando la orquesta acomete el tercer movimiento de una sinfonía de Beethoven, entran en la sala unos policías, interrumpen el concierto y, por orden del alcalde de Nueva York, le dicen que abandone el local. Arafat no opuso la menor resistencia. Se levantó y salió, sonriendo, en silencio. Es horrible, ¿no? ¡Es un atropello! Un político civilizado no puede echar más leña al fuego entre Palestina e Israel. A Arafat hay que ayudarle para

---

1. Ven, pues, y bésame, suavemente, veinte veces: la juventud es algo que no durará.
La autora prefiere traducir: Entonces, ven y bésame, suave y veinte, porque la juventud es algo que no dura.

que se haga la paz. ¿Cómo ha podido mandar tal cosa ese hombre, ese alcalde? ¿Que él es republicano y Clinton demócrata? Bueno, pero es que hay republicanos... y republicanos.»

Durante muchos años, como tantos españoles, me he creído la fábula de una reina Sofía germánica: enteriza, compacta y sin cintura; mente cuadrada, un, dos, ¡ar!, un, dos, ¡ar!; tenacidad teutónica; imaginación, cero; improvisación, bajo cero. Poco menos que un Bismarck en envase de mujer. Por eso, cada vez que estoy ante ella, me sorprende su versatilidad: una asombrosa agilidad para volver su atención hacia el tema que le planteo, tenga o no tenga que ver con el asunto que a ella le ronde por dentro ese día. Ahora mismo, del episodio entre Arafat y el alcalde de Nueva York, o de lo que el presidente de Francia les haya contado en la comida, pasa a hablarme de su romance con don Juan Carlos. Sin el menor esfuerzo, recorre el dédalo de su memoria hasta aquellos días de junio de 1961, en Londres, cuando coincidieron en la boda de los duques de Kent.

Le gusta hablarme de esto. Lo noto en su mirada. Irradia luz hacia todo el rostro. Hoy, viendo que ella baja la guardia, que se abandona a la evocación, y que casi me olvida, agarro, voy y escruto sus ojos. Curioseo. Fisgo. Creía que eran verdes, o grises, o violeta, o de color de miel. Pero no. Son azules. Estremecidamente azules. Ojos garzos, de un azul traspasado de muchos azules: Azul Prusia. Azul Sajonia. Azul cobalto. Azul turquesa. Azul zafiro. Azul misterio, jónico y oscuro, como el mar de Corfú. Serenísimo azul de Salónica. Azul celaje gris. Azul celeste. Azul alado y plata. Azul bravío. Azul Picasso. Lapislázuli, añil y malaquita... Azul lo que usted quiera. Todo, menos «azul cobarde», que decía aquél.[2]

2. Referencia al poema «Felipe IV», de Manuel Machado.

«La tarde de la llegada, ya fuimos juntos al cine: Tino, Juan Carlos y yo, en un mismo taxi. Vimos *Éxodo*, con Paul Newman. Volvimos al hotel, nos cambiamos de ropa y, también juntos, acudimos al hotel Savoy: había una recepción con cena de gala. Nos pusimos en la misma mesa. Fue entonces cuando empezamos a sentir el tirón del atractivo, pero sin ningún compromiso. Por ahí andaba, recuerdo, la princesa Irene de Holanda, que estaba soltera.

»En esos días previos a la boda, Juan Carlos y yo salimos juntos, varias tardes y varias noches. Mi hermano Constantino se dio cuenta y, hablando con mis padres por teléfono, se ve que les dijo "preparaos por si hay sorpresa: Juanito, el chico de los Barcelona, está muy asiduo con Sofía, y a ella no parece que le desagrade".

»No salíamos solos todavía. Íbamos en grupo con otros amigos de nuestra edad. Una de las noches fuimos a un restaurante (todo esto, en Londres) que era también dancing: había orquesta y pista de baile, junto a las mesas. Alguien ha contado no sé qué de un espectáculo de striptease. No es cierto. Lo que pasa es que yo me retiré antes que otros, porque era muy tarde. Y él se brindó a acompañarme. Es natural: estábamos sentados juntos, y nos alojábamos en el Claridge los dos.

»Una de las salidas fue al Dorchester. Nos quedamos en la mesa hablando, sin bailar. Sí, hablamos con profundidad de muchas cosas: de su vida, de la mía, de filosofía, de religión... Ahí empecé a darme cuenta de que era un hombre que tenía mucho más calado de lo que aparentaba. Yo lo había tomado por frívolo, juerguista y superficial.»

Sofía se encuentra ahora con un hombre muy distinto de aquel muchacho «atolondrado, divertido, bromista, guasón... y un poco gamberro», con quien había convivido los días del *Agamemnon*. Este que habla con ella en la penumbra del Dorchester, es un hombre taciturno, con mechas melancólicas, que pasa de la risa aparatosa, de la jarana exultante, del chiste pícaro, del comer sandía vestido de esmoquin dentro de un taxi londinense, a quedarse engolfado en un silencio umbrío. «Umbrío por la pena, y casi bruno, donde yo no me hallo no se halla hombre más apenado que ninguno.»[3] Este del Dorchester tiene, ¿será posible?, como una medusa triste al fondo de su mirada azul.

Ella, porque el amor es el más afilado y agudo de los conocimientos, lo detecta enseguida. Lo caza al vuelo. ¡Milano veloz! Este que la mira a través del cristal de su copa, lleva alojada dentro la extrañeza de ese dolor atroz imaginario, que duele, dicen, donde no hay carne, ni víscera, ni pierna, ni brazo que doler. Ese dolor ausente, pero terrible, dicen, de las amputaciones. Del hermano amputado. Dolor de muñón huérfano de hermano. De hermano rubio como el heno. De harina candeal. De hermano y de jilgueros acribillados, rotos, de repente. Pan de congoja sorda del ya imposible hermano. Dolor de cráneo adentro, seco y mudo. Seco: de lagrimal enjuto, sin derecho a llorar. Mudo: obligado a callar, y a «¡de esto no se habla!». A escuchar en silencio aquel pistoletazo, que retumba por las bóvedas ciegas del alma. Una pena sin culpa. Y un luto, oscuro y macho, que hay que andar escondiendo, como el cojo y el manco esconden su muñón.

Pero, no, en esa conversación del Dorchester él no habla de eso.

«¿En esa conversación del Dorchester? Nos contamos mil cosas. Me pareció encantador, y con una hondura que yo no sospechaba. Incluso me chocó que fuese un hombre profundo: yo creía que era sólo un chico bromista. Vi que tenía una situación difícil, con un futuro muy incierto. Que vivía oficialmente acompañado, y humanamente solo, separado de sus padres y de sus hermanas, en un país bajo un régimen militar, sin monarquía, y donde a su padre (el legítimo heredero del trono) Franco le tenía prohibido entrar. Empecé a admirarle en eso: en la alegría con que llevaba su compleja situación.

---

3. Miguel Hernández (1910-1942).

»Estábamos muy a gusto allí sentados. Sólo al final, me sacó a bailar. Sería un fox lento. Recuerdo que bailamos despacio y en silencio.

»Ocurrió todo muy rápido. Esto era en junio. Ese mismo verano fuimos toda la familia a Escocia: mi hermano y yo competíamos en las regatas de la Golden Cup. Allí recibo una tarjeta de él... ¡No me la esperaba! O, mejor dicho: la esperaba cada día. Escrita en mal inglés, decía:

> Querida Sofi: Pienso muchas veces en ti. ¡Qué bien lo pasamos en la boda! ¿Cuándo volveremos a vernos? ¿Qué haces ahora? Te recuerdo mucho. Besos. Abrazos. Y mucho amor. Juan Carlos.

»Le contesté a Estoril, porque me puso su dirección. Y luego dije a mis padres: "¿Por qué no invitamos este verano a la familia de Juanito,[4] a los Barcelona, para que vengan a Corfú?... A mí él me gusta." Mis padres reaccionaron bien, aunque escépticos. Les parecía un ejemplar rarísimo: nunca habían pensado, para mí, en un español. Y además, católico romano. Yo creo que ellos se vieron venir el lío tremendo de la cuestión religiosa. Sí habían pensado en algún alemán. Yo alternaba con chicos, amigos míos, de varias familias alemanas: los Hesse, los Baden, los Baviera. Los Baviera eran católicos.

»De todos modos, conociéndole a él, y más como era entonces, si llegamos a lo que llegamos, si salimos todas

---

4. A don Juan Carlos se le llamaba Juanito en el ámbito de la familia y de los más allegados. Es una costumbre muy española –a falta del sajón *junior*–, cuando el padre y el hijo son homónimos, modificar en diminutivo el nombre del hijo. Su familia nunca le llamaba por el nombre compuesto. El conde de Barcelona, en una carta de septiembre de 1954, todavía se refiere a su hijo primogénito como «el príncipe don Juan». Según Pérez Mateos, *Juan Carlos, la infancia desconocida de un rey*, fue el político y empresario José María de Oriol y Urquijo quien sugirió que se le llamase Juan Carlos, cuando llegó a estudiar a España, «para distinguirlo de su padre, y congraciarle con los carlistas». En *Un reinado en la sombra*, de Pedro Sainz Rodríguez, don Juan de Borbón atribuye la utilización del doble nombre al propio Franco.

esas noches, y nos tratamos, y nos conocimos, fue porque a la boda de los Kent no vinieron mis padres. Con ellos, todo hubiese sido más envarado, más formalista, más comprometedor... para él, para mí, para todos. Ni siquiera se me hubiese acercado, salvo lo que el protocolo marcaba para el *caballero acompañante*. Y no habría habido nada entre los dos. Sí, estoy segura: posiblemente, yo ahora mismo no estaría casada con él. Por lo mismo que casi, casi, se estropea todo, ese mismo verano, en Corfú, en nuestra casa de Mon Repos, por culpa de las presiones de sus padres y de los míos. Las dos familias querían... y presionaban, tratando de imponernos su ritmo, sus previsiones. Y nosotros, ¡uf, uf, uf!»

–¿Las familias lo veían como una buena boda, como un matrimonio de conveniencia?

–¡Ni hablar! Yo no hubiese aceptado un noviazgo impuesto, ni una boda de conveniencia. Nos casamos por amor. Sólo por amor. Yo estaba muy enamorada. ¡Feliz! Y eso que aquel verano, navegando juntos, discutimos fuerte. Cuando le salía el genio, era muy mandón: yo no podía equivocarme; tenía que hacer con el «cabo», o con el timón, el movimiento preciso, exacto, tal como él lo había pensado, y justo en ese instante, ni un segundo después. Ah, y si me equivocaba, se enfurecía y me gritaba como a un marinero. Yo me ponía de morros, y más que de morros. Me enfadaba sin hablarle, sin mirarle para nada. Después se enfadaba él. Y así. Yo, a solas, pensaba: «Si a pesar de estos enfados nos casamos, es que ya estamos vacunados, y podemos pasar todo lo que nos echen.»

Me hace gracia la expresión «de morros», tan chunga y tan castiza. Pero la reina atribuye mi expresión divertida a que la cuestión no me ha quedado diáfana como la luz del día. Así que, insiste, con nuevo énfasis:

«Era una boda normal, por amor, entre dos personas que se gustan, que se quieren, que se entienden, que ven que aquello "funciona", como dicen ahora. Él no iba a vivir de mi estatus. Era yo quien iba a vivir del suyo. Durante el noviazgo, hablábamos de él y de mí, nos contábamos nuestras vidas. Realmente, hablábamos casi más del pasado que del futuro. Sí, él era el heredero del trono de España. Pero no tenía mucho sentido, entre nosotros, hacer conjeturas sobre esa remota posibilidad. De derecho, antes que él estaba su padre. Y de hecho, ninguno de los dos: quien estaba era Franco. Para mí, con los pies en la tierra, no era realista pensar que yo iba a vivir en España, y que pasados unos años mi marido reinaría... Eso no estaba en el horizonte. Es como si, ahora, Marie Chantal,[5] la mujer de mi sobrino Pablo, el hijo de Constantino, un rey que vive en el exilio, se hiciera las cuentas felices de que Pablo y ella van a volver a Grecia como reyes. Puede suceder; pero no sería realista hacer planes de futuro contando con eso. Pues en nuestro caso era igual. Yo, al menos, lo veía igual. Más aún: ni siquiera estaba claro que pudiésemos vivir solos los dos, con independencia, aquí en España. El plan de don Juan, y de su Consejo Privado, era que nos instalásemos en Estoril. Y tuvimos que hacerlo por un tiempo.»

Pregunto a la reina qué le costó más, de todo aquel montón de renuncias. Porque, al casarse, ella dejaba en Grecia su standing de princesa real hija de un monarca reinante, su religión, la compañía tan entreverada de su familia, su tierra y su paisaje, aquella vida en palacio...

Asiente: «Sí, aquella vida donde yo no hacía nada: ni llamar por teléfono; en cambio, ya desde el viaje de novios, tuve que hacerlo todo por mí misma, ¡hasta coser, que es lo que menos me gusta! Pero nunca pensé en aquello a lo que renunciaba. ¡Ni se me pasó por la cabeza! Si queremos mirarlo fríamente, sí, también renuncié a mis derechos al trono de Grecia. Cuando me casé, mi hermano, aunque era el *diadokos,* estaba soltero. No tenía descendencia. Si a él le ocurría algo, yo era la segunda en el orden sucesorio. Es evidente que renuncié a mis derechos al trono, por casar-

5. Marie Chantal Miller se casó en 1995, en Londres, con el príncipe Pablo, heredero del trono de Grecia.

me con el heredero de la corona de otro país. Sin embargo, no puedo decir "esto me costó más, esto menos...". Yo me embarqué en una aventura, en una vida incierta. Pero era fascinante... ¡un desafío fantástico!»

En mi libretilla, la página de los *desafíos*, empieza a ser un lugar tan frecuentado como la esquina de *Smoke*:[6] el salto a la piscina del hotel Mina House, en Alejandría; el internado de Salem; las Olimpiadas de Nápoles. Y ahora, cambiar el estatus de *basilópes* en el palacio Real de Atenas por el de nuera de don Juan y doña María, dos exiliados sin rentas; y teniendo que vivir de prestado, al son que les marquen los suegros, y en la modesta casa que les deje Ramón Padilla, un leal secretario del conde de Barcelona.

Pero doña Sofía, reviviendo los felices tiempos de su noviazgo, me está contando que todavía los asocia a un perfume de Nina Ricci: L'air du temps; a unas musiquillas de Nana Mouskouri, al *Banana Boat* y los ritmos afro de Harry Belafonte, al *Listen to the Ocean* y *Sinner Man* de Nina & Frédérick... «A mí me gustaba bailarlo todo: chachachás, sambas, tangos, boleros, valses... A él se le daba mejor el pasodoble, o el *slow fox*, muy quieto, apenas un leve balanceo.»

La reina se interna ahora en el relato del noviazgo, pero sorteando la fachada y yendo al pormenor minucioso de los entrebastidores. Desde el 13 de septiembre de 1961, fecha del anuncio oficial, hasta el 14 de mayo de 1962, día de la boda, serán ocho meses atravesados de gestiones, de viajes, de tensiones, de intereses contrapuestos, de preparativos, de

6.   En la película *Smoke*, del director Wayne Wang, el estanco de un chaflán de cierto barrio de Brooklyn es el escenario donde confluyen las pequeñas historias de todos los personajes.

negociaciones... ¡Menos mal que, en estos casos, o el amor es ciego, o deslumbra y ciega a los enamorados!

A mediados de septiembre, los reyes de Grecia tenían que presidir la inauguración del Pabellón Griego en la Exposición Internacional de Lausana. Les acompañaban las princesas Sofía e Irene. Don Juan de Borbón, su esposa y su hijo escogieron «casualmente» las mismas fechas para ir a visitar a la reina Victoria Eugenia en su casa de Lausana, Vieille Fontaine. Y, también «casualmente», el príncipe Juan Carlos pasó antes por cierta joyería para retirar una sortija de mujer que había encargado semanas atrás, entregando unas piezas de oro, un par de rubíes y unos brillantes, de una botonadura de gala de su padre. La cosa es que allí y entonces, el 13 de septiembre, se concertó oficializar el compromiso:

«Nos conocíamos, nos queríamos, y ya, sin teatro y sin suspense, queríamos decir en público que aquello iba en serio y que pensábamos casarnos. Como los dos estábamos en el ajo, aprovechamos para ir las dos familias a visitar a la reina Victoria Eugenia. Y así todo transcurrió en un ambiente muy familiar. La petición de mano fue en el hotel Beau Rivage. Él, de pronto, me dijo "¡Sofi, cógelo!", y me tiró por el aire un paquetito, una cajita. Así, sin más, "¡cógelo!". Rápido y desenfadado, como es él. –La reina escenifica el gesto (cintura, torso y brazos) y casi me hace ver cómo llega a sus manos la cajita, lanzada con fuerza desde el ángulo opuesto de la habitación–. Dentro había un anillo: dos rubíes redondos y una barrita de diamantes. Yo en ese momento no le regalé nada. No me lo esperaba, y no tenía nada preparado. Ah, tengo que suponer que eso servía ya como declaración, porque lo de "¿te quieres casar conmigo?" no me lo dijo nunca. A mi padre sí, claro, al pedirle mi mano, pero a mí no.»

A propósito de este encuentro en Lausana, la reina rememora una conversación con doña Victoria Eugenia, *Gangan*, como la llamaban con mucha intimidad. Sintonizaron bien. «Me contó cosas muy duras que le había tocado vivir en el exilio. Cómo la trataron de mal los fascistas italianos, tomándola por espía de los ingleses, ¡qué cosa tan absurda! Me animó a la boda. Me dijo que, a pesar de las dificultades que tuvo con las enfermedades de sus hijos, y con la política tan cambiante y tan revuelta, ella había sido muy feliz, *very, very happy!*, en España. Recuerdo una frase suya, de esas que te las guardas como una lección para el día de mañana: "Con estos reveses, o te haces una amargada o te haces una sabia." Y ella se hizo sabia. Yo creo que la reina Victoria Eugenia intuía que su hijo, don Juan, no iba a reinar. Ella tenía mucho más claro que todos los demás que la estrategia de Franco era jugar a largo...»

Quienes estaban cerca de doña Victoria Eugenia aquel día pudieron escucharle este comentario: «Esa muchachita tímida es todo un personaje... ¡ya lo veréis! Y si algún día tuviera que ser reina de España, lo haría perfectamente.»

Ese mismo día 13 de septiembre, el príncipe Constantino, que se ha quedado en Atenas, en calidad de regente por la ausencia del rey Pablo, comunica oficialmente el compromiso nupcial. A la vez, don Juan telefonea a Franco. Pero el *generalísimo* está embarcado en el *Azor*, y la noticia le llega por radio, a gritos, y entrecortada a causa de las interferencias. Don Juan ha querido marginar a Franco de una decisión tan importante como es el matrimonio en la vida de un hombre. Ciertamente, como me dice la propia doña Sofía: «No se trataba de marginarle: es que nuestra boda era un asunto estrictamente familiar. Y no había nada que consultar a Franco.» Sí, la disyuntiva era que, de no ser «un asunto estrictamente familiar», tendría que haber sido «un asunto de Estado». Ello hubiese implicado una consulta formal a las Cortes, de acuerdo con la Ley de Sucesión vigente entonces en España. Y, sobre todo y ante todo: el reconocimiento, por parte de Franco y del mismo don Juan, de que el príncipe Juan Carlos era «la expectativa sucesoria». Pero ni al general Franco ni al conde de Barcelona les interesaba levantar esa liebre tan temprano. Por lo demás, edecanes oficiosos, aristócratas de los que jugaban a dos paños, y diplomáticos diletantes del espionaje de salón, tenían a Franco al cabo de la calle de cuanto se cocía entre Corfú, Estoril y Lausana: ¡hasta la factura de la joyería donde el príncipe encargó la sortija! [7]

También «casualmente», y con la facilidad de quien se toma un whisky sin soda, en esa reunión de Vieille Fontaine se decide que las dos familias reales, los Borbón y los Grecia, se desplacen a Atenas, para que los novios hagan su entrada triunfal. Y en un abrir y cerrar de ojos, siempre «casual», toda Atenas es convocada al vitoreo y a la ovación a lo largo de los arcenes que flanquean la carretera del aeropuerto hasta la plaza de Sintagma. La ciudad amanece engalanada con cadenetas festivas, gallardetes, orlas vegetales y banderitas de los dos países.

«Nos alojábamos todos en Tatoi. Y en ese recorrido hacia Atenas, nosotros dos íbamos en un coche descubierto, pero sentados sobre la parte de atrás, donde se pliega la capota. Nos mirábamos incrédulos, pasmados, mientras saludábamos a la gente. Juan Carlos decía: "¡Esto es increíble, esto es fantástico, nunca en mi vida me habían aplaudido ni aclamado así...!" Era la primera vez que recibía un reconocimiento público. Estaba emocionado. Sobre todo, por ver tantísimas banderas españolas en un lugar que no era su país.

»Al poco, al poquísimo, de estar en Tatoi, el rey Pablo nos regaló unos anillos griegos antiguos, del siglo IV antes de Jesucristo. El de Juanito, con una piedra roja, puede que fuera un rubí. Y el mío, con la piedra negra: un azabache. Mis padres mandaron hacer más tarde las alianzas para la boda

7. *Cfr.* Laureano López Rodó, *La larga marcha hacia la Monarquía*, Editorial Noguer, 1ª edición, 1977, p. 182.

de unas monedas de oro, de Alejandro Magno. Bueno... ¡si yo me entero entonces de que se han fundido unas monedas de Alejandro Magno para hacer unos anillos, me pongo mala!»

Durante esa estancia de Juan Carlos en Tatoi, Sofía le enseña los escenarios donde ha transcurrido su vida. Le presenta a sus amigos. Le lleva al Club Náutico, a la escuela Mitera, a sus rincones preferidos de la vieja Grecia. Después, acompañados por Irene, aceptan durante unos días la invitación del naviero Stavros Niarchos, que les brinda una isla de su propiedad, la Spetsopoula, en el golfo Argóliko.

«Constantino no tuvo celos, en absoluto –sigue diciendo la reina–. Estaba encantado de tener un hermano más. Y enseguida congeniaron. Tenían muchos temas en común de que hablar. Siempre se han llevado muy bien. Tengo esa suerte... Ah, una cosa que a Juan Carlos le interesaba, y preguntaba mucho, era el tema de la corte: cómo funcionábamos, qué se hacía y qué no. En España, él no tenía corte. Ni había conocido la de su abuelo Alfonso XIII. Su padre no estaba, ni iba a estar con él, para enseñárselo. Y de Franco tampoco podía aprenderlo. Él nos preguntaba, pensando en un futuro que no sabía cuándo llegaría. Yo ahí veía ya que mi marido tenía la preocupación de ir haciéndose su propio background. Sí, el rey Juan Carlos es todo lo contrario del príncipe que pisa donde pisó su padre, o del *príncipe que todo lo aprendió en los libros*. Él no ha tenido un modelo en que inspirarse. Él se ha hecho a sí mismo.»

Los novios, entre ellos, hablaban en inglés. La princesa empezó enseguida a recibir clases de castellano. Dos veces por semana, acudía a Tatoi la profesora: Julia Yatridi Bustinduy, hija de un violinista vasco y de una griega.

«No me resultaba difícil –dice la reina–. La gramática era parecida a la francesa, que ya conocía; y los sonidos, muy similares a los griegos. Pero, sobre todo, yo tenía mucho interés. Y, en seis meses, lo entendía casi todo. Otra cosa es cómo lo hablara, que ya sé que no soy fluida... ¡no soy un Demóstenes, precisamente! ¡Ja, ja, ja! El príncipe me daba también sus "clases particulares". Me enseñaba a decir lo más elemental: "buenos días", "¿qué tal?", "¿cómo estás?", "mi maleta", "tu traje", "nuestro desayuno"... Y nos reíamos como bobos.»

Uno de los tramos más arduos e irritantes que tuvo que superar la joven pareja fue la cuestión religiosa. Aunque, al final, esa prueba iba a servir de fragua para templar un amor más ilusionado que firme todavía. La reina Federica, sensitiva y perspicaz, ya dijo desde el primer momento que el rey Pablo y ella estaban «encantados y horrorizados, con la noticia de ese noviazgo». Y explicaba que «encantados, porque Juanito es muy guapo y apuesto, inteligente, con ideas modernas, amable, simpático, y está muy orgulloso de ser español...»; pero «horrorizados, porque es católico, y habrá tremendas discusiones sobre este asunto». Ella misma había recorrido ese camino antes.

A Yanguas Messía, miembro del Consejo Privado de don Juan, se le encomienda una fatigosa negociación a tres bandas, cuando no a cuatro, para conciliar las exigencias formales de la parte católica y de la parte ortodoxa, de la parte española y de la parte griega. Por el gobierno griego negocia M. Pesmazoglou, abogado y asesor jurídico palatino.

El meollo de la cuestión es que, en Grecia, la religión es oficial, y el Estado, confesionalmente ortodoxo. Hasta el límite de identificarse la fe ortodoxa con el sentido de lo patriótico y de lo nacional. Con esa concepción, se entiende que la jerarquía de la Iglesia griega –con monseñor Teoklitos, jefe de la iglesia nacional, a la cabeza– se cerrase en banda a que la *basilópes*, la hija mayor del rey, contrajera matrimonio católico. De ningún modo iban a consentir que su adscripción a la Iglesia católica romana se efectuase antes de la boda. Ese trámite –que consideraban una deserción, una claudicación– se tendría que realizar cuando la novia hubiese renunciado a sus derechos al trono griego, y se hubiera casado por el rito ortodoxo. Y, en todo caso, fuera del suelo de Grecia.

De otro lado, la exigencia católica –más esencial que formal– estribaba en que sólo podía haber un matrimonio sacramental. Uno y no dos. Y este único, según las prescripciones de la liturgia romana. La novia debía aceptar, pues, la obediencia al romano pontífice antes de la boda. Y obligarse a bautizar y a educar a sus hijos de acuerdo con la fe católica romana. Se admitían, eso sí, ceremonias de rito oriental como tradición diversa y enriquecedora, pero sin «repetir» el sacramento.

Así las cosas, don Juan y don Juan Carlos se desplazan a Roma. El día 15 de ese mes Juan XXIII les recibe en audiencia privada. Hablan con el Papa durante hora y media: piden que el Vaticano flexibilice algo su postura, dada la intransigencia de Chrisóstomos, el arzobispo de Atenas. Juan XXIII, que enarbola precisamente la bandera aperturista del ecumenismo, y tiene experiencia pastoral de las Iglesias orientales, por sus años de nuncio en Bulgaria, se hace cargo de la envergadura del problema, y asegura a los Borbón que se harán filigranas en la forma, siempre que se preserve el fondo. Con un «¡vayan tranquilos!», les despide. Encarga el asunto a un liturgista y a un canonista, bajo la supervisión del cardenal Ottaviani.

Entretanto, la princesa Sofía recibe una especie de catequesis que le imparte el arzobispo católico Benedicto Printesi, acudiendo a Tatoi, durante nueve o diez días. Printesi es ya conocido de la familia, porque antes que sacerdote había sido soldado de la guardia real griega. «Pero –matiza la reina– no me enseñó ni el catecismo ni la doctrina cristiana, ni los dogmas católicos, porque yo ya los conocía y los creía. Lo que Printesi me explicaba eran las diferencias de ritos, de rúbricas, de liturgia, de ornamentos; y las celebraciones, fiestas, santos y costumbres de la religión católica romana, que diferían de las ortodoxas.[8]

»Lo realmente distinto, y sobre lo que más preguntaba yo a monseñor Printesi, era lo del primado del Papa y su infalibilidad: que el Papa fuese un *primus inter pares*, el sucesor personal y directo de Pedro, a través de los siglos. Y que los demás obispos le estuviesen sometidos. En la Iglesia ortodoxa todos, obispos, arzobispos, son iguales, y son autónomos. El patriarca de Alejandría, el de Antioquía, el de Constantinopla, el de Atenas... También había alguna diferencia en los sacramentos, aunque no en la esencia. Por ejemplo, a los niños griegos se les bautiza un poquito mayores, cuando tienen algo más de un año, porque a la vez reciben la confirmación y la comunión. Los tres sacramentos en la misma ceremonia. Otra costumbre diferente es que en Grecia se suele comulgar sólo una vez al año, aunque se puede comulgar más veces. No todos los domingos, ni mucho menos todos los días, como muchos católicos hacen. Lo de la comunión diaria allí no es normal. Y a mí en España me chocó, cuando mi marido y yo íbamos a misa los domingos, ver en cualquier iglesia esas avalanchas de gente comulgando. Al principio pensé: "Estas personas tan católicas, tan practicantes, deben de ser buenísimas..." Luego fui entendiendo que, para algunos, una cosa era el catolicismo dentro

8. Las Iglesias ortodoxas, desgajadas de la Iglesia católica de Roma desde el año 1054, permanecen fieles a la doctrina definida en el Concilio de Calcedonia (año 451). Comprenden los patriarcados de Constantinopla, Antioquía y Jerusalén, las iglesias nacionales de Bulgaria, Serbia, Rusia, Grecia, Rumanía, y todas las comunidades cristianas del Oriente. Tienen en común con la Iglesia católica la fe proclamada en los siete primeros concilios ecuménicos, los ritos y los sacramentos. No reconocen ni el primado de jurisdicción ni la infalibilidad del romano pontífice. Difieren también en cuestiones dogmáticas relacionadas con el Espíritu Santo y el celibato sacerdotal.

del templo; y otra cosa, su conducta moral en la calle, en el trabajo, con su familia. Eso me desconcertó, y me decepcionó.»

La reina ha hecho esta reflexión a media voz, con suavidad, como temiendo ofender. Le comento que, por desgracia, hay católicos *practicones*, de moral esquizoide, sin unidad de vida. Y que esas conductas incoherentes pueden apenar, pero no desorientar.

Ya al hilo de esta agua, pienso –en mi derecho estoy– que doña Sofía sería una magnífica cristiana, si profundizase en el conocimiento de la teología de la gracia. Por la princesa Irene sé que «le apasiona la figura de Jesús: lee muchos libros sobre Cristo». Me pregunto si tendrá alguno de soteriología.[9]

«En definitiva –subraya la reina– todo el problema de mi "conversión", era pasar a la obediencia al Papa de Roma. Eso creó un conflicto religioso, político y monárquico. Fue el gran escollo. Lo más tenso. Consumió horas y horas de negociación entre católicos y ortodoxos, en Atenas, en Estoril, en Roma. Y yo, la más interesada, ¡estaba totalmente conforme! Ah, no es cierto que interviniese mi tía Alicia de Battenberg, la madre de Felipe de Edimburgo, que era monja en un convento ortodoxo. En absoluto: ella ni dijo, ni tenía que decir.[10]

»Hubo un momento en que el conde de Barcelona se enfadó. Parecía que todo se venía abajo. Para la familia de mi marido esto era muy importante también: piensa que los reyes españoles, desde los godos, han sido siempre católicos.

»Entonces intervino el rey Pablo, y convenció a los griegos para que flexibilizaran su actitud. Ellos eran los más intransigentes.

»Cuando se casó Simeón de Bulgaria, que era ortodoxo, su esposa, una Gómez-Acebo, católica, tuvo que pasarse a la Iglesia ortodoxa. Con Miguel de Rumanía, su mujer, Ana de Borbón-Parma, no ha querido abandonar el catolicismo romano; y ellos, los ortodoxos, no la dejan comulgar. Pero la in-

9. Parte de la teología que se refiere a la salvación: razón de ser de toda la religión cristiana.
10. La reina desmiente así una información que la periodista Françoise Laot incluye en su libro *Juan Carlos y Sofía*.

transigencia no es de las Iglesias, sino de las personas que están al frente en cada momento. A mí aquella experiencia me sirvió mucho, para aprender que no se puede ser intolerante. Hay que respetar el fuero de la conciencia: ¡sobre todo en lo religioso!»

Doña Sofía omite referirse a cierta discusión telefónica entre dos reinas: Victoria Eugenia, desde Lausana, y Federica, desde Atenas. Hablaban de aspectos protocolarios de la boda y de problemas que habían surgido, de discriminación hacia los españoles que iban a trasladarse a Grecia... Entre otras cuestiones, había una queja oficial del embajador de Francia, en nombre de todos los embajadores de países católicos, porque al cuerpo diplomático no se le invitaba a la ceremonia católica: sólo a la ortodoxa. Al parecer, en la conversación se irritaron ambas damas, y la anciana reina de España llegó a utilizar palabras de gran dureza, sin importarle un comino que quien estuviera al otro lado del hilo fuese una reina «en activo».[11]

«Al fin –sigue la reina–, cuando no veíamos salida, Juan XXIII zanjó la disputa, autorizando la doble liturgia. Ésa fue la solución. La pugna religiosa se resuelve con dos ceremonias. Para los griegos ortodoxos, el intercambio de anillos es un ritual de novios, no de esposos; en cambio, el casamiento, la boda, requiere las coronas. Sin embargo, los católicos no hacen la danza de Isaías con las coronas, y sí el intercambio de anillos. Así que acoplamos las dos ceremonias, con total independencia. Quedó perfecto. Y todos contentos. Gracias a Dios, Juan XXIII conocía muy bien la mentalidad ortodoxa, y nos facilitó las cosas. Fue... el mejor regalo de novios que podía hacernos.»

11. Esa conversación debió de tener lugar el 9 de abril de 1962 en Vieille Fontaine. Junto a doña Victoria Eugenia estaba el príncipe Juan Carlos. Posiblemente, también el duque de Frías. Acababan de llegar juntos a Lausana.

Los Borbón pasan las fiestas de Navidad y Año Nuevo en Atenas. Después, el 24 de enero, los reyes Pablo y Federica, y las princesas Sofía e Irene, viajan a Portugal:

«Fuimos a visitar a mis suegros, en su casa de Estoril. Villa Giralda me gustó. Era una casa de familia normal, pequeña, acogedora. El ambiente humano de alrededor, sencillísimo: pescadores, campesinos, y vecinos amistosos. Cada cual en su casa. Todo muy libre y muy tranquilo. Nadie diría "mira, oye, éstos son los reyes de España en el exilio". Pero me dio la impresión de que vivían muy aislados, de la gente de Portugal, y del resto del mundo. No tenían relaciones. Sólo trataban con el círculo de monárquicos, que eran como un reducto partidista. Yo, nada más verlo, pensé: "Aquí no voy a vivir." Esa casa me parecía muy simpática, muy agradable, pero... para ellos. Interiormente, me prometí que nosotros dos no viviríamos allí. Y de hecho, como don Juan estaba empeñado en que, después de la boda, fijásemos nuestra residencia en Portugal, cada día que Juanito y yo salíamos en el coche (era un Porsche gris plata, me acuerdo muy bien), lo que hacíamos era aprovechar las excursiones a Cascais, a Lisboa, a Coímbra, a Setúbal o por el Algarve, para conocer los lugares, pasárnoslo estupendamente, hacer un poquito de turismo, y buscar casa para nosotros solos. Así, como acto oficial, en todos esos días sólo tuvimos que ir una vez al palacio de Belem, a tomar el té con el presidente de Portugal, que era Oliveira Salazar.»

Y mientras los novios hacían turismo, la reina Federica intentaba lubricar el chirriante problema ritual de la boda, tranquilizando a los miembros del Consejo Privado del conde de Barcelona. Doña Sofía me lo confirma: «Mi madre sostuvo una conversación, no oficial, sino informal, con varios miembros del Consejo Privado. Creo recordar, no quisiera equivocarme, que estuvieron en Estoril aquellos días Rafael Calvo Serer, Yanguas Messía, Florentino Pérez

Embid, Gonzalo Fernández de la Mora, José María Pemán, Antonio Fontán... No puedo asegurar que estuviese también Pedro Sainz Rodríguez.»

Le comento que, según informó Pemán –presidente entonces de ese Consejo–, la reina Federica había quitado hierro al asunto, llegando a calificar la ceremonia ortodoxa de «un paripé, por el que no vale la pena calentarse tanto la cabeza». Y que coinciden, el escritor gaditano y el historiador Luis Suárez, en atribuir a la reina griega esta frase terminante: «Señores, mi hija se casará como una catecúmena del catolicismo.»

En este punto, doña Sofía mueve la cabeza de izquierda a derecha y de derecha a izquierda, negando con rotundidad lo que yo estoy diciendo. O sea: lo que digo que dicen que dijo su madre:

«No. En absoluto. La reina Federica no pudo decir eso, porque yo no era una catecúmena del catolicismo. Yo estaba bautizada, desde 1938, con el mismo y único bautismo católico. Sólo estaba aprendiendo una nueva liturgia. También Juan Carlos tuvo que aprender el rito de las coronas y la danza de Isaías. Lo del paripé, no sé... –Se encoge de hombros levemente y frunce los labios–. Dudo que mi madre lo hubiera dicho. Ella era luterana, de familia, de crianza, de educación, y, sin embargo, se pasó a la Iglesia ortodoxa. Con convencimiento. Pero lo otro, lo de "mi hija se casará como una catecúmena", eso no pudo decirlo así. Ni era real, ni le pegaba a ella decir eso, ni le iba... Lo que pudo decir, quizá, es esto otro: "La hija del rey de Grecia, que es ortodoxo, no puede casarse como católica; todo lo más, como una catecúmena." Para entender todo este lío, hay que tener en cuenta lo que de mí se escribía entonces en los periódicos españoles, y lo que llegó a decir también algún miembro del Consejo de don Juan, que yo era una hereje. ¡Yo, una hereje! Sí, para muchos católicos lo era. ¡Ah, pero nadie me decía cuál era mi herejía!»

En esa estancia de la familia real griega en Estoril surge, de modo recurrente, como tema de conversación, cuál ha de ser la futura residencia de los príncipes, después de la boda.

«Don Juan quería retirar a su hijo de España, y que nos instalásemos en Portugal. Poco a poco, el rey Pablo, que había congeniado bien con don Juan, le iba hablando, una vez, otra vez, haciéndole ver que lo normal sería que Juanito siguiera su propia vida. Incluso, le escribió una carta, después de la boda, insistiendo en la conveniencia de que Franco nos dejase vivir en España, a nosotros dos, ya como personas adultas, como un matrimonio que va a formar una familia, y con un estatus propio.»

La verdad es que Franco ya se había adelantado a esas previsiones. ¿Previsiones? Más exacto sería llamarlas «imprevisiones», toda vez que, a tres meses de la boda, y aun después de casados, en pleno viaje de novios, la pareja no puede decir en qué lugar del planeta va a poner su casa, ni de qué presupuesto piensa vivir. Franco, a los dos meses justos del anuncio oficial de la boda, el 13 de noviembre de 1961, durante una cacería en El Alamín,[12] la finca del marqués de Comillas, pregunta al príncipe Juan Carlos:

–¿Qué piensa hacer vuestra alteza?

–¿Cuándo?

–Después de su boda.

–Hasta ahora, todo se ha hecho de acuerdo entre usted y mi padre.

–Ya va siendo vuestra alteza mayor de edad...

–Pero tengo jefe...[13]

12. El Alamín es una finca de más de diez mil hectáreas, a ochenta kilómetros de Madrid. Ésta y otras más, y Las Cabezas, donde se celebraron varios encuentros entre Franco y don Juan de Borbón, fueron antes del conde de Ruiseñada, Juan Claudio Güell. Muerto en 1958, pasaron a sus hijos.

13. Don Juan Carlos relató así su diálogo con Franco, una semana más tarde, a Laureano López Rodó.

La reina sigue describiendo las actitudes personales en aquellos momentos. Entiendo que ella conoció del propio Juan Carlos esa escueta, enigmática, pero muy sugerente conversación con Franco: apenas tres frases, en las que el *caudillo*, galleguéando como solía, y diciendo sin decir, invitaba al príncipe a tomar la iniciativa, a emanciparse de la tutela paterna, a mover ficha por sí mismo. No cabe dudar que, en tales momentos de indecisión, esa sugerencia de Franco gravitó, pesó, contó, en el ánimo de todos:

«Sin rivalidad. Por aquellas fechas, entre padre e hijo todavía no existía rivalidad. Podía haber un poco de diálogo de sordos. Se había llegado a una encrucijada, y tenían que elegir, tomar un camino u otro, salir del cruce. Pedían opinión a don Juan Carlos. Y él decía: "Yo creo que es mejor seguir viviendo en España. Voy a parecer un desagradecido si, después de haber recibido allí toda la formación, ahora voy, me caso, y me vuelvo con mis padres." Cuando me preguntaban a mí, les decía: "¿Qué hacemos nosotros en Portugal? No tiene ningún sentido retirarse al exilio, sin tener por qué. O vivimos en Grecia o vivimos en España." Doña María no opinaba, no quería entrometerse. Yo sé que veía lógico que su hijo volviera a España, aunque no lo decía. Mis padres pensaban lo mismo. Sólo don Juan, influido mucho por algunos de sus consejeros políticos, se oponía a que el hijo volviera a España.

»El caso es que mis padres nos ofrecieron la casa de Psychico, en Atenas, donde nací yo. Y llegamos a utilizarla algunas temporadas. Mis suegros nos buscaron, prestada, allí en Estoril y muy cerca de Villa Giralda, la Carpe Diem,[14] una casa de Ramón Padilla, el secretario de don Juan. Vivimos en ella varios meses. Pero, bueno, ésa es otra historia. Estábamos en la boda, y fíjate a dónde nos hemos ido...»

14. Es un rebuscado nombre, que quiere sugerir las antiguas villas de campo romanas, extraído de las *Odas* de Horacio (a Leuconia): *Dum loquimur, fugerit invida Aetas: / Carpe diem, quam minimum credula postero.* (Mientras hablamos, huye el tiempo envidioso: / Aprovecha el día de hoy y no confíes en lo que traerá el mañana.)

Sobre todo, nos hemos ido a casi de noche: en un visto y no visto, se nos ha echado el atardecer encima. Dejamos aquí el relato.

Cuando vuelvo, quince días después, la reina lleva un traje de color albaricoque, o mango maduro, y una chaqueta Chanel, de gran pata de gallo, entremezclando distintos colores: mango, caldera, amarillo limón, verde hierba, caoba y algo de azul. Se ha retrasado unos minutos y entra, muy risueña, tendiéndome la mano y mirándome de frente. Alguna vez me ha contado que la reina Federica le enseñó a saludar así «mirando a las personas a la cara, de modo que cada uno se sienta individualmente saludado».

Espera la llegada de los reyes Hussein y Noor de Jordania. Ella dice «los jordanos». Son invitados del príncipe Felipe, porque vienen a recibir el premio Príncipe de Asturias:

«Vengo un poco pillada, porque he estado echando un ojo al cuarto, a ver cómo ha quedado: los tenemos de huéspedes. Luego iremos en el helicóptero para recibirlos en Barajas.»

Se sienta y «¿Vamos ya con la boda?».

Como suponía, doña Sofía –se la ve disfrutar, un rebrillo en los ojos, al recuperar recuerdos– no arranca del cortejo y la carroza. Hay un sinfín de detalles previos: los invitados, las compras, los regalos, el ajuar, los ensayos... Detalles que no quiere despreciar, y que, entre o no entre a ellos, los acaricia con las yemas de sus dedos.

«Estuvimos en París, de compras. También en Londres. No compras importantes: ropa, toallas, manteles, sábanas... En Londres, fuimos a Buckingham, a almorzar con la reina Isabel y con su familia. Ella es prima nuestra, de Juanito y mía, por distintas ramas. Y su marido, Felipe de Edimburgo, es primo de mi padre, tío mío. Yo ya había estado en Buckingham, cuando tenía trece años, en 1952, para la ceremonia de la coronación. Y en Balmoral, durante un picnic, acompañando a mi padre. También la reina Isabel había venido a Grecia. Así que ya la conocía. Es una mujer muy simpática, muy sencilla, con mucho sentido del humor. Y en la intimidad, muy muy llana.

»Te voy a contar una anécdota: pasados bastantes años, en 1986, cuando mi marido y yo estuvimos de viaje oficial en Inglaterra, siendo ya reyes de España, nos alojamos con ellos en Windsor. Por cierto, Buckingham es más pequeño de lo que yo pensaba: es acogedor, como una casa de familia. Comprendo que vivan ahí y no en Windsor.[15]

»El segundo día de la visita teníamos nosotros (sin ellos) una cena de gala que nos ofrecían en la Alcaldía de Londres. Total, que salíamos el rey Juan Carlos y yo, vestidos de tiros largos. Y cuando bajábamos las escaleras aquellas, vimos que pasaba por allí (casi se nos cruzó) una señora mayor con un chubasquero, unas botas cortas de agua y un pañuelo en la cabeza, que iba a lo suyo: a sacar a los perros. De pronto nos dimos cuenta: ¡la reina! Era como un gag absurdo de esos de películas cómicas: nosotros tan elegantes, siendo los huéspedes de su casa; y ella tan sencilla que parecía una mujer de pueblo. Nos entró la risa, claro.»

Estábamos en el ajuar. «En las toallas y en la ropa de cama bordaron una jota y una ce, iniciales de Juan Carlos. Enlazando las dos letras, la ese de Sofía. Y arriba, una corona.»

En el capítulo de los regalos, tiene que hacer un gran esfuerzo de memoria: «Eran tantas cosas, y muchas casi iguales, que las tres salas donde iban colocándolas parecían, ¡qué sé yo!, un Corte Inglés de lujo. ¡Una maravilla! Había muchas bandejas y muchas pitilleras y petacas, de plata, de oro, de jade... Una era de Kennedy, otra de los Alba, y otra mía, para el novio.»

Empieza a desgranar una larga retahíla, minuciosa,

---

15. Por cierto, digo yo también, el «acogedor» y «pequeño» Buckingham ofrece, sólo de fachada, un cuarto de hora de paseo desde un extremo al otro.

como si no quisiera dejar a nadie en el olvido. A pesar de la tinta de agua, mi Harley Davidson no es lo bastante veloz, de modo que selecciono y anoto sólo los más llamativos: el rey Pablo les regaló una carabela de plata dorada inglesa del siglo XVIII, de más de un metro de larga. La reina Federica, una gaveta de caoba, con un servicio de cubertería de plata y la diadema que llevó doña Sofía en la ceremonia nupcial. Y a don Juan Carlos, un anillo del siglo V antes de Cristo, de oro con un camafeo: es el que siempre lleva el rey de España en el dedo meñique. Los príncipes Constantino e Irene, unas pulseras de oro con zafiros, esmeraldas y rubíes. De Gaulle, una vajilla de Sèvres. La reina Victoria Eugenia, un brazalete de rubíes y zafiros bellísimo. Chang Kai Shek, el presidente de Formosa, envió un vaso de porcelana china del siglo XVI y brocados orientales. El rey Balduino regaló doce boles de fruta de *vermeuil*. La familia real británica, un servicio de mesa, de porcelana blanca y dorada. El rey Olav de Noruega, un juego de café en *vermeuil*. Rainiero y Gracia de Mónaco, una embarcación deportiva. Onassis, unas pieles de martas cibelinas. A diferencia de los reyes –y de los gitanos y de los feos y de los guapos y de los listos y de los tontos–, los ecologistas, no nacen: se hacen. Y alguno, como Onassis, moriría sin el *master*.

Niarchos obsequió un aderezo de rubíes para la novia, y un centro de mesa que era la maqueta de un petrolero en oro macizo. La reina Juliana de Holanda, tres jarrones de Delft. El sha Reza Pahlevi, de Irán, un gran tapiz persa. Franco, al príncipe, una escribanía de plata antigua; a doña Sofía, una diadema de brillantes transformable en doble broche. O un doble broche transformable en diadema de brillantes... según se quisiera interpretar.

«Además, me concedió y me envió la gran cruz de Carlos III, en plata y diamantes. Yo era la primera mujer que recibía esa gran cruz. No le gustó a la reina Victoria Eugenia, y me dijo que eso era sólo para hombres, y que para las damas estaba la orden de María Luisa. Sí, fue un invento de Franco. Se lo sacó de la manga. Pero, más tarde, mi marido lo ratificó para las infantas de España: sus hijas y sus hermanas. Quiero decir también, porque lo pienso, que me pareció muy importante que Franco enviase para la boda al almirante Abárzuza [16] con el crucero *Canarias*: el buque insignia de la Armada española.»

Ciertamente, era un gesto significativo. Y en España no faltaron críticas de falangistas y de tradicionalistas. Franco estuvo informado. Dos semanas antes de la boda, hizo este comentario a su primo y secretario *Pacón* Franco Salgado-Araujo: «El *Canarias* lo mismo podría ir si la princesa de Grecia se casara con otra persona y su gobierno no fuera español. Claro es que, siendo el novio un príncipe de la dinastía española, se justifica más aún el que se mande un barco de guerra, que ya se había mandado anteriormente a Buenos Aires en la toma de posesión del presidente Frondizi. Los tradicionalistas [...] están empeñados en que reine en España un señor extranjero al que nadie conoce y que no tiene el menor ambiente fuera de ellos.» Esto último, en clara alusión al príncipe Carlos Hugo de Borbón Parma.[17] Estas palabras dejan ver que, sin alharacas, y midiendo cauteloso los pasos que daba, el *caudillo* estaba ya muy determinado en cuanto a la línea dinástica, y en cuanto a la persona que había de sucederle. Lo malo es que no era tan explícito ni con el gobierno, ni con el Consejo del Reino, ni menos aún con el propio *agraciado* sucesor. Y así, durante muchos años, en España la alta política era lo más parecido al estúpido juego de las adivinanzas. Con su gracejo andaluz y su toque senequista, Pemán decía que «a Franco, como no ze le entiende, hay que interpretarle, o por zuz zilencioz o por zuz zalideroz».[18]

---

16.   Franco no autorizó la asistencia a la boda de ningún otro ministro, salvo Felipe Abárzuza, que lo era de Marina. Casualmente, su padre, Fernando Abárzuza había sido ayudante de don Juan cuando éste era guardiamarina en la Escuela Naval de San Fernando (Cádiz).

17.   Francisco Franco Salgado-Araujo, *Mis conversaciones privadas con Franco*, Editorial Planeta, 1976, pp. 336-337.

18.   Don José María Pemán, a la autora, 1974.

Por su parte, el parlamento griego autorizó –no sin un debate en el que la acritud corrió a cargo de los socialistas, liderados por Papandreu– un presupuesto especial de nueve millones de dracmas (diecinueve millones de pesetas de la época) para dote y gastos de los festejos nupciales.

«Mi madre quiso que la boda fuese preciosa y fastuosa –dice la reina–. Y lo fue. Al estilo de las viejas cortes europeas. Intervinimos toda la familia en la organización. La reina Federica y yo nos dedicamos a las flores: treinta mil rosas, porque había que tener kilos y kilos de pétalos, para que los lanzaran al paso de los novios, y durante la "danza de Isaías": pétalos y arroz. Los españoles, por su parte, inundaron el templo católico de San Dionisio Areopagita con claveles rojos y amarillos. Españoles, vinieron más de cinco mil. Fue apoteósico. Y además, para él y para mí, totalmente inesperado. Ah, Irene y yo misma seleccionamos la música. Para la ceremonia ortodoxa todo estaba muy reglado, no se podía variar apenas nada. Pero en el ceremonial católico sí cabía más riqueza musical. Y decidimos que el coro (trescientas voces) cantase el *Aleluya* y el *Amén* de Haendel. Todo esto lo dirigía el capellán de Tatoi, Hierónimos. Este señor llegó a ser arzobispo de Atenas. Ensayamos la "danza de Isaías", el cortejo... A mi padre y a mi hermano se les ocurrió incorporar una costumbre inglesa: Constantino iría a caballo, a la derecha de la carroza, dando escolta a la novia.

»Entretanto, durante dos días hubo fiestas, cenas oficiales y baile. De ahí salieron por los menos dos bodas: la de mi hermano, que se enamoró locamente de la princesa Ana María de Dinamarca; y la de Carlos de Borbón Dos Sicilias, duque de Calabria, con Ana de Francia, la hija de los condes de París. O sea... que les di buena suerte a mis damas de honor.»

Es posible: allí se vivió la tradición popular de que las amigas de la novia metieran un cabello en el dobladillo del vestido nupcial, con la ilusión de ser cada una de ellas la próxima que protagonizase su marcha hacia el altar. Las damas eran ocho princesas de la realeza europea: Alejandra de Kent, Pilar de Borbón, Irene de Grecia, Ana de Francia, Benedicta de Dinamarca, Irene de Holanda, Tatiana Radziwill, y Ana María de Dinamarca.

Enfrente del palacio Real estaban los hoteles Grande Bretagne y King George, reservados enteramente para los invitados.

«Ahí se alojaron el príncipe Juan Carlos y su familia. El día de la boda, y unos cuantos más después, el pobre estuvo muy incómodo, físicamente, muy dolorido, porque se había partido una clavícula haciendo judo con Tino. Iba rígido: le pusieron un vendaje muy duro. ¡De milagro no me lleva al altar escayolado, como cuando se casó la infanta Elena...!

»Aquel 14 de mayo me desperté varias veces antes de amanecer. Quería vivir conscientemente cada minuto de ese día, y empecé muy temprano. Yo sabía que todo iba a ser preciosísimo, que sonarían las salvas desde el montículo Lycabettos, que voltearían las campanas de todas las iglesias a la vez... Pero lo que a mí me interesaba era vivir mi boda muy bien: enterándome; no aturdida, o creyendo soñar, y que luego tuvieran que contármelo. Decidí ser la protagonista de aquello. Por una vez, era mi fiesta, mi día, mi alegría. Y me propuse "Sofía, ¡fuera nervios! Tú, simplemente, sonríe: vas a ver, desde fuera, cómo se casan esos dos". Así lo disfruté mucho más. Por cierto, esa táctica "escapista" me dio tan buen resultado que la uso muy a menudo en actos públicos importantes, para no emocionarme, para no ponerme nerviosa, para no sufrir: me salgo de la escena, y la vivo desde fuera. Incluso, he llegado ya a cierto "dominio de la técnica" y, en ocasiones, controlo todas mis emociones y mis actitudes, a base de vivir aquello en lo que estoy como si hubiera ocurrido ayer o anteayer, y yo estuviera recordándolo.

»La boda. Él, como se alojaba enfrente, cruzó y vino a buscarme. Al verme ya vestida de blanco se azaró un poco, y en voz baja me dijo algo muy simple, pero que me pareció muy bonito: "¡Qué guapa estás!" Ah, recuerdo que... le salió en castellano.»

Tal como se había acordado, en el templo católico de San Dionisio Areopagita los contrayentes se otorgaron en matrimonio, diciendo él «sí quiero», y ella en griego *ne thélo*, esposándose con las alianzas, delante del arzobispo Printesi. Después, en la catedral metropolitana ortodoxa de Santa María, se celebró el ritual de las coronas, la «danza de Isaías», en presencia del patriarca Chrisóstomos: entre una nube de sándalo e incienso, y bajo un diluvio de pétalos de flores, las ocho damas de honor evolucionaban con los novios, una, dos y tres veces, en torno al altar. Ocho jóvenes príncipes se turnaban, sosteniendo en alto las coronas reales sobre las cabezas de los novios. Sonaban mientras, en dulce salmodia, los textos de Isaías. En la mesa del altar, los objetos tradicionales de la boda griega: una bandeja de plata con *kufeta* –almendras cubiertas de azúcar–, la Biblia, y las dos coronas, que suelen ser de flor de azahar; pero esta vez, tratándose de príncipes, eran las de oro de la Casa Real de Grecia.

Para subrayar más en esta ceremonia el carácter de vínculo civil y público que la propia boda religiosa contiene, el rey Pablo –como padre de la novia y como autoridad máxima del Estado– enlazó con una banda blanca las coronas, e hizo tres veces sobre los desposados la señal de la cruz, ayudado por los ocho príncipes: Miguel de Grecia, Amadeo de Aosta, Víctor Manuel de Saboya, Alfonso de Borbón Dampierre, Christian de Hannover, Carlos de Borbón Dos Sicilias, Luis Baden y Constantino, el *diadokos*.

–En cierto momento de la boda se vio que el príncipe Juan Carlos daba un pañuelo a vuestra majestad: ¿por qué esas lágrimas?

–Como yo tenía derecho al trono, un trámite necesario era pedir permiso a los reyes para casarme. Es un protocolo de respuesta consabida. Pero es una tradición. Y la tradición es el alma de las monarquías. ¿Qué ocurrió? Que se me olvidó. Así de simple. Se me fue... Y me dio mucha pena porque, cuando caí en la cuenta, ya era tarde: ¡ya estaba casada! Por eso me eché a llorar. No tenía importancia, pero me dio rabia. Años más tarde, le ocurrió lo mismo, idéntico, a mi hija Elena. Y ella también lloró...

»Aquella mañana, yo tenía dentro una mezcla tremenda de sentimientos muy nuevos. Estaba radiante. Me sentía feliz. Y, al mismo tiempo, con un nudo que no me bajaba de la garganta... Pensaba: "Me voy de aquí. Algo muy importante se ha acabado. Cuando vuelva otra vez a Grecia, ¿cómo será?" Me miraba el anillo, y decía para mis adentros: "Qué cosa tan extraña, no ser ya *la hija de...* Y qué cosa tan bonita, a la vez, empezar a ser *la mujer de...*"

Ahora, juguetea con dos o tres sortijas que lleva en distintos dedos de la mano izquierda. Sin preguntarle yo nada, me explica que, aunque se le estropeó un poco, no se ha quitado el anillo de boda en treinta y cuatro años.

La primera estación de los recién casados fue la isla Spetsopoula: un pequeño *bungalow*, donde ya habían estado de novios. Como don Juan había ido a la boda en su barco, pasó con doña María a darles un último abrazo. También lo hicieron los reyes de Grecia. Ya el armador Stavros Niarchos había puesto a disposición de la pareja un yate de lujo, el *Eros*, de casco negro y tres elegantes mástiles. Allí, en la playa de Spetsopoula, Sofía escribe a Franco «dándole las gracias por el broche de diamantes, la Carlos III, la presencia del *Canarias*... y anunciándole que, después de ir a Roma a agradecer al Papa lo que había facilitado nuestra boda, pasaríamos por Madrid para saludarle, antes de empezar el verdadero viaje de novios, que iba a ser casi una vuelta al mundo».

«Esa carta la redactó el príncipe, en castellano. Y yo la copié en limpio, con mi letra, y encabezándola con un *Mi general*, porque mi marido me dijo que él le trataba así, y yo también podía hacerlo. Era mejor que andarse con *excelencia* o con *vuecencia*. Luego, desde que nos conocimos, Franco siempre me llamó *alteza*. No recuerdo haberle oído llamarme jamás por mi nombre. Y yo a él siempre, *mi general*. Me parecía lo más aséptico y lo más cómodo.»

También en esos días, y a bordo del *Eros*, tuvo lugar el breve trámite jurídico de ingreso en el catolicismo: «Vino el arzobispo Printesi. Desde Atenas, en un avión oficial, al aeropuerto de Kerkira. Allí le esperaba un coche para llevarle hasta el embarcadero de Mon Repos, en la isla de Corfú. Y luego, en una motora, también oficial, al *Eros*, que estaba atracado bastante lejos del puerto. Quisimos hacerlo discretamente, sin ruido ni publicidad, y no en suelo griego, por no herir sensibilidades de nadie. Pero tenía que ser en Grecia, para que estuviese presente el arzobispo, que era el ordinario de la diócesis. No se trataba de un bautismo, ni de una abjuración de nada, ni siquiera tuve que recitar el credo. Era, sencillamente, firmar el documento de mi adhesión a Roma. Sólo estuvimos el arzobispo, mi marido y yo. Eso fue el 31 de mayo de 1962. Habían pasado ya quince días de la boda.»

Desde Corfú, siempre en el *Eros*, navegaron hasta el puerto italiano de Anzio. En coche, a Roma. Se alojaron en el palacete de los Torlonia –Alessandro, príncipe de Civitella Cesi y Beatriz de Borbón y Battenberg, hija de Alfonso XIII–, que son tíos de don Juan Carlos.

–Ella misma, la tía Beatriz, me prestó la peineta, la mantilla, el atuendo negro de largo... ¡Hasta me vistió! Y me hizo ensayar las tres reverencias que, por lo visto, yo debía hacer antes de llegar al Papa. Me parecía complicadísimo, tanta genuflexión, y que no se me cayera la peineta. Cuando ya estábamos en el Vaticano, en el apartamento pontificio, y me disponía yo a hacer las tres reverencias, de pronto, ¡plas!, se abren las puertas, y ahí mismo, a dos palmos de mí: el Papa en persona. Me tomó de la mano, ¡y se acabaron las genuflexiones!

–¿De quién partió esa idea de ir, como los antiguos romeros, a Roma a ver al Papa, *videre Petrum*?

–¿De quién iba a partir? ¡De nosotros! Era obvio. Queríamos ir a agradecerle, cara a cara, cuánto había facilitado las cosas. De no ser por él, entre unos y otros nos hubiesen hecho ¡la boda imposible! Yo, además, quería besarle el anillo, como un gesto... Y lo hice.

De Roma, a Madrid, en un DC-4 militar facilitado por Franco, que pilota el coronel Arancibia. En este tramo del viaje acompaña a los recién casados todo el staff del príncipe: el duque de Frías, el marqués de Mondéjar y el teniente coronel Emilio García Conde.

Aterrizaron en Getafe. Eran las cuatro de la tarde del 5 de junio.

«Yo pisaba España por primera vez en mi vida. No había estado nunca, ni en escala técnica. El paisaje, el color de la tierra, de los campos, de los árboles, me recordaba mucho a Grecia. Nos recibieron los marqueses de Villaverde, Cristóbal y Carmen, el ministro del Aire, Lacalle, y el conde de Casa Loja, que era el jefe de la Casa Civil del jefe del Estado. Fue todo bastante correcto. Yo pensaba: "¿Simpatizaremos?, ¿habrá conexión entre su gente y yo?, ¿llegaremos pronto a un acuerdo?" La situación de mi marido en España era muy delicada, muy difícil, muy extraña. Franco y don Juan querían cosas distintas. Eso yo lo tenía muy claro. Y había que nadar entre dos aguas, moviéndose con cuidado.

»De Getafe directo a El Pardo. Me llamaron la atención las enormes medidas de seguridad: todo amurallado, arriba los centinelas en sus garitas, mucha guardia... Sin embargo, encontré a un Franco muy distinto de la idea que yo me había hecho, por la prensa, y por las opiniones que oía: un caudillo, un generalísimo soberbio, un dictador... Me lo imaginaba duro, seco, antipático. Y encontré a un hombre sencillo, con ganas de agradar, y muy tímido.

»Al día siguiente nos invitaron a almorzar. Estuvimos con Franco, doña Carmen, y los marqueses de Villaverde. Entonces me pareció normal que esta segunda vez también viniesen la hija y el yerno. Después, ya establecidos en España, fui viendo que Franco había extendido la Jefatura del Estado, la institución, a toda su familia, como si se tratara de la familia real en una monarquía. Ah, y todo el mundo lo aceptaba.

»Aunque fue un viaje relámpago, porque ese mismo día del almuerzo nos volvimos a Italia, para recoger el *Eros* que habíamos dejado en Anzio, Juanito quiso traerme a conocer La Zarzuela. Es donde él vivía en los últimos tiempos. "Cuando nos vengamos a España –me dijo–, probablemente viviremos aquí." Estaba vacía y los pocos muebles que había eran muy austeros, como de convento.»

–Majestad, esa visita a Franco, ¿se hizo de espaldas a don Juan, sin contar con él? Al parecer, él se oponía con rotundidad...

–Ni de espaldas ni de frente: se hizo. No contamos con el parecer de don Juan porque no era necesaria esa consulta. No sé si se opuso con rotundidad o sin rotundidad. Sólo sé que se lo dijimos, pero no le consultamos.

–Y la destitución del duque de Frías como jefe de la Casa del Príncipe, ¿no fue por haber organizado ese encuentro?

–Yo no creo que don Juan le cesara por ese motivo.

–Franco comentó, poco después de esa visita: «La princesa es muy agradable, y parece inteligente y muy culta.»

Y agregó con cara de satisfacción: «Dicen que fue la reina doña Victoria Eugenia la que aconsejó este viaje.»[19]

–Bueno... a mí me dio la impresión de que yo a Franco le caía bien. Fue un almuerzo privado, pero oficial, entre el protocolo, la buena educación y la cordialidad. En cuanto a lo otro, sí, lo hablamos con la reina Victoria Eugenia, y también con mis padres, pero no hubo ningún consejo expreso por parte de nadie. La idea, buena o mala, fue de Juanito y mía.

De nuevo en el *Eros*, van a Montecarlo, invitados por los príncipes monegascos que les ofrecen un brillantísimo sarao en el Sporting Club. A falta de realeza, allí están los grandes astros de Hollywood: Frank Sinatra, Yul Brynner, Glenn Ford, Hope Lange... y Robert Wagner, uno de los «amores platónicos» de la princesa Sofía en sus años *teen*.

Pregunto a la reina de dónde arranca esa amistad con los Grimaldi y con Grace Kelly:

–Ya la reina Victoria Eugenia tenía amistad con Grace Kelly: recién casada con Rainiero, como ella procedía de Estados Unidos, donde no hay usos de corte, ni protocolos a la vieja usanza europea, le contó a la reina que se sentía confusa y despistada. Y la reina le ayudó. La reina Victoria Eugenia era estupenda aconsejando. Tenía gran experiencia. Hay cosas pequeñas, prácticas, que yo se las he escuchado, y que no se me olvidan nunca. Por ejemplo, se me ocurre ahora mismo: como en sus tiempos no había aire acondicionado, y además llevaban unos trajes con cuellos cerrados hasta casi las orejas ¡como monjas!, y sombreros, y plumas, y pieles, pues ella lo que hacía era no beber agua ni antes ni durante un acto, para evitar el sudor. ¡Ja, ja, ja, si viera el aire acondicionado de bolsillo que me he organizado yo con mi abaniquito! Bueno, antes, una reina, sacar el abanico, y dale que te dale, dale que te dale... ¡Inimaginable, supongo!

19.   Es un comentario de Franco a su primo y secretario *Pacón*, Francisco Franco Salgado-Araujo, *Mis conversaciones privadas...*, p. 347.

De vuelta a Italia, en Portofino, dejan el yate de Niarchos, para empezar lo que habían imaginado como una luna de miel «sin escoltas, sin secretarios, sin embajadores... sin ayuda de cámara él, y, sin doncella, yo: poniéndome los rulos un rato cada día, para estar presentable; yendo a bailar, o a un cine, o a cenar donde nos diera la gana; arreglándonos la vida solos, a nuestro aire, como cualquier pareja de recién casados».Y que, sin embargo, poco a poco se fue llenando de actividades oficiales, y adquiriendo un claro significado político. En algún momento, durante la fase cumbre de Estados Unidos, ante la intensidad de la agenda de visitas y actos públicos, don Juan Carlos le dirá al eficiente Rafael Calvo Serer: «Rafael, tú organiza lo que creas de interés. Pero, hombre, ¡avísanos un poco antes!»

Estuvieron en la India, con el *pandit* Nehru. «Él me había regalado un sari muy bonito. Fuimos a su residencia. Allí conocimos a su hija Indira Gandhi, que entonces no ejercía la política: era una hija de familia, que estaba en las cosas de la casa. Ah, los portugueses acababan de perder Goa. Muchos amigos no nos quisieron hablar a la vuelta. Preguntándoles a dónde fueron en sus viajes de novios, algunos nos dijeron que a Gibraltar. "Pues... ¡estamos empatados!"»

En Nepal, visitaron al rey Birhandra. En Thailandia se iniciaría una amistad no interrumpida con los reyes Bhumibol y Sirikit. En Filipinas les recibió y agasajó mucho el presidente Diosdado Macapagal. En Hong-Kong, el gobernador de la colonia.

«Fuimos también a Japón, y estuvimos con el príncipe Aki Hito, porque estaba ausente Hiro Hito, el emperador. Y, por nuestra cuenta, fuimos a ver a los buceadores de perlas.

Compramos perlas, muy baratas. Y ostras en conserva, con las que regalaban una perla. En cada sitio comprábamos algo. En Hawai, un chubasquero precioso. Estaba yo feliz con mi chubasquero hawaiano cuando, al llegar al hotel, vi que en la etiqueta ponía... *Made in Spain.*

»Compramos en Macao un biombo con incrustaciones de marfil y de nácar, muy bonito. Para animarnos, al cargar con él a cuestas, decíamos "¡es para nuestra casa...!" y nos mirábamos con sorna, porque aún no sabíamos dónde estaría esa casa. En Bangkok me forré de jerséis con pedrerías, telas de fantasía, foulards de seda... Yo disfrutaba como una loca, comprando. Y él no protestaba.

»En los distintos puntos del viaje, los embajadores de España no acudían a los aeropuertos a recibirnos. Y no porque Franco les hubiese dado ninguna orden, sino porque nuestro viaje (excepto Roma y Madrid) era privado: de dos particulares. Luego se complicó, se oficializó, en San Francisco, Los Ángeles, Nueva York y Washington. Pero, para que se entienda cuál era el plan: cuando llegamos a la India, tuvimos que pasar casi una noche entera en el aeropuerto de Bombay, sentados los dos sobre una montaña de maletas. Porque la policía estaba extrañadísima. No entendían nada. Dos jóvenes extranjeros, que decían ser casados en luna de miel, y que mostraban un pasaporte español y otro griego, llenos de nombres y de títulos: *Su Alteza Real Don Juan Carlos de Borbón y Borbón, duque de Gerona.* Y el mío: *Su Alteza Real Doña Sofía, princesa de Grecia, princesa de Asturias.* Seguro que creían que éramos dos estafadores. Además, entonces se viajaba con muchas maletas: iban a ser tres meses, y por países de climas muy diferentes. Necesitábamos llevar trajes largos, de vestir, trajes de calle, de tarde, de noche, de deporte; él, lo mismo: ropa informal, y frac y esmoquin y chaqué... Más calzados, abrigos, complementos... Ahora con unos blue-jeans y una camiseta lo arreglan enseguida.

»Me parecía un tormento tener que andar haciendo maletas en cada nuevo lugar. Pero Juanito era muy bueno,

y me las hacía él. Sí, ¡era, y es, un manitas haciendo maletas! Durante el viaje de novios él se encargó también de mi
equipaje. Pero después... ¡ya nunca más! ¡¡Lógico!!»

En Estados Unidos permanecieron un mes. Visitaron la fábrica de aviones MacDonald Douglas, uno de cuyos clientes
era Iberia. En Hollywood, estuvieron en los estudios de la
Metro mientras John Wayne rodaba un western, y Anthony
Quinn, otro. La víspera, el muy afamado pianista español,
José Iturbi, les ofreció una cena de gala a la que asistieron
los grandes del cine. «Me hizo ilusión –recuerda la reina–
conocer a María, la hija de Gary Cooper, y a Anthony Quinn,
o bailar con un Henry Fonda de verdad, y no de película,
que me tuteaba y me llamaba por mi nombre. ¡Ah, yo encantada!»

Al llegar a Nueva York se alojaron en un apartamento de la
Quinta Avenida, que les cedió la señora Goulandris, una com-
patriota griega. «El padre de esa señora –me explica la reina–
se llamaba Evangelos Nómikos, era un naviero muy amigo
del rey Pablo. Se habían conocido en Sudáfrica, durante el
exilio.»

En Newport, los príncipes asistieron a las regatas de la
American Cup: lo más que se da, para los entendidos, en
regatas de balandros. Hubo tiempo para todo: la Academia
Militar de West Point, Cabo Cañaveral, el Metropolitan
Museum, la National Gallery... Les organizaron algún que
otro party interesante, al modo neoyorquino, con la crema
de la vida pública de Manhattan, incluyendo senadores,
banqueros, damas jet con apellidos sajones, algún jefe del
Pentágono, y un par de parientes del clan Kennedy para dar
el toque de caché.
    Por fin, después de intensas y tenaces gestiones, el em-

bajador Antonio Garrigues y Díaz-Cañabate consiguió que el presidente Kennedy les recibiera en su despacho oficial... con fotos. Esto era el 30 de agosto.

¿Cuál había sido la dificultad? Un simple «silencio administrativo» del ministro español de Asuntos Exteriores, Fernando María Castiella. La Casa Blanca exigía, para tramitar una audiencia presidencial, la petición formal de la embajada. Y cuando el embajador Garrigues consultaba al ministro, la respuesta de Madrid era... oídos sordos.

Pregunto a la reina por qué se oponía Castiella, o si es que Franco intentaba boicotear el éxito del viaje de los príncipes. Y me sorprende su reacción: casi le molestan mis dudas.

«Castiella no se opuso –me asegura con firmeza–. Pero tampoco se lo preguntó a Franco. Por eso, ni autorizó ni desautorizó la gestión. Hay que tener en cuenta que todo aquello ocurría en pleno verano. Y Franco y sus ministros, después de celebrar el 18 de Julio en La Granja, se iban de Madrid, y no volvían hasta septiembre. Lo que yo sé es que Castiella informó a Franco, *a toro pasao*, de lo que Garrigues había conseguido. Y la respuesta de Franco, con pocas palabras, como hablaba él, fue bastante expresiva: "¡Bien hecho!", dijo. Pero insisto: Franco, así como a don Juan le hizo la vida muy difícil, jamás boicoteó nada que pudiera favorecer al príncipe, o a mí. Nunca entró en el juego de los partidarios de tal o cual "pretendiente". Él tenía muy decidido y muy claro que el sucesor sería mi marido. A lo único que jugaba era a no decir esta boca es mía. Y eso era lo desconcertante. Y, a veces, lo desesperante.»

El embajador británico en Grecia, Ralph Murray, informó al Foreign Office que, cuando los príncipes regresaron a Atenas, en noviembre de 1962, había encontrado a don Juan Carlos, tras sus comparecencias y contactos públicos durante el viaje de novios, «infinitamente más contento, casi eufórico».[20] Ciertamente, el viaje no había sido un tiempo lúdico de *dolce fare niente*, tiempo de amor y besos, tiempo de vino y flores, sino «tiempo de arar y tiempo de sembrar», que diría enfáticamente el *Eclesiastés*. Y la reina me lo reconoce: «Tuvimos muy buena acogida de las autoridades oficiales, en todos los países que visitamos. ¿Quizá porque éramos quienes éramos, pero no íbamos representando a Franco? La gente nos veía como el futuro. Y notábamos lo que pensaban: "Esto es nuevo. Algo empieza a cambiar en España."»

Siempre que termino de hablar con la reina, indefectiblemente le pregunto si, de lo que me ha contado, hay fotografías. También invariablemente, ella anota un par de palabras rápidas en sus folios, mientras musita «a ver cuándo saco un hueco, un rato, y busco en esas cajas, que están allá arriba...» Pero hoy me ha dicho que los dos llevaron sus cámaras fotográficas, y además don Juan Carlos filmó sin parar:

«Él hacía cine, no vídeo, con una cámara grandota, que la llevaba siempre a cuestas. Y tenemos dos horas de película filmada. Recuerdo una tarde en San Francisco... Estábamos los dos solos en el hotel, el Hilton Beverly Hills. Miré hacia la ventana. Había una puesta de sol espléndida, preciosa. Sobrecogía. Todo se había puesto rojo. Parecía que se iba a incendiar el mar... Era la perfección aquí en la Tierra. Yo le dije: "¡Juanito, corre, hazla, hazla!" Y él, que es muy bueno, durante cinco minutos estuvo en el ventanal, cargado con el armatoste aquel, callado, quieto... filmando para mí esa puesta de sol.»

Ella sabe que aquel sol deslumbrante, incendiario, se puso para siempre. Como sabe que el celuloide, rancio ya por el

---

20. R. Murray a E. E. Tomkins, 22 de noviembre de 1962. Documento del Foreign Office FO 371/169512. *Cfr.* Charles T. Powell, *Juan Carlos, un rey para la democracia*, Ariel/Planeta, Barcelona, 1995.

paso del tiempo, debe de andar ajando y mustiando los colores. Sabe también, ¡cómo no va a saberlo!, que cualquier enamorado es capaz de hacer que el sol se ponga, desgarrador y esplendoroso, tan sólo con cerrar los ojos; o que vuelva a salir, trémulo y tibio, entre las sábanas de la media noche. Ella lo sabe.

Ella lo sabe y, sin embargo, guarda la película. Pero no es la puesta de sol de San Francisco lo que guarda en su caja, en su *cajita* redonda de hojalata: son aquellos cinco minutos que «él estuvo cargado con el armatoste, callado, quieto... filmando para mí esa puesta de sol».

VII

Cui dolet, meminit.[1]

CICERÓN, *Pro L. Murena*, sec. XLII.

He dado un largo rodeo para acudir hoy a La Zarzuela. Me he demorado adrede por la Dehesa de la Villa, por Puerta de Hierro, por cerca de La Quinta, un palacete rancio y pretencioso, que Franco hizo repintar para que el príncipe Juan Carlos recibiera allí. Necesitaba yo una sobredosis vegetal. Y el frondor de árboles, en el otoño de este nosecuántos de octubre de mil novecientos noventa y cinco, es como una orgía de adioses de jade, y de oro, y de cobre. Se vuelve una loca de belleza, con un estallido así de hojas verdes y amarillas. Verdes, en un estertor final de verde. Y amarillas, jugando al frenesí y a la indolencia. Amarillas pajizas, y azafranadas, y albarizas, y pálidas casi blancas. Y amustiadas, que no se sabe si lo suyo es verde aceite o si verde moscatel. Y amarillas oscuras, entradas en ocre, aleonadas, como el río Paraná, y tornasoladas entre el ámbar y el coñac. Y el tropel, clamor, gentío de hojarascas rojas, bermellonas, cárdenas. Turbamulta de parravirgen carmesí rampante por las tapias. Y por ahí, otra legión de púrpuras, aborgoñadas, fucsias, como empapadas en los vinos de todas las alegres y tristes borracheras del mundo. Embebidas y ebrias, las hojas, digo, en los mostos del otoño. No de cualquier otoño. De este preciso otoño. De este otoño salvaje en el que yo, por ver, he visto hasta el color de la oropéndola. Y empezaba a pensar que si sería una licencia literaria para escritores maricas de postín. Pero qué va. Existe y yo lo he visto. No la oropéndola, pero sí su color: como un fogonazo de azufre en medio del cam-

---

1. El que sufre, recuerda.

157

po.[2] Era el insólito amarillo de los fresnos, hoy ya, en el verso final de este octubre, que no se quiere disfrazar de noviembre como el coñac de las botellas.[3]

Así, otoñal, madura, espléndida en matices, encuentro hoy a la reina. Viste traje de chaqueta gris claro, de lana fría, con camisa también gris. Tiene el aspecto de una *ejecutiva.*

Entre vez y vez han pasado siempre tantas cosas, tanto viaje, tanto doctorado honoris causa, tanta recepción, tanto evento en su trajín de reina, que hay que hacer cierta ingeniería de empalme para retomar el hilo. Pero enseguida brotan los recuerdos. Es como si encendiese un quinqué en el fanal de su memoria, y fuera graduando la luz a más y a más y a más.

En septiembre de 1962, los recién casados regresan a Estoril. Se alojan en la Carpe Diem, «una casita monísima, aunque pequeñísima», recuerda la reina, y en la que no podían clavar ni una chincheta, porque no la habían comprado ni alquilado: era prestada.

Durante el viaje de novios, Juan Carlos y Sofía han comentado y analizado su situación desde todos los ángulos, a partir de la última conversación con Franco, antes de la boda, el 1 de marzo de 1962: «Franco no suelta prenda –dijo el príncipe por esas fechas–. No ha querido definir políticamente mi estatus en España, y tenía una buena ocasión, con motivo de la boda. No quiere reconocerme el título de príncipe de Asturias, ni me permite usarlo, porque eso supondría aceptar que el rey es mi padre. En cambio, me dice

2. Unos días antes, mi editor y amigo, Enrique Murillo, me dijo que él lo había visto: «El color oropéndola, como un fogonazo de azufre, en medio del campo.» Y desde ese momento me puse yo a mirar con más cuidado, por si también lo veía.

3. Alusión a un poema de Federico García Lorca.

"tiene más posibilidades de ser rey vuestra alteza que vuestro padre".»[4]

La reina evoca aquellos tiempos: «A la vuelta del viaje de novios, nosotros queríamos instalarnos en España. Don Juan le decía a Juanito: "¿Pero qué tienes que hacer allí? ¿De qué forma vas a vivir? Lo normal es que estés aquí conmigo." Y el príncipe contestaba: "Franco y yo hemos acordado que yo residiría en España. Esa puerta está abierta, papá. ¿Por qué cerrarla? El haberme casado no es razón. Si queremos monarquía para el futuro, es preferible que yo esté allí." Era una lucha moral y política, pero siempre cordial. Había algo sobrentendido: uno de los dos tenía que reinar, y convenía intentar los dos caminos posibles. La situación era incómoda, era tensa, por la incógnita, porque Franco no decía nada. Pasaba el tiempo, y no decía nada. Y dependían de Franco tanto el padre como el hijo».

Un decidido partidario de jugar las dos bazas era Rafael Calvo Serer. Él mismo les organizó el primer viaje como príncipes a España: a Cataluña. Fueron a Tarragona, a Tortosa, a Hospitalet del Llobregat, y a toda la zona del Vallés damnificada por las inundaciones habidas en ese mes de septiembre.

«Se decidió en Estoril. Lo propusimos nosotros, durante el desayuno. Recuerdo que mi marido dijo: "Estas cosas no esperan: si hay que ir, hay que ir cuanto antes." Mis suegros estuvieron de acuerdo. Alburquerque, que entonces era jefe de la Casa de don Juan y de la Casa del Príncipe, también lo vio oportuno. Mondéjar habló enseguida con El Pardo. Y Franco dijo que le parecía muy bien. Quien lo movió todo fue Calvo Serer. Era periodista, y del Opus.[5] Esa estancia en

4. Contado por don Juan Carlos a Laureano López Rodó.
5. Opus Dei (Obra de Dios), prelatura personal de ámbito universal, de

159

Cataluña tiene su importancia, porque ahí se empieza a ver que hay alguien con popularidad que no es Franco. Él tenía su público, su gente entusiasta: "¡Franco, Franco, Francoooo!" Pero nosotros también teníamos la nuestra. Estaba muy reciente la boda, y todo el mundo la había visto por televisión. Nos acogieron con muchos "vivas" y muchos aplausos. A la gente le gustó vernos allí, en persona. Y a Franco no le importaba. Incluso le era cómodo que fuese así, que las cosas progresaran de una forma natural.

»Ésta era la segunda vez que yo veía a Franco. Le vi de lejos, en la iglesia de la Merced, en el funeral por las víctimas. Franco iba bajo palio. Pero él sólo fue a la iglesia. Nosotros fuimos a fábricas, a pueblos que estaban junto a la orilla del río, a poblados industriales. Vimos a una gente muy triste, muy necesitada, muy pobre. No hacía falta decirles nada, bastaba la presencia: cogerles la mano, besar a una niña... estar allí.»

Le pregunto qué pensó, viendo al *caudillo* caminar bajo palio. Me contesta con gran sencillez:

«Yo estaba de nuevas, y casi todo me asombraba. Pero no me extrañó mucho: pensé que sería una costumbre española, y que también tendrían muy incorporado lo religioso a lo político, como nosotros en Grecia, donde había ciertas rúbricas religiosas que eran sólo para el rey. Debo decir que nosotros, Juan Carlos y yo, siendo reyes, también usamos el palio, durante una temporada. Pero luego el rey, poco a poco, fue soltando y dejando cosas... que venían de antes. Entre otras, el palio, y el privilegio de proponer una terna para que el Papa eligiera a los obispos.

»A mí, la verdad, cuando íbamos nosotros bajo palio, lo que me extrañaba era sentirme allí dentro. Sabía que era para los santos, para la custodia del Corpus, para la Macarena... ¡¿qué hacíamos nosotros ahí debajo?!»

---

la Iglesia católica, a la que pueden pertenecer sacerdotes y laicos, solteros o casados: buscan la santidad en medio del mundo, a través del trabajo profesional.

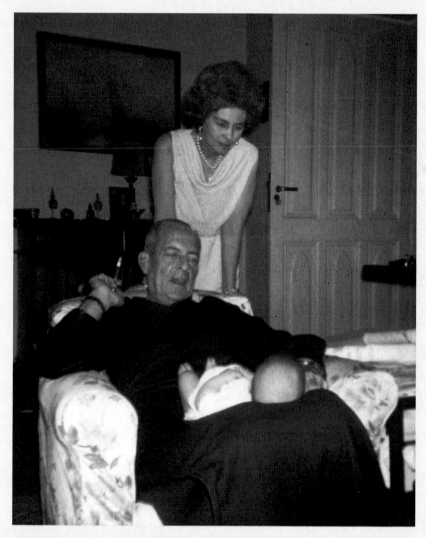

El rey Pablo con la infanta Elena sobre su regazo, y la reina Federica en pie mirando también a su nieta.

Los príncipes de España con su hijo Felipe en La Zarzuela (1975).

Arriba: *los príncipes de España y la reina Ana María de Grecia atienden a sus hijos durante la celebración de las Navidades de 1972.* Abajo: *los príncipes de España y sus hijos en la Primera Comunión de la infanta Cristina (mayo de 1973).*

Los príncipes de España con Franco.

Don Juan Carlos pronunciando ante las Cortes su primer discurso como rey de España el 22 de noviembre de 1975. La reina doña Sofía, el príncipe de Asturias y las infantas, testigos de honor.

Doña Sofía saluda a Torcuato Fernández-Miranda.

Los reyes con Adolfo Suárez.

Los reyes con Leopoldo Calvo-Sotelo.

Los príncipes pararon poco en Estoril. Ese mismo otoño, viajaban a Grecia. Allí dispusieron de la casa de Psychico, donde nació la princesa Sofía. Iban para asistir a una serie de efemérides nacionales y familiares. El 26 de octubre era la fiesta de San Dimitrius en Salónica, y el 28 se celebraba en Atenas el aniversario de la liberación de Grecia, tras la ocupación italiana en la guerra mundial.

«Para los actos conmemorativos, la familia real estábamos en un barco de guerra, un dragaminas, con los trajes de gala. Y, justo en el momento de salir el cortejo hacia la iglesia, nos dieron la noticia de la invasión americana de la bahía Cochinos por orden de Kennedy. La reacción inmediata fue de alarma, y de temor a otra guerra mundial. Vi a mi padre muy preocupado durante toda la celebración, y pendiente de tener más noticias. Cuando regresamos al barco, se fue directo al mueblecito de la radio, para escuchar la BBC.»

Después del almuerzo, la princesa Sofía se sintió indispuesta, y hubo de ser trasladada con urgencia a un hospital de Atenas para someterse a una intervención quirúrgica: «Pensé que algo me habría sentado mal. Pero era apendicitis aguda. Ah, y no me asistieron dos médicos franceses, como se ha escrito en algún libro, sino médicos griegos. Tampoco es cierto que yo estuviese embarazada y perdiera al hijo. Bueno, ¡leo cada cosa por ahí sobre mí! Por ejemplo, he leído que riño y discuto con mis cuñadas Pilar y Margarita. La realidad es que me llevo muy bien con ellas. De siempre. Antes de casarnos ya nos carteábamos mucho, en inglés. A Pilar la conocí en el famoso crucero del *Agamemnon*, con quince años, y nos hicimos amigas... cuando yo ni soñaba que iba a casarme con su hermano.

»Esto de que otros "se inventen" mi vida es algo que ahora ya... casi me resbala, pero al principio no lo entendía, y me hacía sufrir. El disgustazo más fuerte, porque fue el primero, me lo llevé en marzo del sesenta y tres. Mi marido había estado conmigo, y muy nervioso y asustado, durante la operación de apendicitis. Después, seguimos juntos en

Psychico todo noviembre y parte de diciembre. Volvimos a Estoril. Pasamos allí su vigésimo quinto cumpleaños, el 5 de enero. Y otra vez, vuelta a Atenas, porque el día 9 eran las bodas de plata de mis padres... Se nos vio juntos en público en esa celebración. Y antes, en unas regatas Dragón en la bahía de Falerón. Y en la fiesta grande de San Basilius, que es el primero de año. Luego regresamos a Estoril. En febrero tomamos la decisión de vivir en España, y nos metimos en la faena de trasladarnos e instalarnos en La Zarzuela. Los dos juntos, claro. Siempre los dos juntos. En marzo, volví a Atenas para asistir a los actos del centenario de la dinastía griega; pero fui sola, porque el príncipe tenía cosas que hacer en España. Bueno, pues, sin más ni más, saltó a los periódicos la noticia de que nos íbamos a divorciar. Fue mi primer encontronazo, mi primera decepción con la prensa. Me extrañaba. No podía entenderlo. Y me sublevaba: ¿cómo podían poner en tu mente y en tu voluntad algo tan grave como es divorciarte de tu marido, que tú ni lo piensas ni lo sientes; y, porque sí, convertirlo en un deseo, en una realidad...? Durante tiempo y tiempo, mucha gente pudo pensar que era una realidad. ¡Y mi hija Elena ya venía de camino! Cuando, a los pocos meses se dio la noticia oficial de que yo estaba embarazada, el rumor se ahogó.

»Pero ese disgusto nos sirvió, a los dos, para darnos cuenta de que la gente nos miraba, y que nuestros hechos, nuestros actos, tenían un reflejo. El príncipe Juan Carlos se reía. Pero al volver yo de Atenas hablamos muy en serio de que debíamos tener mucho cuidado con lo que hacíamos y decíamos delante de la gente. A partir de ahí, yo tomé conciencia de que, ya para siempre, lo privado en mi vida iba a ser público. Entonces supe de verdad que tenía que vivir en una casa de cristal. Pero esa precaución no podía quitarnos, ni a él ni a mí, algo fundamental en nuestro modo de ser: la naturalidad.»

Doña Sofía me explica ahora que fue el rey Pablo quien influyó en don Juan de Borbón, para que les dejase expedita la vía de instalarse en España: «En las Navidades del sesenta y dos o en enero del sesenta y tres, mi padre escribió una carta a don Juan insistiéndole en la conveniencia de hacer nuestra vida solos y en España. Esa carta, si no se ha destruido, debe de estar en el archivo del conde de Barcelona, en la casa de Villa Giralda de aquí, de Puerta de Hierro.»[6]

Hubo también un cruce de cartas, más oficiales, entre Franco y don Juan.[7] La propia princesa no disimulaba sus deseos: «¿Qué hacemos aquí? O España, o Grecia. Vivir en Portugal no tiene sentido.»

«Franco había arreglado La Zarzuela. Y se construyó un pabellón de nueva planta, para el príncipe. Él se lo dio un poco hecho, como se lo daba todo a Franco. En una de las audiencias que tenían periódicamente en El Pardo, le dijo: "Mi general, hemos decidido que nos venimos a España, y pienso que podríamos alojarnos en La Zarzuela." "Ah, pues me alegro mucho, me parece muy bien..." Franco quería tenernos aquí, y se alegró.

»Yo mandé traer de Grecia todo lo que tenía en la casa de Psychico: muebles, lámparas, vajillas, cubiertos, jarrones, regalos de boda, cortinas, tapices, cuadros, libros, ropa de la casa... ¡tres *containers*! Tres contenedores. Porque La Zarzuela estaba casi vacía. Y entre mi marido y yo íbamos desembalando, abriendo cajas, repartiendo las cosas, organi-

6. Cuando la reina Sofía dice esto, la condesa de Barcelona, doña María de las Mercedes de Borbón y Orleáns, vive en su domicilio madrileño: un chalet confortable en la zona residencial de Puerta de Hierro. Lo llamaron Villa Giralda en recuerdo de la casa de Estoril.

7. Don Juan escribe a Franco el 8 de febrero de 1963. Franco le contesta, también por carta, el 18 del mismo mes y año. Al parecer, don Juan retenía a su hijo en Estoril, para forzar a Franco a una nueva entrevista personal en la que abordasen «los planes de futuro». Pero la entrevista no se producía. Y, transcurridos nueve meses desde la boda en ese irritante impasse, la paciencia de los jóvenes casados debió de tocar techo.

zando... Había un mantenedor, y electricista y carpintero, del Patrimonio Nacional, pero la decoradora fui yo. Y él me ayudaba. Nos lo pasábamos muy bien. Muchos de los árboles que ves ahí fuera –extiende el brazo derecho y alza un poco el visillo del ventanal corrido que da al jardín–, abetos, olmos, robles, fresnos, encinas, cedros del Líbano, cedros del Atlas... no estaban cuando vinimos. Aquí nos encontrábamos como dos inquilinos en una casa ajena. Y, además, inventándonos el trabajo cada día. No teníamos un estatus. No sabíamos muy bien quiénes éramos. Oficialmente, cuál era nuestro puesto, cuál era nuestro rango. Incluso en el protocolo... Era todo tan nuevo que no había nada escrito. No podíamos exigir ningún derecho. Teníamos que adivinar, con sentido común y con instinto político, qué nos correspondía hacer, qué no, dónde convenía que estuviéramos y dónde podíamos estorbar. Ah, y Franco no marcaba la tabla. Él no decía nada.»

–Pero dependían de Franco, eran sus huéspedes, eran *sus* príncipes...

–Moralmente, no teníamos esa sensación de depender de Franco. Nos sentíamos con mucha libertad. Pero, materialmente, sí, dependíamos del Patrimonio Nacional.

–Majestad, ¿no hubo algún banquero o algún aristócrata que ayudase en los gastos?

–Yo sé que, cuando la boda, hubo un regalo económico fuerte de la Diputación de la Grandeza de España. Y de esa suma es de lo que vivíamos. Teníamos una vida muy austera. El otro día estuvimos repasando papeles, y vi que en los años sesenta nosotros gastábamos setenta mil pesetas al mes, para todo: comida, vestidos, peluquerías, viajes nuestros, salir por ahí...

–Al personal de servicio, ¿lo seleccionaba vuestra majestad?

–No. Era personal puesto por Patrimonio –la reina pronuncia muy graciosamente *patrimoño*–. Nosotros sabíamos, notábamos, que a veces algunos estaban ahí vigilando, espiando, para contar después en El Pardo qué hacíamos, quién venía, a dónde salíamos. No nos preocupaba, porque no teníamos nada que ocultar ni nada que temer. Sin embargo, nos sentíamos vigilados en nuestra casa. Y eso era incómodo. Pero salíamos mucho, viajábamos mucho. Fueron años de conocer España y de darnos a conocer. Franco se lo decía al príncipe: "Viaje, alteza, salga por ahí a que le conozcan."

–A Mondéjar y a Armada, ¿quién los eligió, para el staff de don Juan Carlos?

–Franco. Luego, don Juan Carlos buscó y se trajo a Jacobo Cano. Pero se mató en un accidente de coche, saliendo de aquí, de palacio. ¡Fue una pena muy grande! Era valiosísimo.

»Esta casa siempre ha tenido una plantilla muy justita, muy reducida. Trabajan todos como leones, y no hay gente de más. A veces han intentado "cedernos" personal de algunos ministerios, pero no hemos querido. ¿Para qué? ¿Para que estén mano sobre mano? –Y hace un gesto muy característico: entrelaza las manos, pero dejando libres los pulgares y haciéndolos girar uno alrededor del otro, como un molinete. ¿Quién se lo habrá enseñado?)

–Me gustaría volver sobre eso de que «nos sentíamos con mucha libertad». En aquellas circunstancias, resulta extraño...

–Nos sentíamos libres, aunque no lo éramos del todo. Tampoco teníamos obligaciones tasadas, ni nada impuesto. Antes de la jura como sucesor, el ministro Castañón de Mena iba y venía. Era amigo de Mondéjar y de Armada. A lo mejor nos decía: «Al *generalísimo* le gustaría que vuestra alteza viniese a tal cacería o a tal acto en El Pardo...» Era una especie de transmisor, de enlace.

»La gente pensaba que estábamos padeciendo un humillante sometimiento, que estábamos debajo de la bota de Franco; pero Franco no mandaba sobre el príncipe, ni trataba de tenderle trampas. Mi marido tomaba las iniciativas, y le proponía y le consultaba lo que iba a hacer, lo que él pensaba que debía hacer. Le exponía un programa, pero no le pedía consejo. Y Franco nunca le dijo no a nada. Claro que el príncipe siempre planteaba cosas razonables. Pero Franco le dejaba hacer. Le quería como un hijo, es verdad. Yo notaba, aunque Franco no era expresivo, que se alegraba con la presencia de mi marido. Le gustaba verle. Se le ponían brillantes los ojos. Le quería como al hijo que no había tenido.

»Franco no era brusco, ni hosco. Sí era un hombre muy metido dentro de sí, solitario, silencioso, con poca expresividad, y más bien tímido. En un viaje oficial, iban Franco y el príncipe en el mismo coche. Por lo que fuera, mi marido había dormido poco, y como Franco no era hombre conversador, al cabo de un rato Juanito se le durmió en el hombro. Pero él no le despertó. Le dejó que durmiese ahí encima. Al llegar, dijo: "Alteza, hemos llegado." Sin inmutarse.

»Por otra parte, el príncipe tenía un gran instinto político, y humano, para moverse con Franco. Más instinto que yo, porque es muy intuitivo. A las personas, las ve una vez y las caza al vuelo. Esa sensibilidad la sacó de su madre. Además, él conocía bien la situación, y los personajes. Estaba aquí desde niño.

»En cuanto a mí, no me humillaba estar bajo Franco. No me sentía dominada por él. Al contrario, siempre me sentí respetada y tratada como quien yo era: siempre me habló como un general habla a una princesa. Y nunca por mi nombre.

»Por mi nombre, sólo la familia... y la gente de la calle, cuando íbamos por ahí: "¡Juan-car-los! ¡So-fí-a!" Y me sonaba muy bien.

»El futuro, de monarquía y de democracia, era ilusionante. ¡Otro desafío! Y vivíamos aquí para intentar conseguirlo. Eso estaba siempre en la mente de mi marido y en la mía. Ése era el tema de nuestras conversaciones. Era una tarea que valía la pena.

Me explica la reina que «nunca hubo tirantez con la familia de Franco: fueron siempre muy amables y correctos con nosotros».

Ha elegido unos adjetivos fríos, asépticos. Pero tampoco los censura. Ahora hace una pausa. Piensa. Y, por la manera de engallar el torso y alzar el mentón, entiendo que va a entrar en una explicación de más calado:

«En esas relaciones con *los Franco*, lo embarazoso era el tema de fondo: ¿quién reinaba, el padre o el hijo? Y, si reinaba mi marido, ¿eso iba a ser antes de morir Franco?, ¿o había que esperar a que Franco muriese? Era espinoso, porque les afectaba a ellos, a todos ellos, como familia del hombre que tenía el poder. No entrábamos en conversaciones de hondura. Siempre nos manteníamos flotando en la superficie. El trato con la familia Franco era un poquito banal.»

Y agrega, con tono definitivo:

«Hubo una relación cordial con los marqueses de Villaverde, pero no fuimos amigos de ellos. Ni de doña Carmen, ni del propio Franco. Nunca nos tuteamos. Ellos nos llamaban "alteza". Tuvimos una relación correcta, amable. Y, llegada la hora difícil, cuando ellos tenían que dejar todo el poder que habían disfrutado, la verdad es que lo hicieron con gran discreción y sin crear una sola dificultad.

»Los amigos eran mis hijos y los nietos de Franco. Jugaban juntos, de niños. Y siguen siendo amigos, y se tutean desde siempre. Incluso algunos nietos de Franco aceptan la monarquía. Arántzazu y Jaime, que son los pequeños, son íntimos de mis hijos. Y encantadores. Venían aquí a jugar, o los míos iban a El Pardo. Se acuerdan todos de la *Nani*, la vieja nurse de los Franco. Y, como a Cristóbal Martínez Bordíu le llamaban por ahí "el yernísimo", pues ellos a *Nani*, "la Nanísima". ¡Aún vive la *Nani*!»

A partir de 1964, cada primero de abril, Juan Carlos aparecerá presidiendo con el *caudillo* el Desfile de la Victoria.[8]

8. Mientras vivió Franco, el 1 de abril se celebraba un gran desfile militar para conmemorar el fin de la guerra civil, en 1939, y la victoria del ejército franquista sobre el republicano.

Junto a Franco, un paso detrás, en la tribuna de la Castellana. Y también con él en el balcón del palacio Real, en la plaza de Oriente. Inquiero de la reina si se daban cuenta de que eso le podía perjudicar tremendamente; que podía ser vitriólico para la figura del príncipe, como futuro *rey de todos los españoles*, porque el franquismo entintaba todo su entorno:

«Entonces –me responde– eso se veía normal. Él había venido aquí desde niño para educarse en la realidad española. Vivía *en* el franquismo. No pensábamos que pudiera perjudicarle más estar que no estar. Al contrario, si actuaba con talento y con prudencia, ésa era la puerta, la única puerta abierta, para poder llegar a ser rey. Él iba a todos los desfiles de la Victoria. Incluso había desfilado cuando era cadete. Después fue un oficial de ese mismo ejército, aunque no hizo la guerra civil, porque cuando estalló ni siquiera había nacido.

»Yo, desde que vine, también iba a esos desfiles. Mi puesto era en la tribuna de enfrente, con doña Carmen.»

Mientras escribo mis notas, el silencio hace que sigan resonando, tremendas, las últimas palabras de la reina. No suenan como una confesión, sino como una declaración de algo innegable, de algo evidente. Como decir que ayer llovió y fue miércoles. Pero resulta que en este país llevamos veinte años intentando olvidarnos todos de que ayer fue miércoles, disimulando con que mañana es viernes, y sin preguntar a nadie debajo de qué paraguas estuvo cuando caía el chaparrón... No sé si ella lo percibe así. Lo cierto es que agrega:

«No puedo negar que hemos estado aquí, viviendo con Franco durante el franquismo, yendo a los desfiles de la Victoria, o a los jardines de La Granja los 18 de Julio, o apareciendo el príncipe detrás de Franco en la plaza de Oriente... Es la historia. No se puede negar. ¡Sería negar nuestra vida! En cambio, en las cosas partidistas, Franco mismo cuidaba de tenerle apartado. Recuerdo que, en actos solemnes del Movimiento, que Franco presidía porque era el jefe nacional, le decía a mi marido: "No tiene que asistir, eso no es para vuestra alteza."

»Y voy a añadir algo: mi marido fue tajante, desde el primer momento, diciendo "Delante de mí no se habla mal de Franco". No quería que La Zarzuela fuese un nido de habladurías, de conspiración contra el régimen de Franco. Nosotros no estábamos aquí para conspirar.»

–¿Para qué, entonces?

–Para entrar por la puerta, sin violencia.

–Pero, majestad, tendría que ser enojosa esa coyuntura, larga coyuntura, de legalidad sin legitimidad, en la que los príncipes estaban por detrás de *los Franco*...

–Es que yo rechazo eso de *los Franco*: para nosotros contaba únicamente Franco. Doña Carmen era su mujer. Como Hillary es la mujer de Clinton. Pero la mujer de un presidente de república, o de un jefe del Estado, como Pinochet o como Franco, no forma parte de la Jefatura, no es una institución del Estado. En cambio, en una monarquía, la reina y los hijos del rey sí lo son: forman parte de la institución que llamamos «la Corona».

»Doña Carmen Polo era muy amable conmigo. No tuve el menor problema con ella. Era una mujer de su época, por cultura, por formación. Era discreta. No se entrometía en la vida nuestra. Tenía su propio mundo, sus amigas, sus reuniones de señoras mayores. Ah, era muy leal a su marido. Lo adoraba como a un dios. Me atrevería a decir que era su mayor entusiasta.

–¿Se metía en los tejemanejes políticos?

–En los años sesenta, no creo. No me parece que en esos años fuese una intriganta como decían. No les hacía falta intrigar. Tenían todo el poder. Más tarde, al final, cuando ha muerto Carrero y Franco está muy debilitado, y se nota que empiezan a cambiar las cosas en España, entonces quizá sí, doña Carmen se mueve para que sea Carlos Arias el jefe del Gobierno. Y, por supuesto, estuvo detrás de lo de la boda de

su nieta Carmencita con don Alfonso de Borbón.[9] Ahí sí.
Pero esa boda no cambió nuestras relaciones con *los Franco*. Seguimos tratándonos igual.

Hablamos ahora de si le costó mucho o poco *españolizarse*.
Dice que no percibió rechazos por ser extranjera, por ser
griega: «Me aceptaron, me aceptasteis, enseguida. Oh, sí,
claro, había quienes me miraban despectivamente: "¡Griega, fuera de aquí!" Pero también oía decir: "¡Viva la griega!"
Yo notaba enseguida los que me querían. Venía preparada,
por mi madre y por la reina Victoria Eugenia, para encajar
que me hicieran el vacío por ser extranjera. Pero, gracias a
Dios, me sentí aceptada como en mi país, como si hubiese
nacido aquí. ¿Te digo una cosa? Nunca, nunca, nunca me he
sentido forastera en España.»

Me cuenta cómo se iba adaptando a nuestras costumbres.
Anoto esta anécdota, que ella relata reviviéndola y riéndose de sí misma: «Esto era en verano. Murió la mujer de un
teniente general muy importante. Busqué entre los armarios, porque sabía que tenía un traje negro de luto, y me lo
puse. De negro riguroso, de arriba abajo, con medias y todo,
porque es como se usa en toda Europa central, y en Grecia.
Pensaba que en España también se vestiría así en los due-
los. Yo debía de tener veinticinco años. Llegué al velatorio
y me quedé más muerta que la muerta: allí había muchísimas señoras mayores, de más de sesenta años, vestidas de
colores, con trajes claros de verano, estampados de flores...

9.   Don Alfonso de Borbón Dampierre era nieto de Alfonso XIII y primo
hermano de don Juan Carlos. Su padre, el infante don Jaime, había renunciado a sus derechos al trono de España. Pero Franco, que pretendía *instau-
rar* una monarquía de nuevo cuño, se reservaba por ley el derecho a designar sucesor, sobre un perfil acuñado por él en la Ley de Sucesión. Y así, al
margen de la preceptiva dinástica, este don Alfonso, como don Carlos Hugo
de Borbón Parma, o cualquier otro «príncipe español y católico», entraba
entre los candidatos posibles.

¡Yo era la única que iba de negro, como una cucaracha! ¡Ni siquiera la familia! Me había "pasado": yo allí parecía... la pobre huérfana.»

Al principio tuvo una profesora de castellano –«creo que era hermana de José Luis Balbín»–. Pero ese sistema docente duró poco. Prefirió espabilarse, «para aprender –dice– de la vida misma: escuchando a unos y a otros; en el cine, viendo películas en castellano; leyendo los periódicos cada día: que entonces había, por la mañana, *ABC, Nuevo Diario, Arriba, Ya, La Vanguardia...* Y por la tarde, *Pueblo, Informaciones, Madrid, El Alcázar...* Y escuchando la radio. Aprendía español y me aprendía España».

Aquí, sin darnos cuenta, nos vamos por una bocacalle lateral de la conversación. Me cuenta que en La Zarzuela ponen cine muy a menudo, «menos los sábados y domingos, para que descanse el *peliculero*». Suelen ver los estrenos en versión original «aunque sea en japonés, y no entendamos ni patata». El teatro le gusta; pero van muy poco. «Yo, cuando puedo, me escapo.» No hace mucho, en Londres, estuvo viendo *La casa de Bernarda Alba*. Y saludó a Núria Espert y a la hermana de García Lorca, que estaba allí. «Esa obra la he visto en griego, en inglés y en castellano. Y le ocurre lo que a las buenas obras clásicas, lo que a *El Rey Lear, Fausto, Medea, Cyrano*: que aguantan bien cualquier idioma.»

La reina es cotidianamente trilingüe: con el rey y con sus hijos, habla tanto en inglés como en castellano: «Depende un poco de con quién acabes de estar; sigues con el idioma que traías»; con sus hermanos usa el griego o el inglés, indistintamente. «Aunque yo, mis multiplicaciones y mis cuentas las hago en griego. Rezar, o pensar en Dios, en inglés, que es la lengua en que me crié. Y todo lo demás... ¡como me salga espontáneo! Ah, pero sé enfadarme y sé reírme en castellano, en inglés y en alemán. En esto de los idiomas, el rey y yo nos complementamos: los dos tenemos bien el castellano y el inglés. Él aporta italiano, francés y portugués. Y yo, alemán y griego. ¡Nos podemos ganar el sueldo!»

Al llegar a España se les plantea el tema de las amistades. Para no hacer distinciones ni fomentar «camarillas», son ellos los que van a casa de los otros pero siempre que sea fuera de Madrid. «Si no, hubiésemos estado siempre comiendo en casa de unos, cenando en casa de otros; y nosotros dos solos, nunca.» En esos años suelen asistir a cacerías, o van a esquiar, o a alguna tienta de vaquillas.

«A las cacerías iba sólo para conocer a la gente y charlar: quería estar con amigos. Me gustaban las tertulias en torno al fuego, junto a la chimenea. Pero jamás cogí un arma en mis manos. Ni para ver un magnífico rifle que puede matar a no sé cuantísimos metros. ¡No me interesa! No me gusta matar a los animales. Ni mucho menos, verlos sufrir en una plaza de toros, o en una pelea de gallos, o qué sé yo... Pero no hay más historia detrás. ¿Que por qué no llevo abrigo de pieles? Pues... porque puedo abrigarme de otras maneras.»

A propósito de las amistades, doña Sofía me confirma algo que yo intuía: don Juan Carlos ha tenido y sigue teniendo amigos de muy diversos ambientes: antiguos compañeros de estudios de Las Jarillas;[10] de las academias militares, de la universidad, del deporte náutico, amistades de la aristocracia y del mundo financiero... Incluso profesionales que en algún momento pertenecieron al alto staff de la administración pública. Con algunos, el tuteo es recíproco, porque la

10. En Las Jarillas, finca de Alfonso Urquijo, marqués de Urquijo, situada a quince kilómetros de Madrid, se alojó y estudió el príncipe Juan Carlos desde el otoño de 1948 hasta el de 1950. En este último año, don Juan, para marcar distancias respecto a Franco, trasladó la residencia y los estudios de su hijo –acompañado ya de su hermano menor, don Alfonso– al palacio de Miramar, donde solía pasar sus vacaciones de verano la familia real española.

confianza viene de muy atrás. Sin embargo, ninguno de ellos tutea a la reina: «Conmigo guardan cierta distancia, no sé...»

Yo creo que sí sabe. En realidad, ella no tiene amistades íntimas fuera de su familia. Sus más próximas, y de mayor confianza, son su prima, la princesa Tatiana de Radziwill, que vive en París casada con el doctor Jean Fruchaud; y su hermana, la princesa Irene de Grecia, afincada en La Zarzuela: «Vine para cinco días, cuando la muerte de Franco –me dijo un día–, ¡y me quedé cinco años! Luego, poco a poco, cada vez iban siendo más largas mis "temporadas de paso" en España. Y no sé si me he quedado para siempre, pero ¡aquí estoy!»[11]

Como a estas alturas ya sé que la reina de España, por mucha timidez que diga o que digan, tiene soltura, talento y elegancia más que de sobra para, si no le viene bien una pregunta, darme una larga cambiada, sin que se rompa el cristal de las vitrinas, me aventuro a preguntar en directo:

–¿La reina no tiene amigas?

–No.

–¿No?

–No. Amiga es una palabra mayor. Pero sí tengo muchas amistades.

–¿La reina no tiene confidentes?

–Nunca he hecho confidencias a nadie. Nunca he confiado secretos ni desahogos a nadie. No he tenido esa necesidad.

Junto a la cuestión de las amistades, afrontan también el tener o no tener corte:

«Yo decidí no tener damas de compañía. Don Juan y doña María no lo entendían. Incluso, me daban nombres. La reina Victoria Eugenia me presionaba: "Debes tener, no puedes estar desguarnecida." Mi madre tenía cuatro damas

11. La princesa Irene vive tan discretamente entre el palacio de La Zarzuela y Londres, que la inmensa mayoría de los españoles ni siquiera sabe que ella está allí. Preside de modo muy activo la fundación internacional Mundo en Armonía.

de honor, de servicio. Y a mí me bastó esa experiencia para no tenerlas. No por ellas, que eran encantadoras, y siempre atentas, sino porque te convertías en una inútil. Como todo te lo hacían, y tú tenías que estar disponible sólo para la representación, acababas no sabiendo ni escribir una carta, ni llamar por teléfono, ni qué ropa tenías en el armario. Yo me dije "Quiero valerme por mí misma". Y decidí hacérmelo yo todo. Conducía mi coche, iba por mi cuenta a la peluquería, pagaba, daba propinas, reservaba una mesa en un restaurante, o las entradas del cine. Yo llevaba a los niños al colegio, seguía sus estudios, cambiaba impresiones con las profesoras... ¿Para qué tener siempre gente revoloteando alrededor? Que hubiese una persona pendiente de mí me resultaba agobiante. ¡Y de otro siglo! De común acuerdo, decidimos los dos no tener corte. Y si, estando en un lugar, yo quería compañía o información de algo concreto, se lo preguntaba a la mujer del gobernador, o a la del alcalde, durante la visita. Y en paz.»

Y bien, creo que es momento ya de saber, de labios de la reina, cómo fueron las relaciones entre don Juan y don Juan Carlos:

«Buenísimas, mientras no hablaran de política. Si salía a relucir el tema político, inmediatamente se tensaban y resultaban muy, muy incómodas. Ahora, no hablando de eso, se llevaban muy bien: como un padre y un hijo que se querían. Jugaban al golf, iban en el barco juntos, se comían una paella... ¡todo perfecto! Pero la cuestión de fondo es que... eran rivales.

»Durante bastantes años don Juan trataba a don Juan Carlos como a un niño. No le daba importancia. Y eso no cambió hasta que Franco le nombró sucesor. Entonces se produjo una crisis muy dura entre ellos: el padre no le habló durante meses.

»Ellos se querían. Pero estaban lejos, y había gente por medio que creaba malentendidos: los del Consejo Privado de don Juan. Cuando se malmetían los *juanistas*, y el padre se enfadaba, o lanzaba un manifiesto, mi marido se ponía muy triste. Salía ahí afuera, y se iba por el jardín a desahogarse andando. Yo me ponía a su lado, y trataba de animarle.

»La contradicción estaba en el propio don Juan. De una parte, él sabía que la presencia del hijo en España, y cerca de Franco, era una marcha hacia el trono. Y de otra parte, él quería que no fuera así, sino que el príncipe preparase el terreno... para el reinado de don Juan. Y eso ni estaba en manos de mi marido, ni en la intención de Franco. (La reina hace una pausa, lo que es una respiración más honda, pero me da la impresión de que por su mente cruza, rápida como una centella, la decisión de decir algo que no traía pensado decir). Cuando nos vinimos a vivir aquí, de casados, Franco ya había más que descartado al padre. Yo lo sé bien. Don Juan Carlos habría sido feliz, de verdad, ¡feliz!, si su padre hubiera podido reinar antes que él. ¡Aunque fuese una hora! El deseo del príncipe era recibir el trono de manos de su padre, no de Franco. Pero padre e hijo jugaban cada uno su carta. Ése era el juego. Y ése era el riesgo. Ahora bien, si Franco se lo ofrecía a Juanito, él tenía que ser libre para poder decir que sí. Y ahí estaba el nudo. –Ahora baja la voz, como si no hablara conmigo–. Y ahí estaba el drama. Es que, si no, ¿qué hacíamos aquí? ¿Para qué había venido de pequeño a prepararse y estudiar? ¿Por qué vivíamos en este palacio?

»Don Juan se hacía la ilusión de que él iba a ser el sucesor. Los *juanistas* se lo jaleaban continuamente. El mismo hecho de trasladarse a vivir desde Suiza a Portugal fue para estar más cerca de España, con más facilidad de contactos.

»La situación era difícil: el hijo aquí en España, y el padre sabiéndose legítimo heredero del trono pero fuera de España. Los miembros de su Consejo querían que don Juan mantuviera la legitimidad, y ponían barricadas entre el padre y el hijo.»

Me asombra la lucidez, tan serena como implacable, con que doña Sofía analiza la *historia*. Mejor dicho, la Historia. La Historia todavía sin disecar. La Historia que, antes que carne de libro, es carne palpitante de hombre y de mujer. La tantas veces mal contada, maquillada y distorsionada Historia. Anoto en mi libretilla unas palabras recién oídas: *eran rivales... ése era el juego y ése era el riesgo... Franco ya tenía descartado al padre... malentendidos... barricadas.* Copia de seguridad, por si pasado el tiempo me vinieran dudas de que las dijo la reina. Después le preguntaré por ciertos consejeros de don Juan. Ahora atiendo: su majestad sigue hablando.

«Pero el propio Juan Carlos decía: "Mi padre es antes." Y sólo dejó de decirlo en 1969, cuando le nombraron *sucesor a título de Rey.*

»Todo era como por ósmosis. Había que averiguar, adivinar, qué pensaba hacer Franco, cómo y cuándo. Y tratar de saber cuál sería la reacción de don Juan. Todos decían que lo sabían. Pero nadie sabía nada. La alta política era una... ¿conjetura?, ¿sí?, ¡una pura conjetura! Entre el sesenta y tres y el sesenta y nueve, el príncipe y yo vivimos en La Zarzuela como dos personas sin cargo, sin función, sin rango de protocolo, sin tarea que hacer, sin asignación presupuestaria... ¡sin nada! Entre nosotros, para hablar de todos esos años, decimos "entonces, cuando no éramos nadie". Yo era lo mismo que antes de casarme: princesa de Grecia. Y punto. Y él no podía firmar siquiera como príncipe de Asturias, porque Franco lo había prohibido. Aunque... nos daba igual, y firmábamos así en nuestros viajes por todos los pueblos de España. Puedes ir a verlo, si es que guardan los libros de visitantes, en ayuntamientos, paradores de turismo, diputaciones... Y si firmábamos como príncipes de Asturias, estando prohibido, es porque él pensaba que era su padre quien iba a reinar.

»La situación era incómoda. No resultaba fácil moverse airosamente, sin saber cuándo uno se salía del terreno de juego. Hasta la designación, nosotros seguimos siendo aquellos dos jóvenes que pasaron la noche sobre un montón de maletas en el aeropuerto de Nueva Delhi.»

—No eran «nadie», pero... sabían que iban a reinar.

—¿Reinar? ¡Eso entonces era impensable! Con los pies sobre la tierra, una quimera. Bueno, sí, estaban los gestos de Franco: el hecho de estar aquí, viviendo en La Zarzuela, incluso la tribuna en los desfiles, el «viaje, alteza, y que le conozcan», todo eso era un indicio de que se nos preparaba algo para el futuro. Pero había que adivinar esos gestos de Franco. Todo eran insinuaciones, medias palabras. Durante seis años y medio vivimos dentro de una incógnita. Una incógnita, porque su padre estaba antes, su padre iba por delante. Mi marido no concebía reinar él antes que su padre.

—¿Y por qué cambia de opinión?

—No, no cambia de opinión. Hay un momento en que el príncipe sabe que Franco jamás va a permitir que don Juan le suceda. Y que, o él mismo acepta ser el sucesor, o después de Franco... quién sabe qué. Y ¡adiós monarquía! y ¡adiós democracia!

—Dicho con crudeza, majestad, don Juan Carlos se vio en el brete de que o se jugaba a su padre o se jugaba la corona...

La reina me mira abriendo mucho los ojos. Pienso que mi expresión ha podido parecerle, en efecto, carne cruda. Pero no. Su reacción va por otro registro. Es una réplica con carga. Suenan, bien modulados, graves, enfáticos y acuencados los tonos de su voz de contralto:

—¡Nunca se jugaba la corona! Desde que yo estuve en España, la cuestión de que el sucesor iba a ser él, y no su padre, porque Franco lo había descartado de modo tajante, ya estaba despejada. La única incógnita era el cuándo y el cómo y las reacciones de la designación *a título de Rey*. No teníamos estatus. No éramos «nadie». Pero su situación era ya muy estable. Y, al margen de las intenciones que tuviera don Alfonso de Borbón, y a pesar de su boda con Carmencita, llegaba tarde.

Es una declaración fuerte, que invalida muchos metros de librería de ensayos, memorias y testimonios, escritos sobre *la espinosa cuestión*. Ahora soy yo quien mira con ojos redondos de asombro. En clave menor, la reina Sofía comenta «la paradoja de que Franco fuera monárquico», a pesar de que impidió que Alfonso XIII volviese a reinar, se saltó a don Juan, y no dio paso a don Juan Carlos hasta después de su muerte:

«Era monárquico. No olvides que el rey Alfonso XIII fue padrino de su boda. Nos lo decía con la mayor naturalidad. De hecho, no abolió la monarquía. Y dejó que España fuera *un reino*. Pero él pensaba que todavía no era el momento de restablecer la democracia, ni de restaurar la monarquía. Él tenía el reloj. Y él decidía la hora.»

Ya que ha sido mencionada la presunta rivalidad de don Alfonso de Borbón, consulto a la reina si es o no cierto que, cuando Franco convocó el referéndum de 1966 sobre la Ley Orgánica del Estado –la Constitución del régimen franquista... con treinta años de retraso–, don Juan le preguntó por teléfono qué pensaban hacer ella y su esposo. Y si doña Sofía respondió: «Vamos a ir a votar. Hay que hacerlo: Alfonso también va a votar.» Eso podría ser un indicio de que, ya entonces, las posibilidades sucesorias de don Alfonso sí eran tenidas en cuenta por los inquilinos de La Zarzuela.

Ah, pero la respuesta de la reina no puede ser más sorprendente. Cuando espero un mentís político que meta la cuchilla por el flanco de «lo poco que a ellos les preocupaba don Alfonso», doña Sofía me da una razón doméstica, pero incontestable. Uno de esos argumentos que en castizo se llaman «de cajón»:

«No. Don Juan no hablaba de política con mujeres, y tampoco conmigo. Con doña María, hablaba de lo cotidiano, de la vida, de cosas de la casa. Pero no de política. Doña María era una mujer sensatísima. Muy sensitiva y perspicaz. Estaba especialmente dotada para captar las situaciones y conocer a las personas. Y el rey en eso es igual, igual, igual que su madre. Doña María fue la pacificadora. Fue una figura clave. Su presencia entre el padre y el hijo, fundamental. Nos llevábamos estupendamente. Nunca ejerció de mala suegra. Don Juan era un hombre animoso, fuerte, *muy echao pa'lante*, influenciable por su alrededor... Una cosa estupenda de él es que siempre sabías en qué plan estaba: era abierto, sin recámara, sin doble fondo, sin segundas intenciones. Para eso... ya tenía a otras personas danzando a su alrededor.

»Pero, a lo que estábamos: nosotros fuimos a votar en 1966, porque en un referéndum la familia real siempre vota. No son votaciones de partido. Son cuestiones que afectan al Estado. Hemos votado en el referéndum de la Ley para la Reforma Política, en el de la Constitución, y en el de la OTAN. Todos.

»Mi padre y la reina Victoria Eugenia sí hablaron en alguna ocasión con don Juan, acerca de nosotros y del futuro de la monarquía. Pero yo no. Nunca toqué el tema político con mis suegros. Era una cuestión muy delicada. Y como necesariamente yo tenía que ponerme de parte de mi marido, preferí mantener intacta y cariñosa la relación familiar.»

Antes, comentando la extraña condición sociopolítica de los príncipes en estos primeros años, «cuando no éramos nadie», la reina ha aludido de refilón a que tenían que «inventarse el trabajo de cada día». Ahora me lo explica:

«A falta de un cometido concreto, mi marido pensó en empezar a conocer la realidad española desde dentro, desde cerca. Se programó unas estadías en la administración pública, ministerio por ministerio. Se lo dijo a Franco. Le pareció muy bien.»

El príncipe Juan Carlos empezó a ir a los ministerios de Obras Públicas, de Agricultura, de Justicia, de Industria... Iba todos los días. Se reunía con los ministros, subsecretarios y directores generales. También visitaba las empresas públicas, los polos de desarrollo industrial, hablaba con los agricultores afectados por una concentración parcelaria...

«A partir de entonces –dice la reina–, empezamos a conocer gente que no eran ni militares ni aristócratas, sino profesionales, funcionarios, técnicos. Los invitábamos a venir aquí, a palacio. Recuerdo a Vicente Mortes, a Juan Vigón, a Cirilo Cánovas, a Antonio María de Oriol, a López Rodó, a Federico Silva, a Marcelino Oreja... Marcelino trabajaba entonces a las órdenes de Castiella. –Doña Sofía ríe pensando en algo que me va a decir–. Castiella estaba obsesionado con el tema de Gibraltar; y, además, parecía como si no hubiese otro asunto relevante de política exterior; y en broma le llamábamos "el ministro del asunto exterior".

»Fue utilísimo eso de estar tres meses en cada ministerio. Y no digamos los viajes. Mi marido empezó a conocer a la gente desde abajo, a los alcaldes, a los gobernadores civiles, a los directores generales... A los que más tarde serían la clase dirigente. Así conocimos a Suárez. Él era gobernador civil de Segovia. Fuimos a comer a Cándido. Y recuerdo que hablamos de que la monarquía o era democrática o no sería. También a Torcuato Fernández-Miranda le conocimos en esos años, cuando él estaba muy en segunda fila. Fue al primero que le oí decir que desde la Ley Orgánica del Estado, la de 1966, se podría reformar el régimen de Franco, sin necesidad de una revolución, ni de una ruptura legal. Otro fue López Bravo. Otro, Pérez de Bricio. Otro, Villar Mir (que su hija, por cierto, es muy amiga de las mías, de las infantas). Otro, Barrera de Irimo. Gente fantástica, uno por uno. Otro, Fraga. Al principio no quería la monarquía, aunque no era un hombre cerrado. No. En aquellos tiempos Fraga era de lo más abierto y liberal que había. No resultaba fácil de trato, pero sabía mucho y estaba lleno de ideas y proyectos. Todos estos hombres tenían ideas. Y tenían futuro. Era una nueva clase política civil, no militar, y no aristócratas. Además, no habían hecho la guerra. No eran franquistas. No eran ultras. Estaban deseando una democracia.»

En ese programa de conocer España sobre el terreno, recorrieron todas las provincias. Hubo sitios donde fueron muy bien recibidos. Y sitios donde les lanzaron patatas o tomates.

«En Medina del Campo, eran carlistas. Y empezaron a gritarnos: "¡¡Fuera, Borbones de Estoril!!" También los falangistas nos mandaban a la porra... y más lejos. Bueno, no todos: éramos y somos muy amigos de Miguel Primo de Rivera, que había estudiado con el príncipe. Y en el castillo de la Mota conocimos a su tía, Pilar Primo de Rivera. Nos quiso siempre mucho esa señora. Los falangistas no, pero ella sí, y era la hermana de José Antonio. La verdad es que oposición antimonárquica tuvimos en casi todos los viajes. Íbamos encontrándonos de todo: aplausos, gritos, abucheos, vivas, pitadas... División de opiniones. Había falangistas, carlistas, comunistas... Ninguno de ellos nos podía ver. Era muy interesante comprobar con nuestros propios ojos cómo estaba el patio. Y el patio estaba... que había que ganárselo. Es bueno tener que estar siempre esforzándose, sin echarse a dormir por creer que ya está todo ganado. ¡Nunca está todo ganado! Muchas veces lo pienso: ¡nunca está todo seguro! Hay que estar ahí, dale que te dale... Fue muy útil aprovechar así ese tiempo como príncipes. De otro modo no habríamos conocido al pueblo. Si nos hubiésemos encerrado cómodamente entre los adictos, habría sido estúpido... y fatal.»

–Majestad, ¿por qué dejaron Navarra para el final?

–Sí, fue el último lugar que visitamos como príncipes, porque allí había mucha agitación. Los partidarios de don Javier y los de don Carlos Hugo se movían mucho. Pero también aquí, en Madrid, ibas a un teatro y te salían con gritos, ellos mismos. Eran bastante pesados esos «pretendientes», porque ni estaban dentro de las previsiones sucesorias dinásticas, ni entraban en las expectativas de Franco, que los consideraba extranjeros. Montaron un acto político en Valvanera, y Franco expulsó a toda la familia Borbón-Parma. Hacían ruido pero no inquietaban. En Pamplona estaba todo más removido, por eso fuimos ahí al final.

En ese tiempo el príncipe va recibiendo en La Zarzuela a personalidades del mundo de la cultura, la ciencia, la política, la diplomacia, la economía, que le informan de distintos aspectos de la realidad nacional e internacional. La princesa se apunta a muchas de esas charlas: «Eran por las mañanas, en el despacho de don Juan Carlos. Más que clases, la oportunidad de conocer los campos que esas personas dominaban: lo mismo la energía nuclear que el funcionamiento de las Cortes. Recuerdo a Jesús Pabón, a López Rodó, a Enrique Gutiérrez Ríos, a Otero Navasqüés.. ¡Ayyy, qué rabia me da...! ¿Cómo puede ser que se me vayan los nombres de la memoria y esté viéndoles a ellos, con sus caras, como si fuera ahora mismo? Me gustaría no olvidar a ninguno. ¡Fue tan interesante lo que aprendimos entonces!

Pregunto a la reina si le chocó la militarización política que había en la España de los años sesenta que ella conoció. Y me contesta:

«A mí, los uniformes militares, los galones, los entorchados, los sables colgando junto a la pierna... todo eso me era familiar, no me era extraño. Lo había visto desde niña en palacio, siendo rey mi tío Jorge, o siendo rey mi padre. Lo militar era para nosotros... –se pasa la mano derecha por el brazo izquierdo, como recorriéndolo a palpas, de arriba abajo– una segunda piel. ¡También mi marido era militar! Le vi muchísimas veces vestido de uniforme. Y no por eso pensaba yo que nos fuéramos a la guerra. Yo no desconfiaba del ejército. La sorpresa, el shock, me lo llevaría en el sesena y siete, cuando el golpe de los coroneles contra mi hermano Constantino. Y luego aquí, en el ochenta y uno, con el 23-F. Hasta entonces, confianza total. Los militares, en general, siempre me han parecido gente honrada, gente honesta, con virtudes, con disciplina... Ahora bien, mi padre, en Grecia, tenía gobiernos de civiles.

»Pero no hacía falta ser una experta, para entender dos cosas: una, que la gran mayoría de los militares en España eran franquistas, y no iban a ser precisamente ellos los que hicieran el cambio de régimen. Y otra, que los ejércitos se rigen por las órdenes del superior. Hay jerarquía. Hay "ordeno y mando". No hay democracia.

»Así que, para cambiar de régimen, habría que tener en cuenta a los militares, pero no podrían hacerlo los militares. Esa tarea era civil: de los políticos, de los partidos. Por eso, cuando Gutiérrez Mellado entra en el gobierno de Suárez, deja el uniforme fuera.»

–Tengo entendido que disgustó mucho a vuestra majestad el que la reina Margarita de Dinamarca (a pesar del parentesco) pusiera remilgos a venir a España, en 1975, cuando don Juan Carlos accedió al trono, porque en el nuevo rey de España veía al *sucesor de un dictador*...

–Hay que distinguir: más que la reina de Dinamarca, era el gobierno danés. Y eran los gobiernos de media Europa, que nos pusieron el *veto* político hasta que vieron que la democracia iba en serio.

–López Rodó me ha contado que por esas fechas vuestra majestad le comentó: «Ya ve usted, la reina de Dinamarca puede ir a un país comunista como la URSS, donde no hay libertades; y en cambio su gobierno le desaconseja venir a España, donde no existe una dictadura de ese tipo.»

–Sí, es posible que se lo comentara.

–Para vuestra majestad, ¿la España de Franco no era una dictadura?

–En cuanto que faltaban las libertades de prensa, de expresión, de reunión, de asociación, de manifestación..., era una dictadura. En cuanto que estaban prohibidos los partidos políticos y los sindicatos, era una dictadura. Y en cuanto que se hacía lo que mandaba Franco, y que él tenía todos los poderes, era una dictadura. Pero, cuando yo vine, en el sesenta y tres, no vi purgas, ni represiones brutales, crueles... Excepto, y muy subrayado, las penas de muerte de septiembre del setenta y cuatro. Claro que, ley en mano, aquí había pena de muerte. A mí me parece horrible, inhumana, me repugna. Y mi marido trató de interceder para que no los fusilaran... Pero, insisto, excepto eso, y que faltaban todas las libertades políticas, la España que yo conocí, más que una dictadura, era una *dictablanda*.

»Franco era un dictador, pero no un tirano. Entre otras cosas, ya no necesitaba serlo. Y no se había producido un cambio político, sino un cambio social y económico: el franquismo favoreció la subida de las clases medias. Ya no había aquellas tremendas diferencias entre la aristocracia y la gente del pueblo. Había mucha clase media, de pequeños empresarios, de profesionales, de funcionarios. Ellos eran los que estaban entonces al frente de la política: eran procuradores, o alcaldes, o gobernadores, o incluso ministros. Y ahí empezaba a haber ideas progresistas. Bueno... así lo veía yo.

El 20 de diciembre de 1963 nace la primogénita de los príncipes, la infanta Elena, en la clínica de Loreto, en Madrid. Atienden a doña Sofía en el parto el doctor Mendizábal, su ayudante, Olmedo, y el médico de cabecera de la familia real griega, Thomas Doxiades. La matrona es Elvira Morera y la enfermera se llamaba Pilar.

Como me extraño porque el rey Pablo hubiese estado una semana en Madrid, pero no en el momento del alumbramiento, ni tampoco en el bautizo, la reina me aclara que no había fantasmas detrás:

«Tiene una explicación sencilla y tonta, de padres novatos: habíamos hecho mal las cuentas. Y como entonces no había ecografías, creíamos que el niño o la niña (no sabíamos tampoco) nacería el 6 o el 7, y aún tardó quince días más. Mi madre y mi hermana vinieron en noviembre. El rey Pablo llegó el 5 de diciembre. Por cierto, de modo excepcional, Franco fue al aeropuerto a recibirle. No lo había hecho, que yo sepa, más que con Eva Perón y con Eisenhower. También, por deferencia de Franco, mi familia se alojó en el palacio de La Moncloa. Lo que pasó es que, en vista de que la niña no nacía, el rey Pablo tuvo que regresar a Atenas, porque el 11 de diciembre debía presidir la apertura del parlamento. Y ya no volvió a Madrid.»

Pues, ciertamente, todo eso fue así. Pero había además una razón de dignidad política gravitando en el ánimo del rey Pablo: un año antes, en octubre de 1962, el jefe del Gobierno griego, Constantino Karamanlis, que se oponía a un proyectado viaje oficial de los reyes a Inglaterra, envió al monarca un insólito pliego de cargos, censurándole «seis puntos, en sí mismos insignificantes, pero que podrían dañar la popularidad del monarca». Entre esos seis puntos, reprochaba al rey su «vida de ostentación» y sus «demasiado frecuentes salidas al extranjero». Pablo de Grecia, en una somera pero contundente réplica, recordó a su primer ministro que la monarquía griega era la menos ostentosa del planeta: «Yo no dispongo siquiera de un yate real; y en mis viajes oficiales por las islas y costas de Grecia, utilizo un buque de guerra. Asimismo, para mis desplazamientos por carretera, voy en jeep.» También citaba el rey la reciente donación al Estado de una finca privada, de la reina Federica en Polidhendri, al este de Larissa, para que ahí se estableciesen unas granjas-escuelas.[12] Esa finca se la habían regalado a la reina Federica cuando se casó. Pero, con todo y con eso, la celebración de las bodas de plata de Pablo y Federica habían sido deliberadamente «austeras». Y ahora el monarca regresaba de Madrid a Atenas sin estar presente en el nacimiento de su primera nieta, Elena.

«Franco admiraba a mi padre –continúa la reina–. Se entrevistaron en El Pardo, antes del nacimiento de la infanta Ele-

12. *Cfr.* Príncipe Miguel de Grecia y Alan Palmer, *The Royal House of Greece*. Weidenfield and Nicolson Ltd. Londres, 1990.

na. Mi madre fue también. La reina Federica llegó a tener una relación fluida y frecuente con Franco. Yo misma la acompañé a El Pardo dos o tres veces.

»En esta ocasión de 1963, hablaron de la guerra mundial, de las guerras civiles en España y en Grecia, de historia, de sociedad... A mis padres les sorprendía que, cuando preguntaban algo al *caudillo*, él relataba y contaba una larguísima historia, su historia, en una especie de monólogo, como si recitara un discurso... Después se callaba, y ni daba pie al diálogo ni preguntaba nada.»

En este momento, me acuerdo del comentario que le escuché a la princesa Irene –en su castellano chapurreado–, como síntesis de la impresión personal que le causó el *generalísimo*: «Después de estar con él, no sabías más de él que lo que sabías antes. Me pareció muy prudente, muy silencioso... *very callao.*»

«He tenido siempre muy buenos partos –me dice la reina, que pocas veces se distrae de la vereda del relato–. Cuando nació Elena y me la pusieron encima, mi reacción fue un poquito posesiva: "¡Esta niña es mía!" Y luego, una alegría que no sabría expresar: "En el mundo hay un nuevo ser vivo, alguien distinto de todos, alguien distinto de mí, alguien que no me pertenece... ella tiene ya su vida propia, y yo he sido el vehículo para que esté aquí." Me impresionaba el parecido. Es un misterio: Elena, a la que yo había llevado dentro como si fuese algo mío y sólo mío, ¡se parecía a su abuelo paterno!

»Habíamos contratado a una nurse inglesa. Pero a la niña la lavaba yo, la vestía yo, la dormía yo, y todo yo... bueno, también él, el príncipe, le daba algún biberón, o la cogía si lloraba. La nurse se aburrió de estar de brazos caídos, y se marchó a los pocos meses. Después vino otra, Christine Pople, inglesa también, que estuvo cuatro años con nosotros, hasta que se casó.»

–Majestad, ¿por qué «Elena»? ¿Por cuál de tantas reinas *elenas*?

–Por ninguna reina. Por nadie. Es una historia de mi marido y mía. Es una tontería, pero nunca lo he contado.

–Alguna vez tendrá que ser...

–Era una cosa entre mi marido y yo, que nadie entendía, pero que nos gustaba a nosotros. Toda la familia nos preguntaba, lo mismo que has hecho tú: «¿Y por qué Elena?» Ninguna de las abuelas se llamaba Elena. Y nosotros: «Porque nos gusta.» La verdad es que yo, de pequeña, tenía una muñeca, que no era mía sino de mi hermano Tino, y como él no le hacía mucho caso, se la quité. Le puse Helen, Elena. En griego, *Eleni*. Y me decía a mí misma: «Cuando yo sea mamá tendré una niña que se llamará *Eleni*, Elena.» Un día se lo conté a Juanito, y él me dijo «Pues así será». Y ésa es la historia.

–La infanta se llama Elena María Isabel Dominica de Silos y de Todos los Santos... ¿Por qué «Dominica de Silos»?

–¿Por qué? Porque en España es costumbre poner el nombre «del santo del día», y mi hija nació el día de santo Domingo de Silos. El del monasterio del ciprés...[13]

»Pensamos el príncipe y yo que el bautizo era una buena ocasión para que su padre viniera a España. Hacía más de treinta años que no estaba en Madrid. Mi marido se lo dijo a Franco: "Mi general, quiero que venga usted al bautizo de mi hija, y he pensado invitar también a mis padres." Como solía hacer, se lo dio hecho. Y Franco asistió, aunque sabía que iba a encontrarse con don Juan. Luego no hubo nada entre ellos: un par de frases corteses y triviales. Pero ni un aparte, ni nada. A Franco no le interesaba hablar con don Juan.

–¿Se impresionó don Juan, cuando volvió a La Zarzuela?

–No. Lo recorrió todo con mucha naturalidad: «Esto an-

13. Domingo de Silos (1000-1073), monje benedictino, fue abad-gobernador del monasterio de San Sebastián de Silos, en cuyo patio claustral hay un ciprés solitario, que inspiró un magnífico soneto a Jorge Guillén: *Enhiesto surtidor de sombra y sueño / que acongojas el cielo con tu lanza...*

tes estaba así, o asá... aquí no había estos árboles... para nosotros, era un simple pabellón de caza...» Don Juan, si era sentimental, lo disimulaba.

»Mi anécdota fue que, en la primera comida, quise esmerarme delante de mis suegros y les hice un *souflé* de chocolate. Pero, llegado el momento, aparecí con una bandeja preciosa, y arriba un *souflé* marrón oscuro, oscurísimo... ¡completamente carbonizado! Quedé fatal. Se rieron mucho de mí. Y todos tan contentos.

El 13 de junio de 1965, y también en Madrid, en la clínica de Loreto, nace la segunda hija de los príncipes, que se llamará Cristina Federica Victoria Antonia de la Santísima Trinidad... y de Todos los Santos. El bautizo se celebró en La Zarzuela, y los padrinos fueron la infanta doña Cristina de Borbón y Battenberg, condesa de Marone, y don Alfonso de Borbón Dampierre, tía y primo paternos de don Juan Carlos.

«Mi marido –comenta la reina– se disgustó, porque don Juan no vino al bautizo de Cristina. Había ocurrido un incidente, no recuerdo cuál, pero de ésos en los que el Consejo Privado malmetía...»

Pregunto a doña Sofía cuál era su relación con ese núcleo político, esa oficina de estrategias de don Juan, al que Franco llamaba *consejo de rabadanes*. Por un instante, se le endurecen las facciones: frunce el entrecejo, tensa los pómulos, la línea de los labios se le adelgaza al apretarlos con fuerza, y su mirada azul se ha puesto de repente anochecida. Voy a hacer ademán de pasar a otra cuestión, pero su majestad ya está contestándome. Su voz me suena a deliberadamente ajenizada:

«Mis relaciones con esos señores fueron las que marcan las normas de la buena educación y del trato social. Realmente, yo tenía muy poco que hablar con ellos. Ni de política, ni del futuro de la Corona española, ni de nada. ¿Para qué? Ellos ya tenían su idea preconcebida sobre la sucesión en el trono. Y su idea preconcebida sobre mí. De mí decían

"El príncipe se ha casado con una hereje". Y eso era muy duro. Funcionaban con los clichés que había en la vieja España de aquellos años. ¡Montañas de prejuicios! Yo tuve que sufrir más de uno y más de dos... Por ejemplo, en una ocasión, uno de estos personajes, en las vísperas de mi boda, un día allí en Atenas le preguntó a mi madre: "Majestad, ¿la princesa Sofía sabrá comportarse y hablar con gente mayor, cuando vaya a España?" Bueno, la reina Federica se echó a reír por quitarle hierro a la impertinencia. Y, encima, le tranquilizó: "Sí, pienso que sí. Mis tres hijos, el príncipe y las princesas, han crecido en la corte, y se han educado en palacio, siempre entre personas mayores que ellos, y desde muy niños saben tratar con personajes de la vida pública griega, etc., etc., etc." ¡Tenían miedo de que yo fuese una princesa muy rara, de un país perdido, y que no supiera portarme en sociedad!»

Hoy la conversación ha sido larga, importante, de alto voltaje. En ciertos tramos, inesperada. Toda ella, inédita y reveladora. Bajo de La Zarzuela con la sensación –y la emoción– que conozco bien por mi oficio, de llevar en mi libreta una gran exclusiva, un bocado sólido, un manojo de verdades «sensibles», que hasta hoy no se habían dicho nunca, que estaban por decir: confidencias de una reina «que nunca hace confidencias». Sí, hoy la reina, echándole raza, le ha levantado la corteza al cartón piedra de la Historia, y me ha dejado ver las cosas tal como eran, no como hasta ahora nos las habían contado.

De todos modos, hay algo que no consigo entender. Tiene que ver con una fotografía. Cuando hoy me hablaba de don Juan de Borbón, yo le he comentado el impacto que produjo en los *mass media* la toma televisiva de aquella escena del entierro del conde de Barcelona, cuando ella, junto al rey que a duras penas contiene las lágrimas, rompe a llorar sin recato, y de pronto le echa el brazo a él por la espalda, hasta el hombro, y ahí le aprieta... como una reina compañera de su compañero el rey. Y cuando estaba yo diciendo «Con esa foto, vuestra majestad, se metió a medio mundo en el bolsillo, esa foto de la reina llorando...», me ha interrumpido de un modo desconcertante: «¡Esa foto es horrible. No me gusta nada, nada, nada. No entiendo por qué la gente...!»

¿Qué es lo que le disgusta de esa fotografía? ¿Que la hayamos visto llorar? ¿El gesto de arrimarse al rey? ¿O qué? Aprovecho el stop del control de la Guardia Real, ya a la salida de La Zarzuela, para anotar, rápido, que no se me olvide: *¿por qué es «horrible» la fotografía de las lágrimas en el entierro de don Juan?*

Cuando vuelvo a palacio ha pasado casi un mes. La última camada de ultras, neofalangistas, neonazis, cabezas rapadas y otros géneros temibles de gamberros urbanos militarizados andan de jarana tiesa, blandiendo banderas, gritando estentóreos sonidos hostiles a no se entiende qué, y haciendo sonar los cláxones de los coches de sus papaítos por todo Madrid: hoy es 20 de noviembre. 20-N, pues. Hace veinte años que murió Franco. Y José Antonio. Y estos cachorros de la ira lo conmemoran a su manera. En tiempos de Franco, tal día como hoy se organizaban unos funerales impresionantes por José Antonio y por todos los muertos de la guerra civil, en el Valle de los Caídos, cerca de El Escorial, con gran aparato de himnos falangistas, banderas rojinegras y rojigualdas, camisas azulmahón y boinas rojas. Franco asistía. Solía llevar capote militar caqui y una boina con las estrellas de capitán general. Una extraña mezcolanza. Pero... él era el jefe.

La reina me ha contado que el príncipe también asistía, y el gobierno en pleno, y los procuradores y los consejeros nacionales, y los presidentes del Tribunal Supremo, del Tribunal de Cuentas, de las Cortes... «Pero una vez, en 1974, cuando mi marido fue a quedar con Franco para ir juntos al funeral, el *generalísimo* le dijo: "No, alteza, no hace falta que venga." Y fue el último año que se celebraron. Al siguiente, ese mismo día moría Franco.»

Mientras espero, en la salita verde manzana de La Zarzuela, observo que han cambiado de lugar la porcelana blanca del *Rapto de Europa*, y en la hornacina han puesto una pequeña ánfora griega, rescatada del mar, con guijarros y pechinas y caracolillos adheridos. Hay claveles reventones en un jarrón de cristal.

La reina viste un conjunto cómodo. Lo que entre mujeres decimos «va de estar por casa, pero arreglada». Falda recta negra, y un jersey largo, grueso, gris plata y negro. Luego tendrá una reunión de trabajo con el rey y el príncipe.

No sé cómo ha arrancado hoy nuestra conversación, pero sí que a poco de sentarnos en los sillones blancos de siempre, le he pedido que me indicara los grandes hitos del reinado y de su vida junto a Juan Carlos de Borbón. Con una pasmosa facilidad de síntesis –no de reducción ni de jibarización de la Historia–, y como si lo trajera ensayado, me ha dicho: «Primero, la designación del príncipe como *sucesor a título de Rey*. Ese hecho fue clave, *sine qua non*, sin esa decisión de Franco él no habría ni llegado a jurar como rey. Segundo, la transición política: que se pudiera ir de la dictadura a la democracia; que eso se hiciera contando con todos los españoles y sin excluir a nadie ni dejar a nadie fuera de la legalidad; que eso se hiciera "yendo de la ley a la ley", como decía Torcuato; y sin revanchas ni violencias. Y tercero, que los socialistas pudieran llegar al poder, y gobernar en una monarquía. Para mí, son ésos los tres hitos históricos. Bueno... ahí habría mucho que matizar.»

Esta mujer es inteligente, esencialista, profunda. Va al grano. No se pierde en oropeles como la jura del rey ante las Cortes, importantes, pero «oropeles»; ni en accidentes fuera de programa como la intentona golpista del 23-F, graves, traumáticos, pero «accidentes». En cierta ocasión me dijo: «Me apasiona la política; pero no los chismes, sino observarla desde fuera, analizarla, estudiarla.» Hoy agrega: «Es curioso, dicen que ahora estoy más presente en la vida pública. Sin embargo, yo actuaba más antes, cuando no había Constitución. Ahora todo está debidamente establecido, reglado, limitado, tasado. Tienes tu baldosa, y ahí te tienes que mover.»

Recuerdo que, en aquellos tiempos que ella misma ha calificado de «cuando no éramos nadie», durante el franquismo, se decía de modo barato «la lista es ella». Y sobre Juan Carlos se hacían chistes facilones. López Rodó me ha contado que, estando reunidos una vez en consejo de ministros, uno de ellos comentó «La que es muy inteligente es la princesa». Franco intervino con energía –cosa inusual en él–, le cortó y le dijo: «No caiga usted en la trampa: ¡el príncipe es muy inteligente!»

Han transcurrido muchos años y han ocurrido muchas cosas: todo el mundo sabe hoy que el rey Juan Carlos es un lince, y que tiene una inteligencia rápida, un portentoso disco duro de memoria, una percepción de radar para detectar anomalías y peligros, y una humanidad caliente, con valor y con gracia, para salir al paso de los estados de ánimo o desánimo del cuerpo social. Son otros sus defectos. O más exactamente, sus descuidos. Pero... nadie le pide al rey que sea un santo. Bástele al rey ser rey... en todo momento. La cosa es que ya nadie medianamente ilustrado pone en duda el talento de don Juan Carlos. Y hasta la propia reina puede hoy bromear, pero justo en los antípodas de aquel ministro de Franco, sabiendo que no hace daño.

Así, aunque es muy mala contadora de chistes («Siempre los empieza por el final, se ríe antes de hora, a mitad del chiste se olvida de cómo acababa: los destroza; y toda la familia le toma el pelo por esto», me contó su prima Tatiana de Radziwill), recientemente contaba uno que le hacía desternillarse de risa: «¿Qué hay detrás de una mujer inteligente?... Un hombre asustado. ¿Y detrás de un hombre in-

Presidiendo una reunión del Patronato de la Fundación Nacional contra la Droga. A la derecha de doña Sofía, Manuel Gutiérrez Mellado.

En la Casa Blanca con Nancy Reagan.

Almorzando en El Pardo con Raisa Gorbachova.

El discurso de doña Sofía en la Conferencia Mundial
sobre la Mujer (Ginebra, 1992).

En la Casa Blanca con Hillary Clinton (1993).

Con Juan Pablo II en el Vaticano.

Con Montserrat Caballé.

Durante un viaje en coche por los altiplanos de Bolivia, doña Sofía sacó una polaroid a un niño, al que luego se la regaló.

teligente? Una mujer... ¡asombrada!» Ella puede al fin desquitarse, sabiendo que no hace daño.

El 30 de enero de 1968 nace en Madrid el tercer hijo de los príncipes, y primer varón.

Le pregunto a la reina si es cierto que, pensando en el nombre del recién nacido, Franco aconsejó a don Juan Carlos: «Mejor un Felipe que un Fernando: los *felipes* están más lejos que los *fernandos*.» Y me responde:

«A Franco no se le consultó. Lo decidimos entre nosotros. Pero ese comentario de Franco no lo rechazo. Le pega mucho. Pudo haberlo hecho, aunque después. Nosotros dos pensamos llamarle Felipe por Felipe V de Anjou, que fue el primer Borbón. Ningún rey había dado continuidad a ese nombre. Y ahora venía bien afirmar la tradición. También había otros Felipes, de Habsburgo. Y en Grecia el rey Phillipos. Pero nuestro hijo se iba a llamar así por el primer Borbón. No teníamos un especial interés, ni mucho menos inquietud, porque fuese niño. Si no nacía un varón, como en España no hay Ley Sálica, en su día podría reinar una mujer. Además ¿quién me iba a decir a mí, con veintinueve años, que ése iba a ser mi último hijo? Yo esperaba tener más, podía tener más, y quería tener más. Pero... no vinieron. Hemos tenido los que Dios nos mandó. Tres. Mis padres también tuvieron tres: los que Dios les mandó.» A la gente sí le interesaba.

Nace también en la clínica de Loreto. El rey brinda con los periodistas que cubren allí la información. Y entre la gente de la calle se «sabe» que el que ha nacido es «el heredero»... aun cuando su padre todavía no ha sido designado sucesor.

«Ese enero del setenta y ocho fue importante para nosotros, porque el príncipe Juan Carlos cumplió los treinta años, edad mínima para poder ser sucesor, según la Ley de Franco, y por el nacimiento del hijo varón. Visto fríamente, ninguno de esos dos hechos tenía por qué influir en Franco. Pero lo cierto es que las dos cosas pesaron, para que él hiciera cuanto antes el nombramiento. Fue al año y medio.»

El pequeño príncipe se llamará Felipe Juan Pablo Alfonso y de Todos los Santos. Para el bautizo traen del convento de las dominicas de Madrid la pila bautismal de santo Domingo de Guzmán.[14] Y además de Franco y de don Juan, que es el padrino, asiste como madrina la reina Victoria Eugenia.

La reina vivía exiliada en Lausana, y no había regresado a España desde que, proclamada la II República, «salió por Cartagena» el 15 de abril de 1931 con sus hijos y su esposo, Alfonso XIII.

Procedente de Montecarlo y Niza, llega en avión a Barajas, a las cuatro de la tarde del 7 de febrero de 1968. A pesar de que es en día y hora laborable, y que no hay la menor propaganda, ni avisos, ni ambiente oficial alguno, entre la ciudadanía se produce de modo espontáneo un recibimiento multitudinario de monárquicos fervorosos, que aprovechan la ocasión para exteriorizar su credo político: lanzan vítores, aplauden, agitan banderitas y pañuelos blancos... o lucen en los coches algún *affiche* de confección casera con un *Viva la Reina* o un más audaz *Viva el Rey Juan III.* Franco, temiendo esa exaltación popular, rehúsa acudir al aeropuerto: «Comprended, alteza, que no puedo comprometer al Estado con mi presencia», le ha dicho al príncipe, y éste no ha podido menos que contestarle: «¿Acaso no lo ha comprometido ya con la monarquía?»

«Lo vimos por televisión, en diferido –dice la reina, recordándolo ahora–. Me pareció que era muy poca gente. Sólo monárquicos. Como si el monarquismo fuese un partido. Vi también un poco de excitación, de histerismo... En-

---

14.   Desde Felipe IV, es tradición de la familia real española bautizar a sus neófitos en la misma pila donde fue bautizado santo Domingo de Guzmán (1170-1221), fundador de la orden dominica de predicadores.

tiendo que, en tiempos de Franco, había que tener valor para ir a manifestarse y a decir que se estaba con la monarquía. Pero... esa escena del aeropuerto la recordé años después, en 1981, cuando el entierro de mi madre en Grecia, en Tatoi: también había un grupo de gente, un grupo monárquico, con histerismo, con aplausos y gritos que no eran serenos. Y no me gustó. En las dos ocasiones, vi expresiones partidistas, y la monarquía tiene que estar al margen de las ideologías: no puede ser clasista, ni mucho menos sectaria. Ha de ser constitucional, y para todos. Si vale, si sirve al pueblo, permanece. La gente la quiere. La monarquía no pueden defenderla unos cuantos fanáticos monárquicos: es del pueblo, la tiene que defender todo el pueblo, si la aprecian, si saben que está para servirlos a ellos. Pero, si no es así, si no les sirve, si no la quieren, si creen que es clasista y para unos cuantos aristócratas, es lógico que quieran cambiarla por otra cosa.»

Son palabras valientes, y suenan bravas en boca de una reina. Pero no son sino el corolario del lema *mi fuerza es el amor de mi pueblo*, que es lo que ella vio vivir a su padre.

Volvemos al bautizo del príncipe Felipe, y a las mil interpretaciones que se hicieron sobre la presencia conjunta de la reina Victoria, don Juan, don Juan Carlos, Franco... Analistas e historiadores han querido leer las entrañas del ánade, queriendo ver un oráculo en tales o en cuales palabras de la anciana reina de España, un gesto de preferencia que inclinase la balanza decisoria de Franco. Pero doña Sofía es tremendamente realista y tozuda en mantener aquello que tiene bien comprobado. En este caso, ella sabe que no era la reina Victoria Eugenia quien iba a designar al sucesor. Esa prerrogativa, que Franco se había dado a sí mismo, no la cedía a nadie. Además, él ya tenía elegido a su *delfín*. Y ni la codicia familiar ni las descaradas presiones de ultimísima hora le harían modificar su designio.

La reina mira a su alrededor, y exclama:

«¡Si estas paredes pudieran hablar! Franco se emocionó viendo a la reina Victoria Eugenia: era un sentimental. Yo estaba muy cerca de él y vi cómo le brillaban los ojos. Esa tarde aquí él se encontraba más suelto, menos envarado, que cuando el bautizo de Elena. Les facilitamos una salita para que estuviesen los dos solos. Y como Franco no era tonto, debió de entender la escena. Sobraban las palabras.»

Le comento a doña Sofía la versión que con más éxito ha circulado sobre ese mano a mano entre la reina y el *caudillo*. Carlos Seco Serrano aseguró que Jesús Pabón, miembro del Consejo Privado de don Juan, presente en el bautizo, le contó que la reina dijo a Franco: «Ahí tiene usted a los tres, general: escoja.» Después, Luis Suárez, Paul Preston, Federico Silva, Ricardo de la Cierva, y cuantos han analizado este pasaje de la Historia española han dado por buena esa frase de Victoria Eugenia. Curiosamente, esa frase en sí ni prejuzgaba nada ni predesignaba a nadie. De ser cierta, todo lo más habría sido como un apremio regio a Franco para que él escogiera, sólo que –y aquí estaría el *quid absurdum*– ampliando el abanico de los candidatos... y dilatando aún más en el tiempo la elección. Eso mismo la hace increíble. López Rodó, incapacitado para fabular, como buen catalán, me ha contado: «La versión que yo tuve fue la de Camilo Alonso Vega, que estaba en el bautizo. Él me dijo: "En esa conversación con Franco, la reina Victoria Eugenia se inclinó por su nieto." Pero Alonso Vega no estuvo dentro de la salita. Claro que, año y medio después, en el consejo de ministros del 21 de julio de 1969, en el que sancionamos la propuesta a las Cortes del nombramiento de Juan Carlos como *sucesor a título de Rey*, el propio Franco nos dijo más o menos lo mismo: "El año pasado, cuando estuvo en Madrid la reina Victoria, y tuve una conversación con ella, me dio a entender claramente que sus preferencias estaban del lado del príncipe don Juan Carlos." Que se lo diera a entender o no, yo no puedo asegurarlo. Pero sí que Franco dijo eso, porque en ese consejo de ministros estaba yo, y tomé buena nota.»

Por su parte, *Pacón* Franco Salgado-Araujo dejó constancia escrita de que, despachando con su primo, el *caudillo*, el 3 mayo de 1969, le comentó: «Estoy de acuerdo con su manera de pensar [de la reina Victoria] en relación con la monarquía española. Ella defiende constantemente la institución, sin hacer hincapié en determinada persona de los herederos de su marido. Jamás ha sido hostil a la idea de que el heredero fuese Don Juan Carlos. De estos asuntos hablé con ella cuando estuvo recientemente en Madrid.»[15]

Luis María Anson[16] niega –y no sin razón– el valor de los testimonios de Pabón y de Alonso Vega, porque no estuvieron delante. Y pone más que en cuarentena la afirmación de Franco, reclinándose en un supuesto refrendo moral de la reina Victoria, toda vez que cuando se lo dice a su primo y secretario, el 3 de mayo, y cuando lo asevera ante sus ministros, el 21 de julio, ya nadie puede desmentirle: Victoria Eugenia había muerto en su casa de Lausana, Vieille Fontaine, el 15 de abril.

Sin embargo, el mismo Anson relata estupendamente una conversación que sostuvo con la anciana reina en Vieille Fontaine –por cierto, también ante un testigo ya enmudecido por la muerte: Luis Fitz-James, duque de Alba– en la que doña Victoria Eugenia negaba haber propuesto a Franco que eligiera entre los tres: «Hubiera escogido al *baby*.» Pero dice de qué habló con el general: «Sí, ya sabes, como todo el mundo habla de mi predilección entre mis nietos por Alfonso, le dije que encontraba a Juanito cada vez más maduro y preparado. Maduro y preparado, eso fue todo.»[17] Pues bien pudo ser «eso todo». ¡Y no era poco: un señalamiento en toda regla!

15. Francisco Franco Salgado-Araujo. *Mis conversaciones privadas...*, pp. 548-549.
16. Luis María Anson. *Don Juan*, Plaza & Janés, Barcelona, 1994, pp. 20-21.
17. Ibídem, pp. 21-22.

La reina Sofía me ha escuchado hasta el final, más que con paciencia, con interés: como si oyese todo esto por primera vez. Ahora va a hablar:

«Imaginaciones, conjeturas... Lo que yo recuerdo de aquella tarde es que la reina Victoria Eugenia dijo: "He venido para el bautizo de mi bisnieto. Estoy muy emocionada de ver a toda la familia junta. Y de saludarle a usted." Esto último, mirando a Franco. Pero sobre la elección sucesoria, sinceramente, no creo que Victoria Eugenia se metiese... donde no le llamaban. Siempre he pensado que no conversaron de nada trascendente. Lo importante, lo trascendente, era la propia situación. La elocuencia estaba en el hecho mismo, en el gran suceso de que la reina de España volvía a su país. Y ¿qué es lo que hacía posible que volviera? Sobraban las palabras. Hablar era superfluo. ¡El hecho bastaba!»

Y, por si no lo he entendido bien, explica:

«Franco podía haber dicho que no viniese la reina Victoria Eugenia. Pero le convenía, para que la sucesión fuese en mi marido. La venida de la reina lo hacía más fácil, porque era una muestra clara de que ella, estando en el exilio, aceptaba que Juan Carlos estuviera en España, y junto a Franco.»

Repasando la galería del generalato de esos años, donde los había bien monárquicos –García Valiño, Castañón de Mena, Lacalle Larraga, Martín Alonso, Abárzuza, Rodrigo, Barroso...–, comenta la reina, como si pensara en voz alta: «No, sí... Carrero era partidario de que don Juan Carlos fuese el sucesor. Otro destacado general era Muñoz Grandes. Franco le había ascendido a capitán general, y eso era el no va más. Yo me llevaba bien con él... Sí, cierto: coincidimos en algunas cacerías. Agustín se llamaba: era un viejecito agradable, aunque tenía fama de poco hablador, de ensimismado... Pero a mí me trataba con simpatía. Me decía: "Señora, voy a fumarme un pitillo, ahora que no me ven. ¡No se lo diga a mi mujer!" Tenía estas complicidades conmigo. A mí me divertía, y eso a él le gustaba.» En torno a él sí que se organizó cierto movimiento con algo de entidad: *los regentistas*.

El episodio de Muñoz Grandes, y la nonada de prestarse a esas «complicidades» inocentes del cigarrillo a escondidas, me han traído a la mente un par de anécdotas triviales, pero que retratan con fidelidad esa condición, más que pacifista, pacificadora y tiendepuentes de la mujer Sofía de Grecia.

Una sucedió en Praga, en mayo de 1991, y me la contó la princesa Tatiana de Radziwill, que acompañaba a la reina en aquel viaje: «Fuimos a visitar un orfanato, llamado Olga Havel por la mujer del presidente checoslovaco, que también vino con nosotras. Unos niños le enseñaron a la reina, con mucho orgullo, a "su compañero": un ratón blanco. Entonces, otros chiquitos del orfanato dijeron que ellos tenían "también un compañero, y más grande, y más fuerte": y trajeron en brazos un gato blanco y negro, que debía de tener pocos meses. La reina se puso a acariciar al ratón, y luego al gato. De pronto les dijo: "¿Por qué no los juntáis?" Y los pequeños gritaban: "¡No, no, no! ¡El gato se comerá al ratón!" Ella insistía: "Siempre nos han contado que son enemigos... Pero no todos los ratones y los gatos tienen por qué ser enemigos. Si a estos dos, que son pequeñitos, y nadie les ha venido con cuentos todavía, los juntáis... ¡a lo mejor se hacen amigos! ¿Lo intentamos?" Los críos recelaban. Sofía se sentó, tomó a los animalitos, los puso en su regazo, y dejó sencillamente que se vieran, que se olisquearan... Los niños estaban embobados, contemplando una escena única, increíble: ¡el gato y el ratón blanco se besaban en los hocicos, como auténticos amigos!»

La otra anécdota me la relató Montserrat Caballé: «Esto era en 1985. Tuve que subir a La Zarzuela para tratar con su majestad de algo relacionado con la música, no recuerdo qué, porque he estado en palacio muchas veces para cosas diferentes. Aquel día yo estaba bajo el shock emocional de que en Nueva York acababan de detectarme un tumor... maligno. La verdad es que no me sentía capaz de sentarme a trabajar en ningún proyecto. Estaba bastante afectada, trastornada por la noticia. Y se lo conté a la reina. ¡Qué inyección de ánimo, la que me puso con sus palabras! "No te preocupes. No hagas caso. Vive tu vida como si nada. No te obsesiones. Mira, mi suegro está muy mal desde hace años; pero está hecho un valiente, y eso le ayuda a vencer su mal. Tú igual, Montserrat. Tú tienes que ser muy valiente. No te acobardes. Ese tumor no puede vencerte a ti. Está ahí, sí, eso es real. Trátalo como a un huésped, como a algo que forma parte de ti. Aprende a llevarlo contigo... ¡Hazlo tu amigo!" Y eso hice. Lo asimilé como a un compañero, como a un huésped. Y bueno, han pasado once años, y el "huésped amigo" no da la lata: ha debido de quedárseme dormido... por ahí dentro.»

Así que no me sorprende que, en vez de atrincherarse en son de guerra, prefiriese buscar el pequeño rasgo amable de un capitán general que aspiraba a ser regente.

«Un hijo suyo, que se llama también Agustín Muñoz Grandes –sigue diciendo la reina–, ha estado al frente de la División Acorazada Brunete, y ahora es el jefe de la Segunda Región Militar Sur, creo. Pero lo más curioso es que antes estuvo aquí, en palacio, sirviendo como ayudante del rey Juan Carlos. Nos dio pena cuando se marchó. Eso sucede con todos, cuando abandonan la Casa. Pero entendemos que su profesión les obliga a cambiar de destino.»

El 15 de abril de 1968 muere la reina Victoria Eugenia. En el último octubre había celebrado en Vieille Fontaine, con toda su familia, su octogésimo cumpleaños. «Mi marido la quería con locura. Yo muchísimo también. Era Gangan. Era una abuela. Íbamos mucho a Lausana, a estar con ella en el tramo último de su enfermedad. Tardó tres semanas en morir. Entró en coma tres veces. Y asombrosamente se recuperaba. Hasta se levantó para asistir a la misa del domingo, la última semana.»

Insólitamente, Franco decretó tres días de luto oficial. Y en muchas ventanas y balcones aparecieron banderas españolas y colgaduras con crespones negros.

«El príncipe Juan Carlos y yo lo comentábamos con asombro: "Es impresionante: algo está cambiando... ¿Es un gesto político? ¿Es un gesto popular, porque tomó buena nota de la reacción de la gente, cuando vino para el bautizo?... Tres días de luto, banderas a media asta, funerales solemnes, ¡es insólito en este régimen! Franco está reconociendo, con hechos, que la que ha muerto es la reina de España... parece que al fin la cosa va en serio."»

Durante el entierro, en la intimidad de la familia, en el cementerio de Bois de Vaux, en Lausana hubo algún momento de tensión entre don Juan y don Jaime. Este último, se empeñó en presidir el duelo, esgrimiendo el argumento de edad, cuando en las familias reales la prelación es la de los derechos sucesorios y la jefatura de la Casa, cuyo titular había dejado de ser Jaime desde hacía muchos años: tantos como los de su renuncia.

«Sí –admite doña Sofía, chasqueando levemente la lengua con gesto de contrariedad–, en un momento tan entrañable, tan sentido, tan lleno de cariño y de respeto, hubo esa estúpida crispación. Estaba allí la mujer aquella que volvió loco a don Jaime...[18] Se empeñó en reabrir el pleito de sus derechos, cuando el jefe de la Casa Real era don Juan. Las infantas Beatriz y Cristina, los Torlonia y los Marone, le convencieron de que debía presidir don Juan. Fue montar allí un problema innecesario, sin consideración al dolor y al luto.»

Hablamos ahora de las algaradas estudiantiles en Francia y en España, al socaire del mayo francés y de la gran huelga gene-

18.   Se refiere a Carlota Tiedemann, una exótica cantante de cabaret, compañera sentimental de don Jaime de Borbón, divorciado ya de Emanuela Dampierre.

201

ral en el país vecino, el aplastamiento soviético de la primavera de Praga, el cierre del diario *Madrid* de Calvo Serer, a propósito de un artículo «metáfora» en el que se daba un cachete admonitorio al general Franco... en la mejilla del general De Gaulle,[19] la declaración de «Estado de excepción»...

«Daniel Barenboim –dice la reina– dirigía un concierto en Londres a beneficio de la gente de Praga. Yo asistí. Y estuve con él y con su primera mujer, la violoncelista Jacqueline du Pré, que todavía vivía. Éramos muy amigos. Ah, de las "movidas" de los estudiantes, aquí en España, recuerdo que una vez quise ver de cerca la manifestación... ¡y menuda la que se armó! Habíamos ido a los toros en las Ventas, mi marido, la prima Inmaculada de Borbón y yo. Al terminar los toros, el príncipe se fue en el coche de escolta a Barcelona, porque tenía que arreglar allí un asunto de un velero tipo Dragón. Inmaculada y yo volvíamos aquí, a casa, en el coche Mercedes negro oficial, matrícula PMM. O sea, todo clarísimo. Al llegar al Arco del Triunfo, ahí en la plaza de la Moncloa, vimos mucho jaleo que venía de allá al fondo, de la universidad. Yo no había visto de cerca una manifestación. Y como esos días no se hablaba de otra cosa en la prensa y en la televisión, le dije al chófer que se quitase la gorra y que fuese despacio, para que pudiéramos verla, oír qué gritaban, leer las pancartas... En la carretera habían hecho barricadas con maderas, y tiraban piedras a los coches que venían por el otro lado de la carretera. Eran cientos y cientos, muchísimos. Avanzaban gritando. Me parece que en cierto momento me reconocieron y me mandaron a... ¡lejos, lejos! Y ¡abajo los Borbones! ¡Fuera de aquí! La prima y yo estuvimos allí quietas, aguantando el chaparrón. Pero unos cuantos rodearon nuestro coche y empezaron a dar golpes fuertes sobre la carrocería y los cristales. Y lo hacían balancearse, como si fueran a volcarlo. Yo pensaba:

19.   El artículo se titulaba «No, al general De Gaulle». Y concluía con una advertencia a Franco, usando el refrán popular «cuando las barbas de tu vecino veas pelar, pon las tuyas a remojar». Franco, utilizando el servicio de su ministro Fraga Iribarne, cerró el diario *Madrid*.

"Nos está bien empleado, por meternos donde nadie nos llama." Entonces, los ocupantes de los otros vehículos salieron a defendernos: "¡No hay derecho, son unas señoras que no van a haceros nada malo, no seáis burros!" Y de pronto, toda esa masa de estudiantes, que realmente imponía por ir tantos juntos, ¡zas, zas, zas!, comenzaron a correr, a dispersarse por mil sitios, y desaparecieron. Miramos a ver qué cosa podía haberles asustado así: y eran *los grises*, que venían a caballo, con las porras aquellas. Huían despavoridos.»

–Según mis noticias, esto de «ver las cosas de cerca» es una afición arraigada en vuestra majestad... ¿no bajó una vez de incógnito al metro, para ver los *grafitti* contestatarios?

–No, al metro no. Cuando asesinaron a Carrero, en diciembre del 73, me fui a la calle, un poco camuflada. Concretamente, paseé por algunas calles del barrio de Salamanca:[20] Serrano, Velázquez, Goya, General Mola... Quería ver por mí misma las pintadas de las paredes. Era cierto lo que me habían contado: ponían «Tarancón al paredón, Tarancón culpable, Traidores, ¡Viva el 18 de julio!, ¡Fuera obispos rojos!...» Eran los ultras franquistas y falangistas... Pero gritaban más contra el cardenal que contra el príncipe.

Volvemos a ese tracto final 68/69 de incertidumbre, a la espera de que Franco designe al príncipe como sucesor.

La relación entre La Zarzuela y Estoril es delicada e incómoda. La reina cree que fue en Lausana donde don Juan Carlos había dicho a su padre «tú juegas a una carta; y yo estoy jugando otra, pero porque tú quisiste enviarme a estudiar a Madrid, cerca de Franco, y no a Salamanca». Y después, ya en Estoril –los príncipes pasaron allí seis días, desde el 17 al 23 de junio–, don Juan dijo a su hijo que no creía que Franco fuera a nombrarle sucesor: «Me apuesto cinco mil pesetas a que no hay tal designación de sucesor.»

20. Es un céntrico barrio madrileño, de clases medias altas. En esos años sesenta / setenta era políticamente muy conservador.

El príncipe quería arrancar a su padre una palabra clara de consentimiento, si se producía la propuesta. Pero don Juan se enrocaba en la actitud resistente del escepticismo. Lo cierto es que Franco había insinuado algo ya a don Juan Carlos, antes de su partida para Estoril. El propio rey lo ha contado:

«Antes de irme de Madrid fui a El Pardo a despedirme del General.

»–¿Cuándo tenéis pensado regresar, alteza? –me preguntó.

»–El 12 o 13, mi general. En todo caso, estaré de vuelta para el desfile militar del 18 de Julio.

»–Muy bien. Pero venid a verme en cuanto regreséis, porque tengo algo importante que deciros.

»Estas últimas palabras del General me intrigaron, pero me olvidé enseguida.»[21]

Me confirma doña Sofía que, en aquellos días de junio transcurridos en Villa Giralda. entre el hijo y el padre se produjo esta conversación:[22]

–Papá, si tú me prohíbes que acepte, hago las maletas, tomo a Sofi y a los niños, y me voy. No puedo seguir en La Zarzuela si en el momento decisivo se me llama y no acepto. Yo no he intrigado para que la designación recaiga en mí. Estoy de acuerdo en que sería mejor que el rey fueras tú; pero si la decisión está tomada, ¡qué le vamos a hacer!

–Puedes hacer mucho: lograr que ahora no se haga nada, que todo se aplace.

–Eso no está en mi mano. Y si, como yo creo, se me invita a aceptar, ¿qué harás tú? ¿Es que hay otra solución posible, distinta de la que Franco decida? ¿Eres capaz tú de traer la monarquía?

21. *Cfr.* José Luis de Vilallonga. *El Rey*, p. 79.
22. Laureano López Rodó. *La larga marcha...*, pp. 331-332.

«Como él y yo éramos jóvenes –evoca la reina–, salíamos por ahí a almorzar, a bailar, a cenar... Yo trataba de distraerle. Pero a él le pesaba esa tensión, y esa rivalidad política entre los dos. La relación con su padre era difícil, pero no desafiante. La propia dificultad lo hacía todo interesante. Nada de lo que vivíamos ni de lo que íbamos a vivir estaba en los libros. No teníamos maestro ni modelo. Todo había que hacerlo de nuevas, por intuición, manejándonos con un sexto sentido. Pero él estaba más inquieto y más afectado que yo. Lógico: él era el protagonista.»

López Rodó, que en ese tiempo es hombre de confianza de Carrero y del príncipe, y muy asiduo de La Zarzuela, recuerda a la vuelta de los años: «Sí, estaba él más nervioso y más preocupado que ella. Un día, estando en palacio con don Juan Carlos, me comentó: "Las mujeres se ponen a veces muy pesadas por una cosa a la que tú no le das importancia ninguna. Y hay momentos en que ya estás frito por otros mil temas, y pierdes la calma, y le pegas un grito... Chico, ¡te quedas tan a gusto! Pero luego va y, cuando tú ya ni te acuerdas de aquello, la ves llorar... Entonces caes en la cuenta: lo has hecho mal, la has dejado dolida. ¡Jo, y te sientes torpón, y... sin saber qué hacer para arreglarlo!"»

La reina me explica que el príncipe no ocultó nada a su padre, durante aquellos seis días de junio en Estoril: «Franco no le había dicho nada a Juanito. Se lo comunicó al volver. Rumores sí le habían llegado, por Marcelino Oreja, que trabajaba con Castiella, y por Miguel Primo de Rivera. Había muchísimo *rumoreo*. Pero eso no era un dato cierto. Al regresar de Portugal, pero aún pasaron más de dos semanas, fue a El Pardo un día de julio,[23] después de comer. La

23. Esa audiencia de Franco a don Juan Carlos fue el 12 de julio de 1969.

audiencia con Franco era a las cuatro. Ahí es cuando el *caudillo* se lo dice. Y también que le ascenderá a general de los tres ejércitos. Mi marido le contestó: "Si tiene que ser así, lo acepto como un servicio a España." Y en cierto momento le preguntó: "Mi general, ¿por qué no me dijo nada, antes de irme a Estoril con mi padre? Él va a creer que yo se lo he ocultado." Franco le dio esta explicación: "No quería que vuestra alteza estuviese allí todos esos días con ese peso encima. ¿Para qué crearle una dificultad más?" Ahí Franco estuvo sabio y humano, porque comprendió que ponía al príncipe en un brete: o disimular y fingir ante su padre, o decirle lo que había. Y prefirió esperar unos días. No quiso forzarle a guardar un secreto de tanto peso. Bueno... ésa es mi opinión.

»Don Juan Carlos regresó muy pronto a La Zarzuela, y enseguida me lo dijo: "Sofi, ya está: Franco acaba de decirme que si acepto ser el sucesor. Como para lo que estoy aquí es para eso, le he dicho que sí."»

Le pregunto si venía satisfecho.

«Venía preocupado. Su temor era la reacción de su padre, y del núcleo de los de Estoril. Yo le pregunté: "¿Cómo crees que se lo va a tomar tu padre? ¿Cómo se lo vas a decir?" Aparte de escribirle la carta, para que constara de un modo más oficial por escrito, la verdad es que se lo dijo de tú a tú, por teléfono. Yo no estuve delante. Se metió en su despacho, y le llamó. La reacción de don Juan, que había tenido noticia por el embajador de España en Lisboa, fue de tirantez. Muy, muy, muy de tirantez. Se disgustó. Se enfadó. A partir de ese momento, no se hablaron durante algunos meses. Fue entonces cuando más vi sufrir a mi marido. La alegría de la designación tenía el lado oscuro de esa pena, de esa sombra... Porque la verdad es que a don Juan le costó muchísimo ceder, aceptar que él no iba a reinar.»

Cuando escucho a la reina diciendo «vi sufrir a mi marido» y «a don Juan le costó muchísimo ceder, aceptar...», mi memoria hace un fuelle rápido de asociación de voces: oigo esas mismas palabras, casi idénticas, pronunciadas por la princesa Irene, conversando conmigo: «A don Juan le costó mucho entregar el trono a su hijo, o... que Franco no se lo diera a él sino a Juan Carlos. Años después tendría la compensación del agradecimiento y la admiración de los españoles; pero entonces, aquellos días, aquellos meses, su actitud fue de gran enfado: no quiso hablar a su hijo. Era una situación muy embarazosa. Yo a mi cuñado le vi sufrir como nunca. Y mi hermana sufría por él, con él. Sinceramente, las relaciones entre doña Sofía y don Juan en aquel momento cambiaron. Durante algún tiempo, estuvieron muy distantes.»

Es entonces cuando entiendo un poco mejor por qué a la reina, no le gustaba la fotografía de las lágrimas en el entierro del conde de Barcelona. Ahí, la enlutada y desalhajada reina, ¿es sólo una nuera que llora por su suegro? ¿Llora, compañera, y mano en el hombro, la pena del rey? ¿O es la mujer que llora sola, acumulativamente, como suelen ser las torrenteras del llanto, por lo que padre e hijo tuvieron que sufrir, uno del otro, uno frente al otro, uno con el otro?

El 21 de julio, Franco comunicó en consejo de ministros su decisión largamente incubada.

«Esa noche del 21 al 22 de julio –concluye la reina– era justo cuando los astronautas Armstrong, Collins y Aldrin llegaban a la Luna por primera vez. Yo creo que nadie en España durmió. No por lo nuestro, sino por ver el alunizaje... Nosotros tampoco. Estuvimos viéndolo en la televisión. Contentos, porque era algo que esperábamos desde hacía años. Con el disgusto de lo del padre, sí, pero... muy unidos nosotros dos, y con mucha serenidad.»

VIII

...Alma a quien todo un dios prisión ha sido,
venas que humor a tanto fuego han dado,
médulas que han gloriosamente ardido,
su cuerpo dejará, no su cuidado;
serán ceniza, mas tendrá sentido;
polvo serán, mas polvo enamorado.

FRANCISCO DE QUEVEDO, *Soneto.*

El último día que estuve aquí, al despedirme de su majestad le dije que, en esta línea de relato que seguimos, ciñéndonos al acontecer del tiempo, no habíamos contemplado dos sucesos importantes que, sin duda, mellaron su vida con la muesca del dolor: la muerte de su padre, el rey Pablo; y el exilio de su hermano, el rey Constantino, después del «golpe de los coroneles». La reina me escuchó, y no me dijo nada. O quizá, un simple «ah, sí» que no supe interpretar.

Hoy, 30 de noviembre de 1995, trae en la mano un envoltorio, plano y pequeño, que deja sobre la mesa baja de cristal. Pienso si será algún obsequio, porque acaba de tener varias audiencias: el equipo femenino campeón de jockey, la viuda del arabista Emilio García Gómez, un grupo de Damas de las Armas y Cuerpos de los Ejércitos... que en la vida de una reina ha de haber *de todo, como en botica.*

En estas conversaciones, por lo que vengo observando, la reina deja siempre que tome yo la iniciativa. Y esa gentileza suya es un arma de doble filo, porque lo que gano en libertad puedo perderlo en inoportunidad. ¿Cómo saber si la reina está o no está hoy «motivada» para hablar de tal tema? Aunque, también por lo que vengo observando, me atrevería a asegurar que la apetencia y la inapetencia, las ganas y las desganas, el estar de mejor o de peor humor... son pretextos blandos que esta mujer, esta señora, no ha debido de consentirse nunca en su vida. Así pues, como otros días, sin más *peto veniam* que un «si os parece bien, majestad...» le pido que me hable de la muerte de su padre.

«El príncipe Juan Carlos y yo estábamos en Saint-Moritz, de paso para Atenas, con Elena, que sólo tenía ocho semanas. Esto era en febrero de 1964. Nos avisaron por teléfono: "Papá no está bien, y los médicos dicen que hay que operar cuanto antes." Nos presentamos en Atenas inmediatamente. Y una vez allí, nos dijeron que era cáncer. Yo sabía que mi padre tenía mal el estómago, pero lo del cáncer fue una sorpresa tremenda, inesperada. Un mazazo. Dentro de la pena, el único pequeño consuelo era que, antes de morirse, pudiera conocer a nuestra hija Elena.

»Nos quedamos en Atenas, viviendo en el palacio de Tatoi. En momentos como ésos, los que se quieren necesitan estar juntos. Y allí, en Tatoi mismo, montaron un quirófano, llevaron el equipo clínico y se hizo la operación. Durante la primera semana nos hicimos ilusiones, porque respondía muy bien. Pero enseguida empezó a complicarse todo. Se agravaba de hora en hora.

»Mi madre y mi hermano Constantino, que había asumido la regencia, pidieron a los monjes del monasterio de Tinos un icono de la Virgen María, una virgen muy milagrosa que veneran allí. La trajo un buque de la Armada Real, y Tino fue al puerto del Pireo en coche, a recibirla y trasladarla hasta Tatoi. Entró con el icono de la Virgen en el dormitorio de mi padre. Lo colocamos apoyado en uno de los barrotes de la cama, mirando hacia él, para que él pudiera ver a la Virgen. Mi padre era profundamente religioso. Tenía una gran vida interior. Y estaba especialmente dotado para la contemplación, para la meditación, para la oración recogida y silenciosa. Encendimos una lámpara votiva...»

«Traje esa imagen de la Virgen María con mucha emoción
—me relató en otra ocasión el propio rey Constantino—, sabiendo que ésta era la segunda vez en la historia que el
icono salía del monasterio. La otra fue en 1915, también
para mi familia: cuando estaba enfermo mi abuelo, Constantino I.

»Mi padre comenzó a remontar. Pero era una mejoría
transitoria. A los dos o tres días murió. Aunque, quizá, la
presencia del icono le ayudó a tener una muerte serenísima,
llena de amor, llena de luz. Cuando estaba ya muy mal, muy
venido abajo, me acerqué a su cama y le dije: "Todo el
mundo piensa en ti, papá. Todos quieren que te cures. Las
iglesias están llenas de gente que pide por tu salud." Me
miró muy fijamente y me dijo: "Diles a los griegos que les
quiero y que les agradezco todo y que les digo adiós." Eran
sus últimas palabras para mí, como rey y como padre. —Aquí,
aunque en el momento en que hablábamos habían transcurrido más de treinta años desde la muerte de Pablo I, al rey
Constantino se le quebró la voz y los ojos se le anegaron de
lágrimas. Tuvimos que dejar la conversación por un rato.
Y sólo después de haber hablado de otros temas, pudo él
continuar su evocación—. La lámpara votiva, que estaba en
aquella habitación cuando se moría mi padre, había perte-
necido a mi bisabuela, la reina Olga Constantinowna. Era
una lámpara de aceite, y también se iba extinguiendo su
pequeña llama, al tiempo que mi padre moría. La lámpara
ardía junto al icono de la Virgen María. Todavía ahora puedo oír el jadeo de la respiración de mi padre agonizando, y
el chisporroteo de la llama apagándose. Por una sorprendente coincidencia, la luz de esa lámpara se apagó en el
mismo instante en que mi padre exhaló su último aliento.»

Por su parte, la reina Federica ha dejado escritas las últimas confidencias de aquel rey —«el rey feliz», «el rey bueno», «el rey sonriente», «el rey sabio» lo llamaban sus con-
nacionales—, moribundo pero lúcido, que rechazó las drogas
paliativas del dolor, porque «las inyecciones y el gota a gota
nos separarán a ti y a mí... y yo quiero estar consciente

cuando nos marchemos». Dos días antes de morir, había intuido o vislumbrado el otro lado de la raya definitiva:

«La tarde del miércoles 4 de marzo de 1964 –cuenta Federica de Grecia–, entré en su alcoba y lo encontré tendido en la cama, con una expresión radiante en su rostro:

»–¿Cómo te encuentras?

»–Creí que me había ido ya... Todavía me siento muy lejos. Cuesta acostumbrarse... Debo de haber estado totalmente al otro lado...

»–¿Cómo es?

»–¡Increíble! He visto un camino largo, largo y oscuro, al final del cual brillaba una luz esplendorosa. ¡Qué maravilla! ¡Qué sensación de paz, de bienestar, de alegría! Es una gran elevación espiritual, como acercarse mucho al Cielo. Ésa, ésa es la verdadera Sagrada Comunión [...].

»Al llegar la noche, me dijo:

»–Quédate conmigo, para que hablemos.

»Todos los demás se salieron del dormitorio, y nos quedamos solos él y yo. Pasamos toda la noche hablando. Estaba animado y feliz [...] Al atardecer del jueves 5, volvimos a quedarnos solos. Me dijo:

»–Quiero llevarte a una tierra muy lejana a la que yo tengo muchas ganas de ir. Veo el camino que lleva allá...

»–Desde luego que iremos juntos. ¿Dónde está?

»–Donde aquella luz bellísima. Allí no habrá más problemas; sólo felicidad. Una vez allí, donde la Luz... donde la Luz, todo se arregla por sí solo. Allí seremos de verdad libres. ¡Vámonos ya!

»–¿Y los chicos?

»–También encontrarán el camino y nos seguirán más tarde.

»Al día siguiente, viernes 6, *Palo* [Pablo] me insistió:

»–Cuando hayas encontrado el camino al otro lado no querrás seguir luchando en éste. Anda, ven... ¡vámonos! Hemos terminado lo que teníamos que hacer aquí. No nos llevemos el mundo con nosotros. ¡Siempre estaremos juntos tú y yo!»

Ya en los últimos momentos, con su voz grave rota, gastada, craquelada, aún sacó fuerzas para decir:
«–Sigo viendo la Luz... Ahora es más grande. Y la paz, más y más intensa cada vez... ¡Ya podemos irnos!»[1]

«Como si la lamparilla fuese algo de su ser –recuerda la reina Sofía–, parpadeó y se apagó, justo cuando mi padre expiró. Yo también me fijé. Estábamos allí todos, alrededor de su cama. Rezábamos en griego. Poníamos en el tocadiscos música de Bach, *La Pasión según san Mateo*, que le gustaba y le ayudaba en esos momentos. "¡Es lo más grande que se ha escrito! ¡No quiero oír nada más que eso!", nos había dicho dos o tres días antes.»

Continúa hablando la reina. Pero me desconcierta porque, de pronto, parece haber cambiado bruscamente de conversación:
«Cuando alguien me pregunta por qué soy vegetariana, o qué tipo de vegetariana soy, sé que podríamos estar discutiendo hasta el año 2000. ¿Es por respetar la vida de los otros seres? Bueno... sí. Pero un pescado es un animal. Y estaba vivo cuando era un pez en libertad. También las verduras tienen vida.»
Escucho, tanto más atenta cuanto perpleja, porque no sé a qué viene hablar ahora de este tema: «Un auténtico vegetariano –sigue diciendo–, una persona que no quiere matar a un ser vivo para alimentarse, tendría que comer sólo el producto final, el fruto: manzanas, aceitunas, leche, nueces, avellanas, vino, café... Pero ¿adónde voy yo, siendo reina, y tomando sólo manzanas, aceitunas, nueces y leche...? Con sinceridad, no es una conversación que me interese demasiado, porque yo no soy vegetariana por ninguna razón naturalista, ni estética, ni dietética. Yo soy vegetariana porque, cuan-

1. Reina Federica de Grecia, *op. cit.*, pp. 316-318.

do murió mi padre, y por eso te lo cuento ahora, pensé: "¿Qué puedo darle? ¿Qué puedo hacer por él? ¿Qué puedo ofrecer?" Y en ese momento decidí ofrecer por él algo que pudiera costarme: no comer carne en toda mi vida. Y ése es el motivo, el único motivo, por el que soy vegetariana.»

¡Bueno...! Pues es un dato inédito, desconocido, interesante: la razón, no sé si ascética, o de sufragio religioso, o de homenaje filial, de su abstinencia de carne.

«He querido mucho, muchísimo, a mi padre –dice la reina–. En mi vida y en mi forma de ser hay más influencia de él que de mi madre. Teníamos caracteres más afines. La verdad es que yo le había idealizado. Los ratos que pasaba con él eran breves, pero muy intensos. Yo disfrutaba con él... y él conmigo. Era un hombre muy estudioso, muy profundo en su pensamiento, muy religioso. Tenía una gran sensibilidad para el bien y para la belleza. Sabía escuchar, aconsejar... Y además de todo eso, leía muy bien los textos literarios, y tocaba el piano.

»El rey Pablo me dejó un gran vacío. Pero, más que notar la orfandad, noté la ausencia del buen compañero, del amigo seguro y leal que siempre te aconseja lo mejor. ¡Tantas veces habría acudido a él...! Le echo de menos.

»Sin embargo, fue a mi madre a quien su muerte partió en dos. Como si le hubiera caído un rayo encima. Sin el rey Pablo, ella era media mujer. Se apartó de la vida social durante mucho tiempo. Quizá demasiado tiempo. Mi cuñada Ana María tenía sólo dieciocho años cuando, ese mismo 1964, el 18 de septiembre, se casó con mi hermano Tino y empezó a ser reina. Eran los reyes más jóvenes del mundo... La reina Federica hubiese podido ayudarla con su experiencia. Pero quiso quedarse en un segundo plano. Incluso se trasladó con sus cosas a Psychico, la casa donde vivieron ella y mi padre de recién casados, donde yo nací, y donde vivíamos cuando mi padre fue llamado a reinar, al morir Jorge II.»

Pasa a recordar el entierro del rey Pablo: «Es uso de las familias reales del centro y norte de Europa el negro riguroso de luto cuando hay una muerte en la familia. Y me acuerdo muy bien de los entierros de mis abuelos maternos, Ernesto Augusto de Hannover y Victoria Luisa de Prusia; o el de la reina Victoria Eugenia; o, más cercano, el de don Juan de Borbón: también ahí se vio a la familia real y a la familia del rey,[2] todos vestidos de negro, y sin alhajas ni adornos, de arriba abajo. Antes, las mujeres iban en coche y los hombres a pie. Yo esto lo he vivido, con ocho años, cuando el entierro del rey Jorge II, el hermano de mi padre. En cambio, para las exequias del rey Pablo todos íbamos a pie. Eso sí, las mujeres casadas con un velo de gasa negra por la cara. El funeral se celebró en la catedral ortodoxa de Atenas. En el mismo lugar donde yo me casé. Fue una misa de *corpore insepulto*. Luego, el entierro en el cementerio familiar de Tatoi. Ahí ya nos trasladamos en coches, por la distancia.

»En Grecia no hay ceremonia de coronación. Mi hermano había jurado como rey en el momento mismo de morir mi padre, y ya presidía el duelo con rango real.

»Se construyeron en Tatoi dos tumbas, juntas, para mis padres. Ellos lo deseaban así. No están dentro de la pequeña ermita ortodoxa, sino fuera, a la intemperie y bajo los árboles, entre los pinos centenarios, los cedros, los cipreses... Allí están enterrados Jorge I y su esposa, Olga Constantinowna; Constantino I y su mujer, Sofía de Prusia; Alejandro I; Jorge II; mi padre...

»En 1981 volvimos, para enterrar a mi madre. Antes de morir, el rey Pablo le había dicho, como una despedida que no quería ser despedida: "Te llevo en mi corazón para la eternidad. Siempre estaremos juntos. No hay separación. No hay más que un camino que tú y yo conocemos."

2. El concepto *familia real* es más restringido que el de *familia del rey*. La familia real incluye sólo al rey, a su esposa, a sus hijos y a los cónyuges e hijos de sus hijos. La familia del rey se extiende, en cambio, a los padres, hermanos, cuñados, tíos, primos y sobrinos.

»Por eso, porque sabíamos que el deseo de los dos era descansar juntos en Tatoi, al morir la reina Federica, en febrero de 1981, tuvimos que luchar "diplomáticamente" con las autoridades republicanas griegas para que nos dejasen llevar allí su cuerpo, y decirle el último adiós. Fue tremendo aquello. Estuvieron, ufff, más que cerrados, ¡cerriles! A mi hermano Tino sólo le permitieron permanecer en territorio griego cuatro horas... ¡como si fuese un enemigo de su país, o un delincuente político! Y nos mordimos el orgullo, porque queríamos cumplir su voluntad de ser enterrada con mi padre en Tatoi.»

Eso también tiene su pequeña historia. Durante un viaje oficial a la India, los reyes Pablo y Federica visitaron en plan informal el Taj Mahal. Iban del brazo y descalzos. En cierto momento, ella le preguntó, bromeando:

–¿Serías capaz de levantar un monumento como éste, el día que yo me muera?

–¡Por supuesto que no! Por hermoso que esto sea, yo prefiero que descansemos bajo el cielo abierto de Tatoi, y que los ciervos pasen por encima de nosotros, y que broten flores silvestres cerca de nuestras tumbas, cada primavera.[3]

Y así es. Sobre la piedra del sepulcro de Pablo de Grecia, la reina Federica hizo labrar a realce en caracteres griegos –tal como se redactó el texto original del cuarto Evangelio– dos fragmentos de san Juan, que gustaban de modo especial al rey:

El Hijo, Cristo, habla al Padre, pidiendo por los hombres: «Yo te he glorificado en la tierra: he terminado la obra que Tú me encomendaste que hiciera (Ioh 17,4). Yo ya no estoy en el mundo, pero ellos están en el mundo, mientras yo voy a Ti. Padre Santo, guarda en tu nombre a estos que me has dado, para que sean uno como nosotros» (Ioh 17,11).

3. *Ibídem*, p. 259.

Se ha hecho un silencio, suave y denso, como un copo de niebla, o de humo, o de pensamientos muy cuajados. Pregunto a la reina una nonada: si se trajo de Grecia algún objeto personal, un cachivache, algo que utilizara a diario su padre. Me dice que sí, que «una pitillera de plata que tiene forma de elefante»; y una pequeña cruz de oro, montada sobre una peana: «Es muy pequeña, muy sencilla. Se la había regalado mamá. Él la tenía sobre su mesa de trabajo. Así que... la miró muchas veces.» Y es en este momento cuando recuerda el paquete plano y pequeño que al llegar había dejado encima de la mesa de cristal. Lo desenvuelve. Es una vieja fotografía de color, poco menos que de tamaño postal, con un escueto marco de mediacaña de plata. Me la deja ver. Una foto casera, que empieza a decolorarse por el paso del tiempo. La escena debió de ser tomada en alguna sala de estar, en Tatoi. Interior, y con flash. No resulta fácil distinguir las figuras, porque las ropas y los muebles se han ido poniendo de un extraño color azulverdoso, y en contraste, las caras y las manos han empalidecido hacia el amarillo marfil. Fijándome bien, veo al rey Pablo, con pullóver, sentado en una butaca, sonriendo. Detrás de él, de pie, la reina Federica. En primer plano, un bulto sobre el que la reina Sofía está poniendo ahora la yema de su dedo índice:

–Ésta es Elena, recostada en las rodillas de mi padre.

–Y esto otro que hay entre el cristal y la foto, ¿qué es? Parecen ramillas y flores secas...

–¡Son, son...! De mi ramo de novia.

No le gusta a doña Sofía exhibir sus sentimientos. Tiene un fino sentido del *pudor del alma*. Así que, cambiando el tono intimista por otro más exultante, desdramatiza, declamando, con una sonrisa diáfana que le ilumina la cara:

–El rey Pablo, el rey Juan Carlos, el rey Constantino, el príncipe Felipe... Mi padre, mi marido, mi hermano y mi hijo: ¡¡ésos son mis hombres!! ¡Ja, ja, ja!

–¿Lo dice en serio vuestra majestad?

–¡Claro que sí! No está nada mal, ¿verdad?

Sin transición, como si pasásemos la página de un libro, vamos ya al otro suceso de importancia: el golpe de Estado, *manu militari*, ocurrido en Grecia el 21 de abril de 1967, cuando el rey Constantino llevaba tan sólo tres años en el trono.

Comento a su majestad que, a fecha de hoy, sigo sin tener claro lo ocurrido, y ella me responde que está deseando leer algún buen libro, o algún informe neutral, internacional, que arroje luz sobre aquellos hechos, «porque, con los años que han pasado, para mí al menos, todavía... *remain puzzling*: es un rompecabezas al que le faltan piezas para poder entenderlo».

«Nosotros estábamos esos días en Grecia –dice la reina–, en la casa de Psychico. Habíamos ido a pasar el 50 cumpleaños de mi madre, que era el 18 de abril. Mi marido se volvió a Madrid, y yo me quedé allí un poco más. La reina Federica no levantaba cabeza, desde la muerte de mi padre: estaba hecha polvo. Los reyes, Constantino y Ana María, vivían en el palacio de Tatoi. Ya tenían a Alexia, y mi cuñada estaba embarazada de ocho meses. Mi madre y mi hermana Irene se habían instalado en Psychico, en la casa de siempre. Donde antes estuvieron las escuelitas Arsakion, habían construido una zona para huéspedes, separada, pero cerca, de la casa de mi madre. Todo en el mismo recinto. Y ahí nos alojábamos nosotros. Yo tenía conmigo a las dos niñas, Elena y Cristina.

»Por cierto, aquellos días estaban también en Atenas Yehudi Menuhin y su mujer. A ella la habían hospitalizado, no recuerdo por qué. Y les tocó vivir todo lo del golpe militar.

»El 21 de abril nos habíamos quedado a cenar en Tatoi. Luego *daban* cine. Mi madre e Irene se marcharon a Psychico después de la primera película. Yo me quedé con Tino y Ana María, y vimos también la segunda. Al terminar, mi hermano me dijo: "¿Quieres que te acompañe a casa?" Le contesté que no hacía falta. Yo iba en coche y con protección. A eso de la una llegué a Psychico. En el camino no vi nada raro, ningún movimiento extraño que me llamara la atención. Todo tranquilo y normal, como una noche cualquiera en una ciudad dormida. Me despedí de los *somatofilakas*, los escoltas de la policía griega. Pasé un momento a ver a mis hijas. Me acosté y me dormí.

»Entre las tres y las cuatro de la madrugada, nos despertó mi madre: "¡Eh, levantaos, que está ocurriendo algo importante... y no sé qué es!" En efecto, la casa estaba rodeada de gente con uniforme de soldado. Pusimos la radio: daban marchas militares. Y, de pronto, dijeron que tres jefes, el brigadier Pattakos y los coroneles Makarezos y Papadopoulos, se habían sublevado en nombre del rey.

»A partir de ahí empezó la confusión. Los golpistas hicieron creer, a los oficiales de rango inferior y a las tropas, que ellos actuaban en defensa del rey, y que se trataba de sofocar una revolución de extrema izquierda comunista.

»Llegó a Psychico un oficial diciéndonos: "El rey está bien... está a salvo... le hemos salvado."

»A mí aquello no me gustaba nada. La política griega era entonces muy inestable: en menos de un año habían tenido cinco gobiernos, todos minoritarios. Pero mi madre parecía encantada de la vida: ella no pensó en un golpe de Estado, en una toma del poder político, sino en una maniobra militar de protección, en un despliegue de fuerzas para prevenir algún movimiento comunista. Sin embargo, al poco rato teníamos junto a la casa unos tanques que, en lugar de mirar hacia el agresor de fuera, apuntaban hacia nuestra residencia. Un capitán, de las fuerzas que estaban "protegiendo" la casa, habló con la reina Federica en tono seco, cortante, autoritario: "¡Yo cumplo órdenes, y de aquí no sale nadie!" Mi madre seguía pensando que nos querían resguardar de algún ataque... Hasta que vio que, por la línea de teléfono normal, no podía contactar con su hijo: al rey le habían cortado la comunicación telefónica. Entonces se fue al jardín, al coche de escolta, que estaba allí aparcado, y utilizó el radioteléfono para llamar a Tatoi. Habló con Tino. Eran las siete de la mañana...»

El relato de la reina Sofía se complementa con el que, en otra ocasión, le escuché a la princesa Irene:

«Mi hermano estaba tan tenso por la situación que su voz, de tesitura grave normalmente, emitía una octava más alta. Le dijo a mi madre con toda energía y con toda claridad: "Yo no tengo nada que ver con esto. No sé de qué se trata. No actúan obedeciendo órdenes mías. Ni me han salvado de nada... Voy ahora mismo hacia el Pentágono[4] a poner orden." Era un golpe de ultraderecha. Preguntó a los generales: "¿Quién está con la Constitución? ¿Quién está conmigo?" Uno tras otro, todos levantaron la mano... pero no tenían ni un arma, ni un cuerpo de ejército con que responder a los golpistas. Además, mi hermano no quería un enfrentamiento entre militares, no quería sangre.

»Los golpistas le habían ido cortando las líneas telefónicas, y la que le dejaron libre estaba pinchada. Cuando hablaba por teléfono con el ministro de Defensa (que era un civil), hubo un cruce, una interferencia, y pudo oír otra conversación en argot entre militares. Decían "ése" para referirse al rey; "los viejos", para hablar de los generales; y "los cachorros", que eran los coroneles. Al intervenir él por el auricular preguntando "¿Quién habla? ¿Qué significa eso que dicen?", le cortaron la comunicación con el ministro, y le dejaron aislado con el exterior.

»No podíamos esperar eso de los militares. El ejército griego era para nosotros una institución muy querida, muy respetada. Ellos habían defendido al país de la invasión italiana, de la alemana y de los ataques soviéticos. Es más, la paz de cada día en Grecia, con conflictos continuos en las fronteras de Turquía, de Bulgaria, de Albania, se la debíamos todos al ejército.

4.   El Pentágono era otro edificio, sede del Estado Mayor, adonde fue el rey para hablar con los generales.

»Mi hermano Constantino –continuó la princesa Irene–, en cuanto reaccionó de la sorpresa, se propuso seguir una política de "resistencia pasiva": ganar tiempo para evitar una división del ejército, una guerra civil, un derramamiento de sangre. Lo dijo públicamente: "Mi trono no vale el precio de la sangre de los griegos." Esto ocurría en abril. Meses más tarde, el 13 de diciembre de 1967, cuando intentó un "contragolpe" con militares demócratas que estuviesen en favor de la Constitución y que quisieran derrocar la dictadura impuesta por la Junta Militar, él supo que contaba con la aviación y con la marina para oponerse al ejército de tierra, que es donde estaban los golpistas. Pero no quiso dividir y enfrentar a unos militares griegos contra otros militares griegos; se negó a entrar en la atrocidad de una guerra entre hermanos. Y por eso, al final, se fue del país.»

«En cuanto pude –sigue recordando la reina Sofía–, telefoneé a Madrid, y hablé con mi marido, que estaba muy preocupado. A los dos días abrieron los aeropuertos. Tomé a las niñas y regresé. Pero volví poco después, en junio, para el bautizo de mi sobrino Pablo. Y, desde Grecia o desde España, fui siguiéndolo todo muy de cerca.

»En un primer momento, mi hermano Constantino no tuvo más remedio que aceptar la situación creada, y aquella Junta Militar. Exigió, al menos, un jefe de Gobierno civil. Llamó a un jurista muy prestigioso, Constantino Kollias. Y se negó a pronunciar por la radio un mensaje que le habían redactado los coroneles. Dijo que ¡ni hablar! Ese verano, en agosto, con el pretexto de participar en unas regatas de la American Cup, en Newport, fue a Estados Unidos, y se entrevistó con el presidente Lyndon B. Johnson y con los secretarios de Estado, Robert McNamara y Dean Rusk. Les pidió ayuda para restaurar la democracia en Grecia. Y me parece que se la prometieron. Su papel era muy extraño y muy delicado: él seguía siendo el jefe del Estado, sin embargo no estaba de acuerdo con la dictadura militar del "gobierno de los coroneles". Así que, allí en Estados Unidos, dijo para que la prensa lo recogiera: "Éste no es mi gobierno."»

Pero los golpistas griegos preparaban un texto constitucional por el que el juego de partidos quedaría muy limitado, y en el que se prohibía taxativamente la participación del comunismo en la cosa pública. Es bastante creíble que esa discriminación partidista –en plena guerra fría entre los dos bloques– ofreciera más garantías a la administración americana que una monarquía con un rey joven e inexperto, empeñado en abrir la baraja a todo el espectro político, aun a riesgo de tener gobiernos tambaleantes. Y no cabe ignorar el valor estratégico territorial y marítimo de Grecia, recién integrada en la OTAN. Lo cierto es que, llegado el momento, Washington no ayudó, más bien dejó patéticamente en la estacada a Constantino II.

«Mi hermano –continúa doña Sofía– siguió en Grecia, al frente del Estado, unos cuantos meses, de abril a diciembre, mientras preparaba su "contragolpe". Los políticos y los periodistas de otros países le criticaron, le llamaron de todo, pensando que consentía, que colaboraba, que soportaba una humillación por "aferrarse al trono". También lo decían del príncipe Juan Carlos y de mí: que tragábamos lo tragable y lo intragable, bajo la dictadura de Franco, sólo por ambición personal... Y durante muchos años nos miraron con desprecio.

»En el caso de mi hermano, resistía lo más posible para cumplir y hacer cumplir la Constitución de Ten, de 1952, que él mismo había jurado, y que definía al Estado griego como una "monarquía democrática". No pensaba cambiarla, por mucho que presionaran unos militares. En griego, la expresión "monarquía democrática" parece contradictoria en sus términos, porque durante siglos, milenios, la monarquía se ha identificado con autarquía, con tiranía. El *vasileus*, el rey, fue siempre monarca absoluto. En cambio, la idea de república se unía a la de democracia. Lo que mi padre y luego mi hermano trataron de hacer posible era la *basilevómeni-demokratía*, la democracia reinante, la democracia monárquica... Lo que, diez años después, mi marido haría posible aquí, en España.

»El "contragolpe" del rey Constantino intentaba poner a los golpistas militares en su sitio, y hacer caer la Junta Militar, que era ilegal. Él quería volver a la normalidad, desde la legalidad. Y sólo podía hacerlo como jefe de las Fuerzas Armadas. Pero le falló un general. Ésa fue la causa del fracaso.»

«El 13 de diciembre de 1967, mi hermano salió en un avión hacia el norte del país, a Kavala, en Macedonia. Allí debía reunirse con los generales jefes del Tercer Cuerpo de Ejército. El plan era ocupar Salónica, y desde ahí hacer los llamamientos a todas las guarniciones para que se levantasen en apoyo al rey y a la Constitución. Se contaba con que los americanos dejarían utilizar sus emisoras de las bases de la OTAN en Grecia. El movimiento por tierra tenía que iniciarlo el general Essermann, jefe de la división acorazada del norte. Su papel era clave.

»Essermann, un griego de origen ruso, había arrestado a su plana mayor, porque estaban con los golpistas; pero ellos le dieron su palabra de honor de que no era así: "Fingíamos apoyar a los coroneles, pero nosotros estamos con la Constitución y con el rey." Essermann les creyó. Les dio las instrucciones. Y cuando ya iban a ponerse en marcha, esos mismos oficiales lo encerraron dentro de un carro blindado. No le mataron, pero le quitaron de en medio. No pudo cumplir lo que se esperaba de él. Y el "contragolpe" fracasó.»

Al amanecer del día siguiente, 14 de diciembre, el rey Constantino y toda su familia salieron hacia Roma.

«Él no podía seguir al frente de una dictadura. Y aunque se le ofrecieron los generales de la aviación y de la marina, del Tercer Cuerpo de Ejército, no quiso abrir una guerra civil.

»Primero fueron a la embajada de Grecia en Roma, porque mi hermano seguía siendo el jefe del Estado griego. Y tanto, que los coroneles necesitaban su firma para sacar un decreto, y se la tenían que pedir cada vez, mientras estuvo en Roma, y después en Londres: Grecia era todavía una monarquía. Y lo fue hasta junio de 1975.»

El relato de la princesa Irene me permite completar la secuencia: «Mi madre y yo nos alojamos en casa de unos parientes, príncipes de Hesse. Luego, alquilamos una casa en la vía Apia. Mi hermana Sofía vino a vernos a Roma, enseguida, y a traernos ropa y algo de ayuda: habíamos salido deprisa, en la madrugada, y con lo puesto, para no dar la sensación de que nos íbamos sin ánimo de volver. Nos fuimos todos: no podíamos dejar en manos de los golpistas a ningún posible rehén.»

La familia real griega permaneció en Roma cierto tiempo. Recibieron ofrecimientos de ayuda, invitaciones, y signos de amistad del rey Hussein de Jordania y del rey Balduino de Bélgica.

La cantante española Montserrat Caballé me contó que había conocido a la reina Federica durante esa estancia en Roma: «La visité varias veces en una casa que tenían en alquiler, y llegamos a tener buena amistad.»

Por su parte, el propio rey Constantino, hablando de las dificultades de todo exilio, me dijo: «No teníamos medios para sobrevivir. Nuestros bienes patrimoniales habían quedado en Grecia. Mi familia tuvo que pasar casi un año en Dinamarca, a expensas de los padres de mi mujer. Y yo me marché a Inglaterra, para buscar una casa y un trabajo con el que ganarme la vida... Cuarenta años antes, durante otro exilio, mi padre había tenido que hacer lo mismo.» Ciertamente, éste era el quinto exilio en una dinastía apenas centenaria. En 1924, el entonces príncipe Pablo tuvo que «buscarse la vida» en Inglaterra. Con el nombre falso de *Paul Beck* trabajó en una fábrica de aviones.[5]

He preguntado a la reina Sofía si la lección del exilio adoctrina, escarmienta y resabia a una familia real que la ha sufrido en sus carnes. Y qué «conseja» se saca de esa dura experiencia. Yergue la cabeza con un movimiento lento, largo, adagio, de orgullo antiguo. Alza el mentón. Mira a ninguna parte. Contesta con voz opaca, como si se hubiese distraído de mí, pensando en otras cosas:

–No, eso no sirve de lección para otros, porque cada uno tiene sus circunstancias distintas... Cada uno tropieza en su propia piedra. El consejo del otro no sirve de nada. Cuando nosotros tuvimos el golpe del 23-F, mi hermano Tino telefoneó a mi marido. Le ofreció su experiencia. Pero ¿qué consejo le iba a dar? ¿Qué podía saber él de cómo estaban aquí las cosas y de quién era quién en los regimientos?... Otra cosa es (y eso sí se aprende de la vida, y se pueden intercambiar experiencias) el respeto que un rey constitucional ha de guardar a las reglas del juego, sin salirse jamás de su papel, sin meterse donde no debe. Porque eso se paga. Y se paga muy caro. Como se paga muy caro el escándalo. Los ciudadanos exigen a los reyes y a los príncipes una ejemplaridad. Y están en su derecho: hay que dársela. Es la dignidad regia, y para reinar hay que tenerla. Así de simple.

–¿La dignidad regia? ¿Eso qué es? ¿Acaso es más digno un rey que cualquier otro hombre?

–No. La dignidad humana es lo principal. Y ésa la tenemos todos. Si uno la pierde, entonces está perdido. Lo mismo da que sea rey que... que sea un pordiosero de la calle.

5. *Cfr.* Capítulo III de este libro.

Pero hay una dignidad regia, que no es un esnobismo, sino una responsabilidad. ¿Qué es eso?, me preguntas. Es renunciar, siempre, siempre, siempre, a tu interés propio, por el interés general. Para mí, como reina, lo de los demás tiene que ser mucho más importante que lo mío. A mí nunca me han enseñado a ser princesa. No era necesario. Primero fui la hija del rey; después, la mujer del rey. Pero una moral de reina es muy exigente, y te obliga, ¡ya lo creo! Te obliga al servicio y te obliga al sacrificio. Y si una persona quiere reinar, ha de estar dispuesta a servir y a sacrificarse, y a pensar muy poco en una misma, en uno mismo... Y si no, ¡zas!, llega lo que no puedes evitar. Y ya es tarde...

–¿Vuestra majestad está pensando en Lady Di...?

–Lady Di no existe. Dejó de existir en cuanto se casó con el príncipe de Gales. Entonces fue la princesa de Gales. Ahora es la princesa Diana. Creo que se ha hecho un daño terrible a la respetabilidad de una monarquía tan venerable como la británica. Pero, bueno, vamos a dejarlo... ¿En qué estábamos?

Algo en la reacción de la reina me hace dar cuenta de que, en todo este discurso sobre la dignidad regia y sus deberes, ella no estaba pensando precisamente en la princesa Diana. Incluso, al mencionarla yo, se ha sorprendido. Y, enseguida, ha cambiado de conversación.

El rey Constantino, desde Londres, y el ex jefe de Gobierno Constantino Karamanlis, desde París, entran en contacto por teléfono. Los dos están voluntariamente exiliados, y los dos quieren que las cosas cambien. Karamanlis –viejo republicano reciclado al monarquismo con el rey Pablo, que le tuvo como premier de su gobierno– se había marchado de Atenas, enfadado con la reina Federica.

Ahora, y durante cinco años, estará al habla con el joven rey, tratando de avizorar, o incluso de propiciar, la ocasión de su regreso. Karamanlis llega a escribir una «carta abierta» a los coroneles, urgiéndoles a llamar al rey, «como símbolo de la legalidad». Dos periódicos –uno de Atenas y otro de Salónica– se arriesgan y la publican. La carta produce un fuerte impacto en la opinión pública. Sin embargo, la respuesta política de Papadopoulos es completar el golpe militar de abril del sesenta y siete: el 1 de junio de 1973 es depuesto del trono Constantino II, y en Grecia se proclama la república tras un plebiscito amañado: «Suprimieron el párrafo que definía a Grecia como una monarquía democrática –corrobora la reina–. Fue un referéndum tramposo. Fue un fraude de ley.»

Pero una sucesión de episodios, en apariencia inconexos,[6] empieza a segar de modo imparable la hierba bajo la bota militar: unas protestas estudiantiles, reprimidas con sangrienta brutalidad; una batería de violaciones de derechos humanos, eficazmente denunciadas y aireadas hasta el punto de que Grecia se ve obligada a abandonar el Consejo de Europa; el arresto del presidente del Gobierno, Papadopoulos, por su propio jefe de seguridad, el «duro» brigadier Ioannidis; y, como colofón, el atentado por fuerzas de extrema derecha contra el arzobispo Makarios, presidente de la nueva república de Chipre, poniendo a Grecia y a Turquía en estado de «máxima alerta» y al borde de un conflicto armado. Toda esa secuencia de errores y de horrores socava los cimientos de la Junta Militar, provocando su caída.

En tal situación, 1974, es llamado Karamanlis, como es-

6.   En apariencia inconexos, aunque es muy sugestiva la tesis de un «cerebro gris» de los servicios griegos de inteligencia, el coronel Ladas, un hombre oscuro, de bajo perfil, apenas conocido en los ambientes políticos y diplomáticos griegos; pero que, casualmente, siempre estaba cerca y detrás de los hechos decisorios de un cambio político: en la estrategia golpista de abril del sesenta y siete, propiciando la formación de la Junta Militar; o en el atentado contra Makarios, detonante de la caída de ese mismo poder militar en 1974. Y no sería descabellado afirmar que, en una y otra ocasión, la *inteligencia* griega actuó al «servicio» de Estados Unidos.

tadista respetuoso de las leyes y alejado de las pugnas internas de esos años: el presidente de la república, general Phaidon Gizikis, le encarga que forme gobierno y que someta a referéndum la opción república o monarquía.

«En esos cinco años, y sobre todo al final –recuerda la reina–, mi hermano Constantino desde Londres y Karamanlis desde París mantuvieron una conversación política casi continua. Por teléfono siempre, sin encontrarse cara a cara nunca... Una vez, se llegó a organizar un encuentro de ambos en Suiza. Al final, no sé por qué, Karamanlis declinó asistir.

»En todas las cancillerías de Europa se sabía que con Karamanlis regresaba también el rey Constantino: el hombre que, según su "carta abierta" era "el símbolo de la legalidad". Y mi hermano ya tenía las maletas hechas, como quien dice. Habían quedado en eso. Pero, en el último momento, Karamanlis le dijo: "No, Señor, no venga ahora. Aquello está todavía muy confuso. Hay resistencias que vencer. Su presencia podría provocar disturbios... Déjeme que vaya yo por delante y prepare el camino." ¡Y hasta ahora!»

La expresión del rostro de la reina se endurece. La voz se hace cortante. Deja caer uno tras otro los argumentos como sentencias de plomo, sin vuelta de hoja:

«Karamanlis engañó al rey Constantino. Traicionó su confianza. Se presentó en Grecia como el salvador de la legalidad. Usurpó, para él, el papel que correspondía al rey. Se pasó del monarquismo al republicanismo. Dio instrucciones bajo cuerda a todos sus colaboradores, y a los ministros de su gobierno, para que votasen en favor de la república. Utilizó, por tanto, su puesto de privilegio al frente del Gobierno, haciendo valer su influencia de un modo parcial...[7] No jugó limpio. No dejó margen de tiempo para que los

---

7. Uno de esos colaboradores, el ministro del Interior, Christóforo Stratos, denunció públicamente las presiones de Karamanlis «para que votásemos en favor de la república».

monárquicos se organizaran. Él quería ser como De Gaulle, presidente de una república. Y no paró hasta conseguirlo.»

«Cuando, pasados los años, Karamanlis vino a España en viaje oficial como presidente de la república –me comentó la princesa Irene con indisimulado regocijo–, mi hermana Sofía le demostró que con nosotros no se juega.»

En efecto. Antes de una visita de jefes de Estado, los países suelen intercambiar las respectivas condecoraciones para sus máximos dignatarios. Después, llegada la gala de recepción, los anfitriones lucen las bandas e insignias del huésped. Pero en 1984, con ocasión de la visita de Constantino Karamanlis a España, no sucedió así. Para la cena de gala ofrecida en el palacio Real, la reina Sofía apareció vestida con un deslumbrante traje de lamé de plata, bordado y recamado de pedrería. Ciñendo sus sienes, una tiara real de platino y brillantes, que contadísimas veces usa. Cruzándole el pecho, la banda de moaré azul ultramar y rebordes blancos de la orden de Olga y Sofía, con el lazo de diamantes. Y, prendidas junto al hombro izquierdo, la gran cruz de sus antepasadas reinas, y la placa del centenario de la Casa Real de Grecia.

En el intercambio de saludos, Karamanlis, tratando de congraciarse con la reina, le preguntó en griego: «¿Cómo está su hermano?» La reina no respondió. El rey Juan Carlos, que sabe griego más que suficiente para entender una frase así, salvó el silencio de la reina disparando un proyectil cargado de intención: «Él está ahora... como yo estaba en los tiempos de Franco.»

Después, durante la cena, como Karamanlis insistiera en querer justificar su traición de diez años atrás, la reina le cortó en seco: «Señor presidente, yo soy la reina de España: no me hable usted de problemas internos de Grecia.»

IX

Acodado al balcón miro insaciable el oleaje,
oigo sus oscuras imprecaciones (...)
ya olvidados sus nombres, los amo en muchedumbres,
roncas y violentas como el mar, mi morada...

LUIS CERNUDA, *Soliloquio del farero.*

Un viento frío atiza la lluvia, que se clava al bies contra los cristales del coche. Pongo a la máxima velocidad los brazos metálicos limpiaparabrisas. Me divierto un rato, viendo la furiosa contradanza con que esos dos enanos mecánicos pretenden neutralizar el chaparrón, barrerlo, borrarlo, eliminarlo, echarlo fuera, arrojarlo a las tinieblas exteriores. No pueden. Es inútil. No me dejan ver nada, y además meten un estruendo del demonio. Aminoro la velocidad de esos dos chismes y los dejo oscilar lentamente, con la cadencia de un diapasón en *allegro ma non troppo*. Va y ven. Va y ven. Va y ven... Ése es el ritmo ahora. Con su obediente vaivén forman sobre el cristal dos abanicos satinados, dos hemisferios de calma y de lisura. Mejor. Así es mejor. Así, hasta el interior de mi pequeño Rover parece un regazo alojador, en medio de esta noche de lobos, 19 de enero y de aguacero, en el monte de El Pardo.

Desciendo por el asfalto marengo y brillante, como si el Rover y yo fuéramos una burbuja superviviente de vida solitaria. Alrededor, la nada negra. Pongo las luces largas, por ver más luz. Pero veo más noche y más lluvia. Y a mí, que no me gusta conducir de noche. Y a mí, que no me gusta conducir con lluvia. Y a mí, que no me gusta conducir. Conecto la radio. A palpas. Siempre llevo el dial en el 95.1 de FM, Intereconomía. Una emisora que *mola demasié*: sólo emiten boletines de cambio y bolsa y música para selectos, y sus locutores son un sugestivo y repelente cruce de yuppies capullos y de filósofos satinados, con fonética gangonasal de chicos bien. Como diría la reina, están *dando* un nocturno de Chopin, dentro de un «*master* sobre impresionismo». ¡Ni adrede! De pronto, va y me acuerdo de aquella cierva majestuosa que un día me salió por estas curvas. ¿Dónde se guarecerán los ciervos cuando llueve *come piove questa sera*?

He estado en La Zarzuela un par de ratos largos, en días casi seguidos.[1] Una de las veces, la reina venía, o iba, no sé, no lo pregunté, a la recepción que los reyes ofrecen todos los años al Cuerpo Diplomático, en el palacio Real. Al día siguiente, llegaba la reina Sirikit de Thailandia. Durante tres jornadas doña Sofía se ha dedicado a atender a su huésped. Ahora mismo se está vistiendo de gala para ir a un concierto en el que se interpretará música thailandesa compuesta por el propio rey Bhumibol. Ayer tuvieron una cena familiar en La Zarzuela. La reina me ha explicado: «Hice venir a mi hija Elena y a Jaime, su marido. Ellos estuvieron en Thailandia cuando el viaje de novios, y también conocen a la reina Sirikit. Es bueno que vengan y la cumplimenten, porque esta visita es un asunto de Estado: un negocio para España.» Y mañana, aunque siga lloviendo como llueve ahora, las dos reinas viajarán juntas a Ferrol, para hacer la botadura de un portaaviones construido por nuestra empresa pública Bazán, y que vendemos a la armada thailandesa. «Sí, cuando hablo de "negocio para España" estoy queriendo decir que lo que nos traemos entre manos son muchos miles de millones. Sólo el buque cuesta más de 45.000 millones de pesetas. Además, nos han comprado otros bienes de equipo...»

Desconocía yo esta faceta de la reina. En broma, le dije: «No sabía que los reyes tuviesen comidas de negocios...» Me contestó rápida: «Pues, el rey don Juan Carlos si quisiera podría contarte muchas cosas... que los gobiernos a veces no pueden resolver; y discuten, y se atascan, y hay por medio

---

1.   Estas dos conversaciones con la reina Sofía se celebraron los días 17 y 19 de enero de 1996.

el interés de no se sabe quién, en el otro país, que no deja prosperar una negociación, hasta que intervienen los jefes de Estado por arriba –y aún más fácil, si son reyes los dos–, y toda la dificultad desaparece en un momento.»

En estas dos conversaciones, la reina me ha hablado de los sucesos que ocurrieron entre la jura del príncipe como *sucesor a título de Rey*, el 23 de julio de 1969, y la jura como rey, el 22 de noviembre de 1975. Es decir, del importante tracto como príncipes de España. También esta vez me interesaba la mirada femenina, la ponderación del detalle y del pormenor, el relato humano, intimista, de cómo se vivieron desde dentro esos seis años de espera... en la antesala del trono.

–Aquí, en el salón, entre mi marido, Mondéjar, Gamazo[2] y no sé si estaba también Armada, prepararon el discurso del príncipe ante las Cortes, aceptando la designación. Fue una escena muy sencilla, muy familiar, de trabajo, todos interesados, todos a lo mismo. Yo no me perdía una palabra. Recuerdo que los franquistas, y el propio Carrero, querían que él dijese que era «el heredero de la monarquía del 18 de Julio». Pero aquí se eliminó esa fórmula, y al final dijo: «Pertenezco por línea directa a la Casa Real española, y en mi familia se han unido las dos ramas. Confío en ser digno continuador de quienes me precedieron.» Si acaso, buscamos luego el texto, para ponerlo exacto; es un discurso mucho más largo, pero ese trocito lo recuerdo bastante bien. Él mezcló el tema monárquico, y el dinástico, con el de la lealtad a las leyes de Franco, porque en ese mismo pleno de las Cortes tenía que jurar fidelidad a los principios del Movimiento Nacional y a las Leyes Fundamentales del Reino.

–Majestad, ¿a don Juan Carlos le preocupaba ese juramento?

–Mucho. Le preocupaba mucho. Tenía un problema

2. José María Gamazo era director general de los Servicios de la Presidencia del Gobierno, con el almirante Carrero Blanco, y cualificado enlace informativo con la Casa del Príncipe.

fuerte de conciencia. No quería ser perjuro. ¡Ni que alguien le pudiera llamar perjuro!

–Perjuro, ¿porque tenía ya la intención de violar esas leyes de Franco? ¿O eso no estaba todavía en su mente?

– Sí, sí, él quería cambiar el sistema, él no pensaba ser un rey absoluto, sino el rey de una democracia, el rey de todos los españoles, fuesen del partido que fuesen. Y tenía esa preocupación dentro. Pero Torcuato Fernández-Miranda le explicó muy bien que la misma Ley Orgánica del Estado permitía cambiar el régimen desde el régimen mismo. Como él decía, «ir de la ley a la ley». Ésa fue la llave para pasar de una dictadura a una democracia, reformando las leyes que había, sin revolución y sin ruptura. Porque, claro, esta cuestión se le volvió a plantear, muerto Franco, al jurar como rey. También entonces juró fidelidad a los principios del Movimiento, etcétera, etcétera...

–Y el llamarse *Príncipes de España*, ¿a quién se le ocurrió? Al parecer, la idea tuvo varios padres y alguna madre: unos dicen que la propuso vuestra majestad; otros, que Carrero Blanco; otros, que fue Laureano López Rodó quien la sugirió...

–Sí, se dio una telepatía, una curiosa coincidencia. El mismo día, la misma mañana, estábamos todos dándole vueltas a la cuestión. Y es muy posible que, sin comunicarnos, se nos ocurriera la misma solución. Laureano no estaba aquí. [Al revés que aquel profesor de griego en Salem, que pronunciaba las dos vocales de cada diptongo, la reina los une, a veces, y dice Luriano.] Estaba en Presidencia del Gobierno. Él, por su cuenta se lo dijo a Carrero: «Hombre, pues podría llamarse *Príncipe de España*, que eso a los más derechistas les gustará, y al oír *España* dirán ¡viva!» Pero yo lo que sé es cómo ocurrieron las cosas aquí, en palacio. Mi marido decía: «No puedo ser *Príncipe de Asturias*, porque en nuestra Casa Real ése es el título del heredero; y supone decir que el rey es mi padre. Además, Franco no lo admitiría. ¿*Príncipe de Borbón*? Eso no es nada: Borbón no es un lugar, es un apellido...» Entonces es cuando expuse la experiencia de mi propia familia, de mi propia dinastía. El fundador, Jorge I, suprimió todos sus apellidos: Schleswig Holstein Sondenburg Glücksburg... Y, a partir de ahí, todos nos hemos llamado Grecia. Nuestros hijos se llaman Borbón y Grecia... Yo sugerí lo de *Príncipe de España*. Les pareció muy bien. Además, había unos precedentes, según explicó mi marido. Existía cierta tradición de uso: ese título, *Príncipe de las Espanyas*, lo había llevado Felipe II. Y la tradición es muy importante en las monarquías. Incluso Alfonso XIII quería cambiar el nombre de la *Casa de Borbón*, por el de *Casa Real de España*, igual que Casa de Grecia, Casa Real Británica, Casa de Dinamarca...

»Gamazo, que era un enlace de toda confianza entre Carrero y el príncipe, habló con Carrero y se lo dijo: "Han pensado tal..." Por lo visto, también Laureano habló con Carrero ese día y le dio la misma idea. O sea, que funcionó la telepatía. Y no hay más.

–Señora, yo supongo que el príncipe era consciente de que esa larga espera como sucesor... del *caudillo* le gastaba, le quemaba la imagen. ¿O acaso pretendía reinar viviendo Franco?

–¡No! Hubiera sido nefasto, fatal, que Juanito fuese rey en vida de Franco. Los franquistas lo proponían: un Rey del Movimiento... o algo así. Pero el príncipe no quería ni oír hablar. De ese modo, no se llegaba a una democracia. Pero si, muerto Franco, Arias con los del búnker nos querían llevar a «la democracia del 12 de febrero», ¡y se quedaban tan a gusto!

»El príncipe tenía muy claro que quería la democracia. Pero sabía que no se podía romper de modo tajante, ¡zas!, con todo lo anterior. Iba a ser necesario lo que entonces decían de "ir por pasos contados". Y eso a unos les parecería muy poco y a otros demasiado; pero sólo así se evitarían los enfrentamientos y las revanchas.

»Durante ese tiempo (fueron muchos años) mi marido y yo hablábamos de política como lo más normal: ésa era nuestra vida.

23 de julio de 1969. Por la mañana, en La Zarzuela, y actuando como notario mayor del Reino el ministro de Justicia, Antonio María de Oriol, el príncipe acepta suceder a Franco. Por la tarde, en sesión plenaria de las Cortes, con la prosopopeya y el boato de solemnidad que Franco impone para los actos presididos por él, el capitán don Juan Carlos de Borbón y Borbón jura todo lo jurable y es proclamado *Príncipe de España*. Al día siguiente será ascendido al generalato de tierra, mar y aire. Porque, taimado y cauteloso, por gallego, Franco no ha querido darle los entorchados de general hasta haber amarrado el juramento.

El deseo de Franco es que en el acto de la aceptación esté presente «el mayor número de miembros de la familia real». Pero don Juan de Borbón, como jefe de la Casa Real, impone su criterio: prohíbe asistir a las infantas Pilar y Margarita, y al resto de su familia. Don Carlos de Borbón Dos Sicilias, duque de Calabria, declina la invitación, porque el protocolo franquista, ignorando la verdadera prelación dinástica, le ha situado detrás de don Alfonso y don Gonzalo de Borbón Dampierre. Al fin, sólo estarán estos dos, junto a la princesa Sofía y sus tres hijos. Y don Luis Alfonso de Baviera que, por ser general, debe obedecer antes a Franco que a don Juan.

«Es cierto –me dice la reina–, la familia no vino ni a la jura ante las Cortes ni al acto de aceptación en La Zarzuela. Los Borbón, porque don Juan lo prohibió. Y mi madre y mis hermanos, por no eclipsar: eran reyes, y hubiesen acaparado atenciones y protagonismo.»

Ese día, don Juan, almirante de infortunios, sale temprano de casa. Feroz y roto, no dice adiós siquiera. Con sus albardas de furia y de dolor, galopa la mar atlántica en su barquito insuficiente. Insuficiente para tanto coraje y tan amargo. Navega, Portugal costa arriba, deja a estribor el cabo Carvoeiro, llega a Figueira da Foz, y por ese costurón verde del río Mondego se adentra hasta Coimbra.[3] Amarra el barco. Entra en un bar que él sabe. Saluda sin palabras, meneando hacia arriba la testa. Mira allá, junto al techo, el televisor colmeneado de moscas a esa hora de la siesta. Elige una mesa. Arrima una silla. Se sienta frente a frente. Pide una botella de whisky, un vaso, sin cubitos, gracias, y que me conectéis el chisme ese con televisión española. Quiere ver «lo de la jura». Quiere verlo con sus propios ojos. Y que ningún lacayo intelectual, ¡consejeros de mierda!, venga luego a contárselo. Lo de que «mi Juanito ha leído muy bien»[4] lo dijo, ¡claro que lo dijo! Pemán no se lo inventó. Más bien, cándido él, se quedó corto. No vio la puya de don Juan: que a su Juanito ya lo habían puesto de lector de los textos de otros.

Se produce la crisis entre el padre y el hijo. Van a estar tres, cuatro, cinco meses sin hablarse. O en un puro reproche. «Esto no es lo nuestro, de manera que venga la placa», dicen que dijo. Pedro Sainz Rodríguez pone esas palabras, así de arremangadas, en boca de don Juan, reclamándole al príncipe la Cruz de la Victoria del Principado de Asturias.[5] Años más tarde, después de renunciar a sus derechos como jefe de la Casa Real española, don Juan la entregará a su nieto Felipe. Pero, hasta entonces, de uno y otro lado hubo que tragar mucha quina.

«No quiero ni acordarme de aquellos meses. Sufrimos todos –evoca la reina, aún con mal sabor–. Luego, llegaron las Navidades y pensamos que era mejor ir y aclarar las cosas

---

3. La mayoría de los autores dicen que don Juan vio el acto por televisión desde un bar de pescadores en un pueblecito del Algarve, pero Luis María Anson, en *Don Juan*, da un itinerario pormenorizado más fiable, que acaba en Coimbra.
4. Así me lo contó don José María Pemán, una tarde en su viña de Jerez: «Mi Juanito...», con ese posesivo familiar de padres que se resisten a ver mayores a sus hijos.
5. Pedro Sainz Rodríguez, *Un reinado en la sombra*. Planeta, Barcelona, 1989, p. 276.

cara a cara, que seguir con esa tensión horrible. Yo no sé qué ocurrió entre ellos: se reencontraron. Algo así como cuando dos personas, que siempre han estado juntas, de pronto, va un día y... se descubren.»

Laureano López Rodó, que en esos años, y antes y después, trató mucho y con leal confianza a don Juan Carlos, me dijo –en referencia a aquellos sucesos– que «el enfrentamiento entre el padre y el hijo era tan duro, como sólo se da entre dos rivales que ambicionan la misma pieza de conquista». Mis notas de cuaderno, con lo que oí entonces al uno y al otro, tal y como las escribí en su momento, las he puesto dentro de un sobre lacrado para que no se lean hasta que llegue la hora de contar, de verdad, cómo fue la Historia. Mejor dicho, no es un sobre: son dos. En el segundo va lo que Franco decía de don Juan. Los argumentos *ad hominem*, de condiciones morales y de conducta personal, sobre los que justificaba *birlarle* el trono, y saltarse el orden dinástico. He indicado que esos sobres no se abran hasta el año 2025.»

Naturalmente, le insté a que me aclarase algo más eso de «contar, de verdad, cómo fue la Historia». Se quedó un rato pensativo, en silencio, como escogiendo en el disco duro de su portentosa memoria algún dato de valor incontestable. Después comentó: «El sentimiento de un hijo hacia su padre no se borra; mucho menos, el de un padre hacia su hijo. Y eso, gracias a Dios, prevaleció sobre toda otra cosa. Don Juan supo ceder. ¡Mejor! Porque don Juan Carlos no hubiese cedido. Todo aquello de "hago las maletas, tomo a Sofi y a los niños y me voy" era hablar por hablar... Si, llegado el momento de aceptar la sucesión a título de Rey, don Juan le hubiese ordenado "dile a Franco que no", don Juan Carlos no le habría obedecido. Y esto lo digo porque, más que certeza moral, tengo constancia de que el príncipe no se habría marchado de España.

»Don Juan Carlos era rey desde 1975, aunque su padre

no le cediera los derechos. Pero, dinásticamente, ahí se había producido un *gap*, un salto que sólo se legitimaba con la renuncia expresa y formal de don Juan. Pues bien, ese acto, que convertía la instauración en restauración, y que entrañaba no poca grandeza de alma por parte de don Juan, se quiso minimizar, se hizo con sordina; como si, en vez de una pieza histórica clave, fuese un asuntillo sentimental de familia.

»Me pareció muy bien que a don Juan le rindieran honores y exequias funerarias y enterramiento de rey. Sí, fue de muy buen gusto ese maquillaje final, ese toque póstumo de grandiosidad, ese *happy end*. No quedó mal, pero... no era *histórico*.»[6]

La reina me asegura que ella entendió desde el primer momento que «entre el padre y el hijo había un acuerdo en el aire, no dicho, por el que el trono iba a ser de quien pudiera llegar a él... Para mí estaba claro que el príncipe quería que su padre reinara primero. Ese acuerdo en el aire se sobreentendía: él, Juanito, hubiese sido más feliz recibiendo la corona de su padre que de Franco. ¡Era lógico, ¿no?, que quisiera la continuidad dinástica! Pero fue Franco quien excluyó a don Juan radicalmente. No había más que abrir los ojos. Sin embargo, nadie en Estoril parecía querer verlo. Vivían con sus ideas... creyéndose lo que les contaban los del pequeño círculo de *juanistas* devotos, que les daban una versión irreal de España. Mi marido discutía mucho con mi suegro por esto. Le decía: "Papá, esa España de la que tú hablas ya no existe. Te están contando una España ficticia. Las cosas y las personas han cambiado, el nivel de vida, la cultura, las ideas, los intereses..." Nosotros viajábamos a Portugal con frecuencia. A veces salíamos juntos, toda la familia. Doña María conducía el coche por Estoril. Mi ma-

6.   Todo esto me lo dijo Laureano López Rodó, precisamente para este libro, durante una larga conversación que tuvimos en su despacho de la calle Alcalá, en Madrid, el 29 de mayo de 1996.

rido y yo nos íbamos solos de vez en cuando, y hacíamos lo que queríamos: a la playa con amigos, a montar a caballo, a hacer vela, de noche a discotecas y restaurantes... Y podíamos hacer todo eso, como cualquier turista, porque don Juan y doña María estaban muy apartados de la sociedad portuguesa. Y si eso era así en Portugal, donde vivían, es fácil imaginar el desconocimiento que tendrían de la realidad de España, donde no vivían desde 1931».

A continuación, como para equilibrar la balanza, agrega:

–Pero don Juan era el hijo del rey, el heredero legítimo: tenía que haber sido rey. Y es justo decir, y yo lo digo con toda mi alma, que sin su sacrificio hubiese sido todo mucho más difícil.

–Moralmente, quizá. Políticamente, no. La frase atribuida a don Juan «no levantaré bandera contra mi hijo» es muy hermosa, pero ¿cuál es su valor real, cuando no se tienen ejércitos detrás?

–Aquella renuncia de sus derechos, y aquel «majestad, por España, todo por España, ¡viva España! ¡viva el rey!», dicho por el padre, firme, cuadrándose, inclinando la cabeza ante el hijo... fue un gesto grande, fue algo admirable que no hay que olvidar, y que conviene recordar. Esas actitudes sólo se tienen si hay casta de rey. Y don Juan tenía toda la casta de un rey.

»Aquel mismo julio de 1969 –continúa–, después del nombramiento como sucesor, los Franco nos invitaron a pasar cuatro o cinco días en el Pazo de Meirás. Era la primera vez que íbamos a convivir con ellos. Del trato protocolario, cuando les visitábamos en El Pardo, a estar allí juntos, desayunando, comiendo y durmiendo, conviviendo con informalidad, había una gran diferencia. Era una cosa nueva. Sinceramente, me interesaba. Le dije al príncipe: "Ahora tendremos la oportunidad de oír en una dimensión más íntima las opiniones de Franco; que nos cuente experiencias suyas, de asuntos nacionales, de asuntos internacionales; que nos explique cosas de presente, de futuro; saber, desde su punto de vista, quién es quién... Será una experiencia importante." Pero ocurrió que, durante la comida, o la cena, Franco estaba callado. Hablaban los nietos, la hija, el yerno, doña Carmen, nosotros... pero él observaba, pensaba, comía, y no decía ni media palabra. Pensábamos: "Será después, a la hora del café." Pero ¡qué va! Nos metían frente al televisor. Y todos allí, a ver al locutor y a escuchar en silencio. Luego él se iba a trabajar, o a echarse un rato, o a hacer deporte, y ya no volvíamos a verle.

»La primera noche en el Pazo de Meirás ocurrió que, al ir a acostarse mi marido, ¡pumba!, se rompió la cama. Él se cayó al suelo. Se armó un ruido terrible, y un jaleo con los barrotes, el colchón, el somier... ¡Yo creí morir! Le dije: "Por lo que más quieras, no lo cuentes." Pero ¡ja!, al día siguiente le faltó tiempo para soltarlo nada más llegar al desayuno. Todos se rieron muchísimo. Incluso Franco.

»Hacíamos más vida con los Villaverde y sus hijos que con él. Pero es que, aunque parezca increíble, Franco no hablaba nada. Se quedaba como aparte, y escuchaba. A mí me produjo una gran decepción porque yo esperaba que nos contase cosas de interés. Posiblemente, sin los Villaverde hubiéramos oído más a Franco. Sus hijos esto no lo entendieron, y pensaron que tenían que volcarse con nosotros, y sacarnos a navegar, a cenar, a tomar el aperitivo, a jugar al tenis, a charlar en el jardín. Eran muy amables, pero yo lo sentí mucho, porque nosotros no íbamos al Pazo para divertirnos. Vivir en familia, con naturalidad, con unas personas a las que no estás ligada, no era muy fácil.

Sugiero a la reina que quizá hubiese algún trasfondo de celos. Y me responde rápida:

«Tal vez. Franco veía a Juan Carlos como el hijo que no había tenido. Y eso se notaba a simple vista. El hecho es que, por un exceso de cortesía, los Villaverde no nos dejaban a solas con Franco, ni con Franco y su mujer. ¿Para que no hiciéramos planes de futuro? Pues... no digo que no.»

Esto no ocurrió sólo ese año: todos los veranos, mientras fueron príncipes de España, pasaron unos días de agosto en Meirás. También embarcaron con los Franco en el *Azor*.

Doña Sofía insiste en la dificultad de tratar con el *caudillo*:

–Era muy reservado, muy silencioso: un hombre hermético.

–¿Distante? ¿Imponente? ¿Enigmático?

–No. Distante, imponente, no; era un anciano pequeño, bajito, y sencillo. ¿Enigmático? Tampoco. Franco era obvio. Todo lo que Franco decía era obvio, elemental. Lo hubiese podido decir cualquiera... Lo que pasaba era que, como apenas abría la boca, cuando decía algo todos se ponían a interpretar qué habría querido decir, y le daban mil vueltas.

–¿Influía en Franco el marqués de Villaverde?

–Influía en la familia. Pero en Franco no. En la familia, mucho. No movían un dedo sin contar con él. Y eso nosotros lo vivimos de cerca, durante las dos enfermedades del *caudillo*. Y cuando reasumió los poderes, sin previo aviso...

Aunque la reina me ha dicho, categóricamente, que don Juan Carlos no quería reinar mientras Franco viviese, es innegable que hubo ciertos intentos, altos intentos, para persuadir a Franco de la conveniencia de retirarse en vida, cediendo sus poderes al joven rey. Un interesante personaje, el almirante lord Earl Mountbatten, comandante en jefe de las fuerzas navales de la OTAN en el Mediterráneo, habló personalmente con el presidente Richard Nixon y con don Juan de Borbón, tratando de adelantar los acontecimientos.

Lord Mountbatten, hermano de la princesa Alicia de Battenberg, tío del duque Felipe de Edimburgo y de la reina Isabel de Inglaterra, y tío abuelo de doña Sofía por la rama de Grecia, y de don Juan Carlos por la rama inglesa de la reina Victoria Eugenia de Battenberg, era un hombre magníficamente relacionado, con franquicia en las altas esferas de la realeza y del poder político internacional. Y, según me comentó el rey Constantino, que le había conocido y tratado con gran confianza, «disfrutaba asumiendo misiones delicadas, yendo a unos y a otros con embajadas interesantes». Pues bien, lord Mountbatten, familiarmente Dicky, asiduo huésped de los reyes Pablo y Federica en Tatoi y en Corfú, realizó al menos un par de audaces gestiones de mediación. Una, en 1969, ante don Juan para que renunciara al trono o diera un «instrumento de abdicación», que don Juan Carlos debería hacer público «la noche antes de que os convirtáis en rey, de modo que todo el mundo pueda ver que sois el rey legítimo, por derecho propio, y no el títere de un dictador».[7] Así consta en una carta de Mountbatten al príncipe Juan Carlos, escrita en ese mismo año 1969.

También habló en varias ocasiones con el presidente Nixon, encomiando a los jóvenes herederos Constantino de Grecia y Juan Carlos de España, «a quienes Estados Unidos deberían ayudar en sus planes de futuro»;[8] o instando al mandatario americano para que convenciera a Franco de que debía «testar» en vida, y dejar asentado en el trono al príncipe sucesor. Esto lo confirma Vernon Walters, que entonces era subdirector de la CIA, y que recibió del presidente Nixon la encomienda –si no secreta, discreta– de desplazarse a Madrid y tantear al general Franco sobre ese delicado tema. Mountbatten le habría dicho a Nixon: «Sólo usted, señor presidente, es lo suficientemente poderoso como para decir eso a Franco.» Esto ocurría en 1971. La respuesta de Franco a Walters fue, de una parte: «El príncipe Juan Carlos es la única alternativa»; y de otra: «La sucesión se hará con orden: dígale al presidente Nixon que el orden y la estabilidad en España quedarán garantizados por las medidas oportunas y ordenadas que estoy adoptando.»[9]

Una «obviedad» de las de Franco, que no llevaba a ningún nuevo paisaje.

Recuerda ahora la reina Sofía su primer viaje oficial a Estados Unidos, en enero de 1971. Nixon debió de comentar al príncipe, en tono elogioso pero informal, que no se gastara

7. Philip Ziegler, *The Diaries of Earl Mountbatten of Burma, 1953-1979*, Londres, 1989, p. 678.
8. Philip Ziegler, *From Shore to Shore*, p. 202.
9. Vernon Walters, *Silent Missions*, Nueva York, 1978, pp. 328-331.

haciendo gestos públicos para desmarcarse del régimen de Franco, porque bastaba ver su juventud, su simpatía y su dinamismo, para transmitir la idea de que con él las cosas serían muy distintas. Pese al consejo de Nixon, el príncipe hizo lo que pensaba que convenía hacer: aprovechar la megafonía mundial de los *mass media* norteamericanos.

«Jesús Hermida, que era el corresponsal de TVE –me dice la reina–, consiguió que mi marido estuviese en Cabo Cañaveral durante el lanzamiento de uno de los Apolo. Neil Armstrong era el comentarista. Charlaron el príncipe y él. Y, de pronto, ¡plas!, los focos y las cámaras, enchufando a mi marido, que empieza a hablar en inglés, en directo... ¡para quinientos millones de telespectadores de todo el mundo! La gente alucinaba, al ver que el futuro rey de España estaba con la última tecnología, hablando inglés...»

Además, despachó algunas declaraciones en prensa escrita.

–Fueron muy importantes –comenta la reina– las que hizo en *The Chicago Tribune*. Decir entonces que la gente en España quería más libertades era muy atrevido. Pero él lo dijo. Y habló de apertura y de democracia. De regreso ya aquí, en Madrid, vino un día Castañón de Mena, muy alarmado: «Alteza, Franco tiene sobre su mesa esas declaraciones.» Y mi marido dijo: «Ah, ¿sí? Pues muy bien: voy a leérselas en castellano yo mismo.» Cogió la hoja del periódico, se la metió en el bolsillo, y se fue a verle a El Pardo. Nada más llegar, le dijo: «Mi general, he hecho estas declaraciones en Chicago.» Franco no estaba molesto. Sonrió y le dijo: «Sí, alteza, hay cosas que se pueden decir allí, y no pasa nada; en cambio, aquí no se pueden decir porque sí que pasa... No sería apropiado repetir aquí lo que se dice fuera. Y, a veces, sería mejor que fuera no se supiera lo que se dice aquí.» En opinión de Franco, España no estaba preparada para una democracia «a la americana, o a la francesa, o a la inglesa...». Eso lo repetía muchas veces.

»Él apreciaba de verdad al príncipe. Yo notaba en su cara que se alegraba de verle, de tenerle cerca.

»Un día le preguntó: "Mi general, ¿cuándo me va a llevar a un Consejo de Ministros?" Y Franco le contestó: "¿Para qué? ¿De qué le va a servir? Vuestra alteza no podrá hacer lo que hago yo. Vuestra alteza tendrá que hacer cosas distintas, y hacerlas de otra manera."

–Majestad, ¿en aquellos años, como príncipes de España, se sentían vigilados a distancia por los servicios de información, o ya Franco se fiaba de don Juan Carlos?

–Franco se fiaba, sí; pero una cosa era Franco, y otra cosa todo el sistema del régimen. ¿Que si nos sentíamos vigilados a distancia...? ¡Nada de a distancia! ¡Aquí, dentro de nuestra casa, delante de nuestras narices, nos espiaban! Todas las personas que pasaban por aquí, quedaban «fichadas». Había un conserje que todos los días enviaba a El Pardo una nota poniendo quiénes habían venido, a qué hora entraron, a qué hora salieron... Muchas veces sorprendimos al personal de servicio escuchando detrás de las puertas. Ah, y cuando quisimos aclararlo, nos enteramos de que lo hacían porque se lo habían mandado de arriba, y tenían que cumplir su deber. Vimos que ellos lo hacían porque tenían que hacerlo. Pero ¿qué ibas a hacer? Vivías con ello. Viajábamos mucho, salíamos mucho...

–¿Estaban, si se me permite decirlo así, en una especie de campaña de márketing, anunciando un «producto» nuevo...?

–Bueno... había que dar la imagen de que lo que vendría sería muy diferente de lo que había. Pero no lo podíamos decir con discursos, ni con declaraciones. Teníamos que salir, estar en la calle, ir por las ciudades, dejarnos ver, hablar con todos...

»Estábamos muy alerta, para que no se hicieran cercos de gente alrededor nuestro: capillitas, cortes, que nos alejasen de la vida. No queríamos "círculos de íntimos", con los que uno está muy cómodo, muy halagado, sin oír nada molesto, pero que acaban aislándote de la realidad. Eso lo veíamos por todas partes, cuando viajábamos y teníamos contactos con otras personas de la realeza. Es frecuente: cuando estás arriba, crees que ves la realidad del mundo y de la vida, y los problemas de los hombres; pero no lo ves. Siempre hay *ayudantes* oficiosos que te lo impiden, con la mejor buena fe. El contacto directo humano es la llave. La mejor información, relacionarte con la gente: oír lo que ellos te quieren decir. Los palacios son trampas, ahogan, ciegan al que reina, al que gobierna: tienes tú que salir a la calle y abrir las puertas de tu casa para que entren los demás.

–Majestad, ¿eso es una utopía, o se puede conseguir?

–Si estás muy en ello, lo consigues. Mira, el otro día me comentaba el rey que, aparte los contactos que se producen en los viajes, en el último año ha tenido, aquí, en La Zarzuela, quinientos despachos, quinientas conversaciones a solas con distintas personas, y ha recibido a otras tres mil personas más en audiencias. La gente eso no lo ve, pero es un esfuerzo grande por estar siempre informado en directo. Eso es reinar con las puertas abiertas.

En todos estos encuentros con la reina, observo en ella una tendencia, que casi parece innata, a hablar del rey, a contar la vida del rey... Noto que se hace violencia para hablar de sí misma, como si le diera grima o repelús cualquier autorreferencia. Es una virtud de modestia natural, extraña en un mundo donde todos vamos cantando nuestros méritos, anunciando nuestras ventajas, alardeando de nuestro currículum, y exhibiendo nuestras condecoraciones o nuestras cicatrices. Mi esfuerzo, con la reina, es lograr que hable de sí misma.

Ahora me cuenta de sus estudios en la Universidad Autónoma de Madrid, de 1973 a 1977. Empezó, pues, como princesa de España, y siguió dos cursos más siendo ya reina:

«La idea se le ocurrió al marqués de Mondéjar. El profesor era José Solas. Me abrió muchísimo el horizonte mental. Yo iba a la universidad los sábados, y recibía clases durante dos o tres horas. Cuatro años seguidos. Era un conjunto de asignaturas: historia, filosofía, política, literatura, geografía, estadística, estructuralismo, arte, antropología, sociología... Un grupo variado de más de cien alumnos. Lo pasé muy bien. La relación era cordial, sencilla, muy natural. A mitad de la mañana, me iba con unos o con otros a tomar algo al bar. Luego, me llevaba tarea y temas para estudiar en casa. Para mí supuso un enriquecimiento personal y cultural muy valioso. Todavía vivo de rentas de lo que aprendí entonces. Me sirvió mucho, mucho.

»Más tarde, María Eugenia Rincón, que había sido alumna de este grupo de la Autónoma, organizó en el Instituto de España el seminario de conferencias "Pensamiento y Ciencia contemporáneos". Sigo yendo... y sigo aprendiendo. Por ahí dicen que soy "una mujer culta". Y yo cada día me veo más ignorante. Quizá lo que me salva un poco es que casi todo me interesa, sé que no sé, y voy por la vida aprendiendo.

»Pero lo que te iba a contar, siguiendo lo que hablábamos del contacto con la gente, es que a mí me gusta estar entre los demás. Me hacía ilusión que llegaran aquellos sábados. Sinceramente, por mi propia timidez, yo tenía que superarme para estar natural, y tomar la iniciativa de hablar a ésta o a aquél, pedir unos apuntes... Además, intentaba olvidar que yo era quien era, para parecer una más. Tenía cierto complejo de avestruz. En cambio, a mis hijas, las infantas, no les cuesta. Son más naturales, más espontáneas, en el trato con los demás, en el tú a tú. Ellas lo hacen mejor que lo hacía yo: nunca se olvidan de que son infantas de España; sin que eso les impida un trato informal de "¡Hola, chico!, ¿qué tal?", o reunirse en casa de uno a merendar, sentados por el suelo...

»A todo esto, viene la muerte de Carrero; la enfermedad de Franco; mi marido, jefe del Estado en funciones; la muerte de Franco; la jura como rey... Y yo seguía yendo a la universidad. Había tomado la decisión de ir a clase al día siguiente mismo de la jura del rey, para romper el hielo, y que no se enfriase la relación, ni se creasen barreras. Yo tenía un gran interés en que no hubiera un corte seco entre antes y después. Pero, lo repito, soy tímida y esas cosas... me cuestan a morir. La noche después de haber jurado el rey, pensando que a la mañana siguiente iría a clase como si nada, me decía a mí misma "¡Tierra, trágame". No me había dado vergüenza ninguna estar allá arriba en las Cortes, o saludar a la gente por las calles de pie en el coche descubierto, o entrar bajo palio en los Jerónimos... Y yo creo que nadie en el mundo se pudo imaginar que, esa noche, la reina Sofía se la pasó pensando "¿cómo me recibirán mañana en clase?".

»¿Y sabes cómo me recibieron? Pues ni aplausos ni "vivas", que así, en el plano corto, me hubiesen hecho ponerme como un tomate. Sino que me esperaban en el pasillo, junto al aula. Y una de mis compañeras me oferecíó unas flores en nombre de todos... Me pareció encantador.»

Entro ahora por otra vereda: las relaciones con el primo hermano del rey, don Alfonso de Borbón Dampierre. Le pido que me explique la verdadera historia del toisón dado a Franco.

–Del toisón, lo que yo sé es que Laureano López Rodó, y quizá alguien más, pensaron que sería oportuno que don Juan se lo concediese a Franco. Pero mi suegro preguntó: «¿Están seguros de que Franco quiere el toisón?» Y no se lo dio. Quien sí se lo dio, y sin tener potestad para hacerlo porque no era el jefe de la Casa Real española, fue don Jaime. Desde hacía unos años, él y su hijo jugaban a confundir. A que pareciese que aquí había dos príncipes, dos pretendientes, dos alternativas... Cuando llegó la boda entre Alfonso y Carmencita, mi marido le pidió a Franco que no se pusiera el toisón para la ceremonia. Pedirle eso fue un trago fuerte para el príncipe. Y Franco tuvo el buen sentido de no ponérselo ni entonces ni nunca.

–¿Pidió don Alfonso que vuestra majestad fuese madrina de esa boda?

–Sí. Pero le contesté sobre la marcha, sin tener que pensarlo dos veces: «No es que yo quiera o deje de querer, es que mi moral no me lo permite. Viviendo tu madre, ¿yo cómo voy a suplantarla? La madrina ha de ser tu madre.»

He pedido a la reina que me hable de los personajes del búnker, de aquella resistencia extrema-derecha a la democracia:

«No nos querían, pero no nos lo demostraban. Siempre fueron muy correctos con nosotros. Solís, incluso, simpático. Quizá lo hacían por respeto a Franco... Girón, que era como el jefe moral de todos ellos, vino aquí a palacio, después de jurar mi marido como rey, a cumplimentarle, y se trajo a los excombatientes y a la vieja guardia falangista. Ese gesto (¡y esa foto!) tenía su importancia en aquel momento. No hay que olvidar que lo único que existía, con estructuras, con organización, era el Movimiento, el régimen de Franco. Y que tendrían que ser las viejas Cortes de Franco las que dieran paso a lo nuevo. No se puede escribir la historia de la transición sin quitarse el sombrero ante ciertas personas, muchas, que pensando completamente distinto de lo que el rey quería para España, se estuvieron quietos y callados: le dejaron hacer y deshacer, y se fueron a sus casas. Eso no lo encuentras por ahí. Era muy importante, sí, muy inquietante, saber cómo se portarían los socialistas y los comunistas; pero los que tenían el poder en este país no eran ellos, sino los franquistas y los falangistas. Esas personas supieron dar paso a la nueva situación. Y ellos se quedaron fuera, en la cuneta... Yo creo que hay que recordarlo, con agradecimiento.

»Mira, el otro día, al salir de un concierto en el Auditorio, allá al fondo del hall, entre la gente, vi una cara de mujer que me resultaba conocida, lejanamente conocida... Yo estaba saludando a otras personas, y pensaba "¿Quién es ésta?... yo la conozco mucho, pero ¿de qué?". No tengo la memoria de elefante que tiene mi marido. Soy fatal, negada, para los nombres. Me acuerdo perfectísimamente de lo que le pasó a tal y a cual, pero no me preguntes cómo se llaman. Y en éstas, de pronto, clic, ¡se hace la luz! Y casi doy un grito: "¡Eh, Belén! ¿Qué es de tu vida, mujer? ¿Qué haces? ¡Qué alegría volver a verte!" Era Belén Landaburu. Una mujer muy política, muy inteligente y muy valiosa del Movimiento, procuradora en Cortes... Me acerqué para darle un abrazo. Entonces era joven, pero todos le tenían un gran respeto. Bueno, pues, como ella, tantas personas de gran valor que se retiraron sin armar ruido. El mismo Federico Silva Muñoz, o Gonzalo Fernández de la Mora. Éstos querían la apertura, sin embargo, se quedaron marginados, y considerados como ultras.»

Este discurso de rehabilitación civil de *los vencedores vencidos* es tan infrecuente, que en el momento primicial de escuchárselo a la reina me sorprende, no me cae bien, se me atraviesa. Y lo archivo en mi libretilla, como *extrañezas*. La reina sigue hablando, pero ahora se ha pasado al otro hemisferio. Me cuenta de las arriesgadas «diplomacias bajo cuerda» desplegadas por el príncipe para captarse a las izquierdas, «porque aquí había *dos Españas*, pero él quería ser el rey de los unos y de los otros».

Le he preguntado si recibieron a algún socialista, de modo clandestino, en tiempos de Franco. «Recuerdo –dice– que Fernando Morán vino con nosotros a uno o a dos viajes, porque trabajaba como diplomático en Asuntos Exteriores. Y el príncipe hablaba con él. No es cierto, aunque se ha dicho, que Enrique Tierno viniera aquí a La Zarzuela. Quizá fuera a Estoril... El que sí vino fue Luis Solana, camuflado con su moto y su casco.

»En la celebración del milenio del Imperio persa, en aquella fiesta fastuosa que ofreció el sha Reza Pahlevi, en Persépolis, tratamos con muchísimos "grandes" del planeta. Entre otros, conocimos a Ceaucescu, el presidente rumano, que tenía su "tienda" al lado de la nuestra. Entonces no se conocían los horrendos crímenes ordenados o consentidos por este hombre. Y él y Tito eran, de los dirigentes comunistas, los más aceptados en las democracias de Occidente. El príncipe Juan Carlos se interesó por las posiciones políticas que adoptaría Santiago Carrillo cara a una democracia con una monarquía. Ceaucescu se ofreció para "cuando llegue el momento en que yo pueda serle útil", porque Carrillo iba los veranos a Rumanía, invitado por Ceaucescu. Pasado el tiempo, siendo ya rey mi marido, al tener que buscar un contacto seguro con Carrillo, para tantear las intenciones del Partido Comunista, se acordó enseguida de Ceaucescu, y envió a Bucarest a una persona de su confianza.[10] Al rey le preocupaban más los comunistas que los socialistas, porque eran los adversarios más duros del régimen anterior, y porque podía haber una confrontación entre los comunistas y los militares y los elementos más de derechas.»

Pero es después, cuando las abejas faeneras liban el jugo inteligente en el panal de mi memoria; es después, cuando el pianista de los *nocturnos* de Chopin deja de darle zarpazos al teclado y se hace un poco de silencio en el interior del coche; es después, ahora mismo, cuando el monótono vaivén de los limpiaparabrisas me muestra cada cuatro segundos esos dos hemisferios simétricos de cristal desempañado, cuando caigo en la cuenta de lo que significa eso que vengo viendo desde hace media hora: dos hemisferios simétricos. Dos hemisferios: dos mitades. No *dos españas*: dos *medias españas*. La de Girón y Solís y Belén Landaburu, y la de Carrillo y Morán y Solana. Podríamos decir: dos medias españas... «con la terrible simetría del tigre».[11] Y, entre las

---

10. Ese enviado del rey a Rumanía fue Manuel de Prado y Colón de Carvajal. Para introducirse en los círculos diplomáticos rumanos y llegar hasta el presidente Ceaucescu, sin credenciales ni avales que pudieran comprometer a don Juan Carlos, utilizó el contacto de un comunista español, Domingo, hermano del famoso matador de toros Luis Miguel Dominguín. *Cfr.* Victoria Prego. *Así se hizo la Transición*, Plaza & Janés, 1995.
11. Del poema de William Blake (1757-1827): *Tyger! Tyger! burning*

dos, un rey funambular, haciendo inverosímiles equilibrios sobre el alambre enjabonado, «porque quiere ser el rey de los unos y de los otros».

Me cuenta la reina cómo vivió ella la muerte del almirante Luis Carrero Blanco, presidente del Gobierno, ocurrida el 20 de diciembre de 1973:

—Esa mañana, yo iba en el coche a llevar a los niños al colegio de Rosales. En el asiento de delante, el conductor y un policía. Detrás, los niños y yo. Llevábamos la radio de los policías conectada. De pronto, empezamos a escuchar voces que decían: «Aquí hay mucho humo... mucho jaleo... es como si se hubiera abierto el suelo... ¡¡Atención!! ¡No sabemos qué pasa! ¿Me oís?... ¿Me oís? Ha desaparecido el coche del presidente Carrero... Parece que ha sido una explosión. El coche del presidente lo hemos perdido de vista. Enviad otro de escolta, porque este mío está hundido...» Lo estábamos oyendo en directo. Pero los policías que hablaban no sabían lo que estaba ocurriendo. Creían que el coche de Carrero había seguido su ruta, sin que le alcanzara la explosión. No lo veían. ¿Cómo iban a imaginarse que había saltado por los aires? Dejé a los niños en el colegio. Volví aquí, a palacio. Nada más entrar en el recinto de La Zarzuela, pregunté: «¿Ha ocurrido algo al presidente del Gobierno?» Tenían noticias confusas.

»Cuando se confirmó la muerte, y que era un atentado, me quedé un poco *groggy*... conmocionada. Era demasiado fuerte. Aquí, en palacio, estaba todo el mundo como noqueado por la sorpresa. Pesaba casi, casi la podías tocar en el ambiente, una incógnita de... ¿de mal augurio? ¿Cómo se llaman los pajarracos esos...?

—¿De mal agüero?

---

bright / in the forests of the night / What immortal hand or eye / could frame thy fearful symmetry? (¡Tigre, Tigre! brillo ardiente / en las selvas de la noche, / ¿qué mano, o qué ojo inmortal / pudo construir tu terrible simetría?)

–¡De mal agüero! Una incógnita muy negra sobre el futuro. Y ahora, ¿qué? ¿Qué puede ocurrir? ¿Qué reacción va a haber? ¿Esto va a cerrar y crispar más a los que no quieren cambio ni apertura?

–¿Y no se preguntaban «quién lo ha hecho»?

–Esa pregunta vino después.

–¿Vuestra majestad la tiene resuelta?

–No. Yo nunca he visto que la goma-dos o el amonal ese con que «trabaja» ETA haga subir un coche por encima de una iglesia. La goma-dos deja los coches achicharrados, pero en el suelo, donde estaban. Esto fue todo muy raro...

–El día anterior, Carrero había hablado largo rato con Kissinger sobre su concepción del futuro de España. Ahí Carrero dejó claro que él garantizaba «continuismo franquista por muchos años». López Rodó estuvo presente en esa conversación. Pasados muchos años, y mientras me enseñaba una fotografía de la escena en la que se les veía a Kissinger, al almirante y a él, yo le pregunté si con esa declaración de intenciones no se habría cavado Carrero su propia tumba.

–¿Y qué te contestó?

–La verdad, yo esperaba que me contestara, «¡no, por Dios!», o «¿por qué dice usted eso?», o un incomprometido «no lo sé». Pero su respuesta fue enigmática: «Todo es posible en Granada.»

Recordando el entierro de Carrero Blanco, y la imagen del príncipe, vestido de marino, solo por el centro de la Castellana, siguiendo el armón con el féretro, y todo el país estremecido por el magnicidio, la reina me confiesa que ella estuvo muy preocupada:

–Por el riesgo que corría mi marido. Era como aquello de «solo ante el peligro». No sabíamos si los que habían asesinado a Carrero querrían llevarse a alguien más por delante. Él, que no es muy fumador, ese día se fumó ¡sesenta pitillos! Pero, para el país, que estaba traumatizado, fue muy bueno ver allí a un hombre valiente, fuerte, joven, que daba la cara... Los ultras no gritaban contra él, sino contra el pobre Tarancón. La tomaron con «Tarancón al paredón». Y Franco se quedó fuera de juego. Sin reacción. Su reacción fue no tener reacción. A partir de ahí... –con la mano extendida, simula un avión que desciende en picado– ya no levantó cabeza, ya no remontó. Fue un mazazo muy terrible para él.

–Majestad, ¿qué opinaba Carrero de la monarquía?

–Carrero era muy... lo que dijera Franco. Sobre monarquía yo nunca le oí opinar. Pero pienso que si hubiese muerto Franco antes que Carrero, que era lo natural, es muy posible que Carrero no hubiese dado paso al rey. Y quizá tú y yo no estaríamos aquí ahora hablando.

Debo de haber puesto cara de asombro, porque inmediatamente doña Sofía hace un movimiento de ojos, quizá apenas un parpadeo, como expresando un «bueno... vamos... es un decir...». Quiere mitigar el impacto de lo que ha dicho, quitar hierro. Está pensando. Por las bóvedas de su conciencia, libra una rápida batalla dialéctica entre la sinceridad y la prudencia. Yo la observo con atención. Es interesante ver cómo lo resuelve. En cuestión de décimas de segundo, con instinto largamente adiestrado –no es otra cosa la educación de reinas y de reyes– reaparecen en su rostro las lumbres de esa mirada azul apacible y superior. Ha encontrado la fórmula. No se va a desdecir. No va a mentir. No va a dejar estar la cosa vagamente en el aire. Pero algo en su rostro, o en su respiración más honda, tomando una ración larga de aire, me advierte que va a matizar.

–Carrero quería seguir con el régimen franquista, y sin democracia. ¿Qué hubiese ocurrido, de no haber sido asesinado? No lo sabemos. Ni lo sabremos nunca. Claro que... la gente cambia, la gente evoluciona. Decir lo que yo he dicho de que quizá no hubiésemos llegado a reinar, es lo que de verdad pienso, pero es una especulación. Y yo no tengo derecho a juzgar y condenar a Carrero por lo que él no tuvo tiempo de hacer. Ahora bien, su línea de pensamiento político era ésa: una monarquía instaurada, de nuevo cuño, que tomase su legitimidad y su naturaleza del 18 de Julio de 1936, del Movimiento. Y eso ya ¡ni siquiera lo pensaba Franco! Franco, por ejemplo, había aceptado a los ministros *tecnócratas*, que no eran falangistas ni nada de eso: López Bravo, López Rodó, López de Letona... y a Torcuato Fernández-Miranda, que sí era falangista, pero evolucionó y se puso camisa blanca.[12]

»Las personas evolucionan... Mira, cuando yo era una jovencita y vivía en Grecia, el compositor griego Mikis Theodorakis era un tabú para nosotros, porque era comunista, y no podíamos ir a sus conciertos. Y yo me vine a España sin haberle visto ni oído en persona. Mis hermanos tampoco. Sin embargo, nos gustaba su música y deseábamos verle, oírle en algún recital. Un día, no hace mucho, vino a España, a poner en escena el *Canto General* de Neruda, que también aquí había estado prohibido todo el tiempo del franquismo. Lo leí en el *ABC*. Y mi hermana Irene y yo dijimos, «¡qué ilusión, ojalá podamos ir!» Actuaba en una sola sesión, en Bilbao. Le consulté al rey, para ver si era procedente o no...

–Perdonad que os interrumpa, majestad, ¿le pregunta siempre si algo es o no procedente? ¿Por qué lo hizo ese día? ¿Por ser él griego? ¿Por ser comunista?

–¡Noooo! Por ser en el País Vasco. Ir allí, sin previo aviso, podía crear problemas de seguridad. Pero siempre me gusta informar al rey de lo que quiero hacer. Ese día le dije: «Oye, que Irene y yo quisiéramos ir..., ¿qué te parece?» Él lo organizó. Era en el teatro Arriaga, de Bilbao. El *lehendakari* Ardanza salió a recibirnos. Y recuerdo que dijo: «Señora, ¿cómo es que viene a ver a un republicano?» Yo le contesté: «No he venido a ver a un republicano: he venido a ver a un genio musical.» Después de la actuación, fuimos al cameri-

---

12.   La reina alude al cambio ideológico y político que suponía entonces abandonar la camisa azul mahón –del uniforme de Falange Española y de las JONS–, y aparecer en actos públicos sin los distintivos del partido único.

no. Theodorakis, grande como una torre, nos esperaba de pie, con los abrazos abiertos, con un gesto muy amplio. Sonreía. Nosotras también. «¿Qué tal? ¡Qué alegría verlas! ¡Qué detalle tan gentil haber venido!» Y a renglón seguido: «¿Cómo está su hermano, el rey? ¡Lástima que no haya podido venir!» O sea, como si fuéramos amiguísimos de siempre.

»Pasado algún tiempo, cuando en Grecia ganaron las derechas, Mitsotakis nombró a Theodorakis ministro de Cultura, sin cartera. Y un buen día vino a Madrid, para ver a su colega Semprún. Además de ser los dos ministros de Cultura, habían hecho juntos la película *Zeta*, de Costa Gavras. El rey y yo le recibimos aquí, en palacio. Y nos decía Theodorakis, con aspavientos de enorme perplejidad: "¡No entiendo nada! Me reciben los reyes de España. Me reciben los socialistas franceses. Pero mi amigo Semprún, colega y socialista, dice que si la agenda, que si tal, que... no tiene tiempo para recibirme. ¿Por qué? ¡Yo soy el de siempre, yo soy el mismo, yo no he cambiado! ¡Los que han cambiado son los demás!" Ah, eso creía él; pero claro que había cambiado: había sido un republicano de izquierdas, y ahora estaba de ministro en un gobierno de derechas.

»Esto viene a cuento de lo de Carrero. Él, cuando le mataron, pensaba como te he dicho. Pero... en la vida se cambia. Y yo no puedo juzgar a un hombre por unos hechos que no tuvo tiempo de realizar.

Esta argumentación de la reina no es una finta diplomática, ni una cabriola retórica para quedarse incomprometidamente por encima del agua, flotando como el aceite. Más bien revela en ella un cañamazo de recia urdimbre moral.

–Una pregunta muy personal...

–¡Ja, ja, ja! Todas las preguntas que me haces son muy personales...

–Pues ésta que viene aún lo es un poco más. ¿Puedo?

–¡Venga!

–¿Vuestra majestad ha tenido, o tiene, inquietudes religiosas?

–¿Inquietudes...? No, nunca he tenido dudas religiosas.

Un momento de intimidad durante las vacaciones.

El príncipe de Asturias, en su habitación de la Escuela Naval de Marín,
durante una visita de sus padres (1987).

*Los reyes y el príncipe de Asturias en la final olímpica de fútbol,
ganada por España (agosto de 1992).*

La reina de España en la romería del Rocío (1984).

Una instantánea que dio la vuelta al mundo.

*¿Cómo lograr que un ratón y un gato se hagan amigos? En Praga,
doña Sofía lo consiguió en su visita al orfanato patrocinado por
la señora Havel, esposa del presidente de Checoslovaquia, que aparece
en la foto a la derecha.*

Doña Sofía da de comer a toda una familia de jabalíes en La Zarzuela.

Con su marido, el rey.

En la boda de la infanta Elena.

Los contrayentes, Jaime de Marichalar y la infanta Elena, con los reyes y la madre del novio, doña Concepción Sáenz de Tejada.

La reina con sus hermanos, el rey Constantino y la princesa Irene, en compañía de Sheila MacNair, «Nursie». (Foto tomada en Sevilla por el Dr. Jean Fruchaud, durante la boda de la infanta Elena.)

La reina con la princesa Tatiana de Radziwill, en Marivent.
(Foto del Dr. Jean Fruchaud.)

Los presidentes José María Aznar y Felipe González con los reyes.

A petición de Pilar Urbano, doña Sofía hizo este esbozo rápido del panorama que contempla desde sus aposentos en el palacio de Marivent.

La reina en Sierra Nevada, durante la celebración del campeonato del mundo de esquí (1996).

Una sonrisa que ha conquistado al mundo.

Gracias a Dios, desde muy pequeña he tenido muy arraigada la fe y la moral cristiana. Lo he visto en mi casa, en mis padres. Y nunca he dudado.

–Pregunté por «inquietudes», no por «dudas».

–¿Qué quieres saber?

–El valor de la religión en vuestra vida, y si tenéis vida interior. Por eso os anuncié que era una pregunta muy personal...

–Vida interior creo que tengo mucha... Sin necesidad de ser una monja, intento vivir como una buena cristiana. Gracias a mis padres, he podido... ¿engarzar?, engarzar siempre la fe y la moral cristiana. No cada cosa por su lado. Si, de verdad crees, la fe te exige una conducta moral. Si no crees en nada, ¿para qué te vas a exigir? Y con el amor al prójimo, lo mismo: si no amas a los demás, ¿en qué Dios dices que crees? Vemos alrededor una pérdida brutal de los valores morales, pero eso tiene una causa. Antes se ha perdido la fe. Es la gran tragedia del mundo de hoy.

Seguimos hablando del escenario político creado a la muerte de Carrero:

«Que Franco, en vez de nombrar jefe del Gobierno a Fernández-Miranda, o a Nieto Antúnez, como él quería, nombrase a Arias Navarro, responsable en definitiva de no haber impedido el atentado, fue porque doña Carmen Polo jugó su influencia. Ahí, sí, ella pudo influir. No era intrigante, pero componía situaciones. A doña Carmen le gustaba Arias. Y se salió con la suya. Pero, igual que digo esto, digo que doña Carmen nunca estuvo en contra del príncipe. Jamás. Y siempre nos saludó con reverencias y con cariño.»

Hasta este momento, la reina no se ha manifestado sobre Arias. Ahora, por primera vez dice algo. Y algo sólido como un pan de plomo:

«Era un hombre duro y oscuro. No había entendido lo que era la democracia. ¡No quería la democracia! A mi marido le presentó una dimisión inoportuna, muy peligrosa, con Franco agonizando, y... con todo en el aire. Fue un pulso, para tener doblegado al príncipe... ¡Eso no se hace!»

Esta vez, no hay matización piadosa que valga. Salvo un «Luz, su mujer, era encantadora».

Aludiendo a las dos fases de la enfermedad final de Franco, y a la asunción por don Juan Carlos de las funciones de jefe del Estado, utilizo el argot político de la época y pregunto a la reina por «las dos interinidades del príncipe». Reacciona con nervio, con cintura:

«¡Nada de dos! ¡Una, y no más! La segunda vez aceptó con la condición de que sería definitiva, y después de hablar con los médicos y saber que la situación del *caudillo* era irreversible. Él mismo fue junto a la cama de Franco, y le dijo: "Mi general, ni usted ni yo tenemos prisa... Vamos a esperar a ver cómo evoluciona la enfermedad. A lo mejor, si Dios quiere, usted se recupera, como la otra vez. Y eso a mí me alegraría humanamente, pero me desgastaría y me dejaría en una situación imposible para sucederle en su día como Rey." [13] Y era así: con el recurso a cosas interinas, se desprestigiaba el futuro rey de España. Esto lo hablamos entre los dos, y vimos que era quemar la salida monárquica. ¿Suplir a Franco? Una vez, pero no más. La segunda fue con carácter irreversible, pero no sólo porque Franco se murió: aunque no se hubiese muerto, mi marido puso esa condición.»

En el verano de 1974, durante la primera enfermedad de Franco, el príncipe Juan Carlos zarandea la atención de los españoles. Les sorprende con un gesto inesperado, impredecible, imaginativo. El pueblo está acostumbrado a un jefe del Estado, más que físico, *metafísico*, que sólo sale de El Pardo para asomarse a una altísima tribuna, o para navegar en el inaccesible *Azor*, sin ser visto por nadie. De repente, el príncipe toma un avión y se planta en El Aaiún, en el Sáhara, allí donde está el zafarrancho, hundiendo los zapatos en la arena del desierto. Sobre el terreno, y casi cuer-

13. La reina reproduce de memoria, casi idénticamente, la frase que el rey Juan Carlos dijo a José Luis de Vilallonga, cuando le relataba este tramo de la Historia. *Cfr.* Vilallonga. *El Rey*, p. 222.

po a cuerpo, templa y arenga a las tropas de la legión, que andan desconcertadas con la *marcha verde*, civil, que les ha montado Hassan II, y que está ya al alcance de sus fusiles, como esa gente dé un paso más.

La reina me comenta: «El príncipe, la noche antes preguntó si Franco estaba lúcido, para consultárselo a él. Pero como no podía ser, esa decisión se tomó aquí, en La Zarzuela. Primero, en plan "doméstico", nos reunimos en el salón: mi marido, Mondéjar, Armada, Pedro Cortina, que era ministro de Exteriores, y yo. Y lo vimos muy positivo. Después el príncipe hizo venir a Arias Navarro, al ministro del Ejército, que era Coloma Gallegos, al jefe del Estado Mayor del Ejército, Fernández Vallespín. Cortina era el único que ponía pegas y decía "¡No puede ir allí, es una locura!" Pero los militares le respaldaban. Y además, quien tenía que tomar la decisión era él. Y él estaba lanzado. Porque, como militar, sabía que lo que las tropas necesitaban era ver al *gran jefe* al frente de ellos. Y, como hombre con olfato, adivinó que a Hassan le agradaría ese gesto, y disolvería la *marcha verde*, que era una peligrosa provocación para nuestros soldados.

»A mí me parecía natural, lógico y estupendo que fuese a estar con las tropas. Además, Hassan II no tenía intención de atacar. Es más, después felicitó al príncipe por haber hecho ese viaje, por haber estado allí. Le telefoneó "¡Felicidades por tu gesto! Ahora podremos discutir sobre el Sáhara con más serenidad". El rey Hassan necesitaba eso, un gesto, para que su gente lo viera, y él pudiera darles la orden de volver a casa, sin que pareciera que se retiraban. Y nuestros soldados podían salir del Sáhara, sin violencia. Notamos enseguida que en la opinión pública, dentro y fuera de España, ese viaje había caído bien. Fue un acierto.»

Llegamos al relato de la muerte de Franco. La reina sabe que es un tema sobre el que está casi todo escrito, y espiga entre sus recuerdos aquellos apuntes, más de puertas adentro:

«Murió de madrugada: a las tres y veinte. Aquí llamó

primero un médico de La Paz. Mi marido le había indicado que lo hiciese en cuanto Franco falleciera. Después telefoneó un ayudante. Pero Carlos Arias, que es quien debía haber dado "novedades" al jefe del Estado, no lo hizo. Nos habían advertido que no se haría pública la noticia hasta dos horas después, para poner en marcha la Operación Lucero, de seguridad. Y que luego empezarían los preparativos de embalsamamiento, mortaja, ataúd... Como no podíamos hacer nada, seguimos durmiendo. Yo le dije: "Juanito, tú descansa, que te esperan muchas horas de no pegar ojo."

»En Exteriores ya tenían a punto un dossier de protocolos funerarios, que lo había mandado preparar López Rodó, con gran antelación, cuando era ministro... ¡y por orden de Carrero! Ironías de la vida...

»¿Mis sentimientos, mis sensaciones? Yo pensaba: "Bueno, ya ha ocurrido." Era un desenlace largamente esperado. Nuestra vida iba a cambiar poco. Ni siquiera cambiaríamos de casa. Sólo el título, y el tratamiento: de *excelencia*, a *majestad*. Nada más. Mi marido ya venía siendo el jefe del Estado. Es curioso, pero no pensaba en nosotros. Pensaba en los Franco. Para ellos sí que iba a ser todo diferente. Tenían que salir del palacio de El Pardo, tenían que perder su estatus de ser la familia más importante y más poderosa de España, tenían que dejar de mandar. Por fuerza, les sería costoso. Yo me ponía más en su piel que en la mía. Incluso recordé, aunque la situación era muy distinta, cuando nosotros, siendo yo pequeña, salimos del palacio de Atenas hacia el exilio... Y me propuse tener con ellos las máximas atenciones, y darles todas las facilidades del mundo que estuvieran en mi mano.

»Gracias a la hija, a Carmencita, se pudo obtener el *testamento* de Franco, aquel que leyó Arias. En aquellos momentos fue muy importante, porque en uno de los párrafos decía que los españoles debían ponerse al lado del nuevo rey.[14] Arias lo leyó por televisión, y jugó un gran papel. Ese

14.   Se refiere al tramo del texto en que Franco encarecía a los españoles «os pido que [...] rodeéis al futuro Rey de España, don Juan Carlos de

documento se lo había dictado Franco a Carmencita. Ella lo escribió a máquina, y lo guardó por encargo de su padre. Podía no haberlo sacado, pero es una mujer muy noble y muy inteligente. Y no sólo no estorbó, sino que facilitó las cosas. El título de duquesa de Franco, que le concedió el rey, se lo tiene ¡más que ganado!»

Recuerdo que, charlando con la princesa Irene, ella deslizó esta expresivísima frase: «Ellos tenían que inaugurar una situación tan nueva, que no había telarañas. Pero tampoco había experiencia, ni modelo en que inspirarse, ni manual de protocolo que seguir... ¡ni nadie a quien consultar!»

–Arrancábamos el reinado –evoca doña Sofía– muy solos, y a nuestro aire. ¡Ése sí que era un desafío...! Pero ser reyes no se improvisa. El reinado empieza en tal o en cual momento; sin embargo, uno viene siendo rey desde antes de nacer: desde que lo concibe su madre. Y ya se inicia toda una educación, todo un depósito de tradición, toda una exigencia, toda una forma de entender que estás en la vida para los demás. Eso, día tras día, va formando como una segunda naturaleza. Y precisamente porque es una segunda naturaleza, cuando llega el momento, salen resueltos los gestos de la realeza, sin que nadie los inspire. Y así salieron, a la muerte de Franco, sin necesidad de ensayar ni de estudiar un manual de ceremonias.

»Todo iba a ser distinto. Todo tenía que ser distinto. Y éramos nosotros, el rey y yo, quienes teníamos que hacerlo. Y además queríamos que se notara desde el primer momento. No había a quien consultar. Cierto. Ni yo tenía a mi padre, ni mi madre estaba cerca. Tampoco él tenía a don

Borbón y Borbón, del mismo afecto y lealtad que a mí me habéis brindado, y le prestéis en todo momento el mismo apoyo y colaboración que de vosotros he tenido».

Juan. El luto oficial por Franco iba a durar varios días. Para el acto de la jura del rey en las Cortes, se levantaba el luto. Pero enseguida volvía a regir, y nosotros teníamos que acudir a la capilla ardiente, en el palacio Real, con luto. Yo me preguntaba, "¿qué me pongo? ¿de largo y de negro? ¿de color y de largo? ¿de corto, negro? ¿de corto, color? ¿con condecoraciones, o sin ellas? El luto quita la gala. Pero la gala quita el luto..." Con todas estas dudas, pensé que los españoles tenían que ver que algo había cambiado, que las cosas iban a ser diferentes. Y decidí que mi traje para la jura fuese rojo, ¡por ahí salí! Rojo fucsia, como el revés del capote de un torero. Y luego, para tenerlo en el coche y ponérmelo encima al salir, un abrigo de terciopelo negro, largo hasta los pies. Así, yo podría ir en el coche descubierto, que es cuando me iba a ver la gente por las calles, vestida de rojo. Y, en cambio, entrar en la capilla ardiente, de negro. Ese abrigo largo lo cosieron aquí mismo, la noche del 21 al 22, las hermanas Molinero, que son modistas. Y ayudamos a quitar hilvanes y a sobrehilar todas: mi hermana Irene, mi cuñada Ana María, y yo, por supuesto. Fue la noche más larga de mi vida.

»Al mismo tiempo, íbamos y veníamos del aeropuerto recibiendo invitados. Mi marido estaba con su discurso de la jura. No voy a negar que algún esquema ya tenía elaborado de tiempo atrás. Ah, otra cosa importante en aquel momento: el escenario de las Cortes. El estrado. Hubo que desmontarlo a toda prisa, buscando carpinteros de no sé dónde, porque el príncipe dijo: "No, no. Nada de un solo sillón, o dos sillones, para el rey y la reina: ahí arriba tiene que estar la familia real. La institución monárquica, la Corona, no es únicamente el rey. Por tanto, la familia real ha de estar al completo, todos a la misma altura, y nunca por debajo de ninguno de los presentes."

»Y como eso, tantos y tantos detalles: traer la corona y el cetro del palacio Real, como atributos de la monarquía española. La marcha real, que debía sonar al salir de la jura. Y suprimir ya el *Oriamendi* de los requetés y el *Cara al sol* de los falangistas, que es lo que tocaban en los actos de

Franco. Quitar el repostero con el escudo de España que usaba Franco, y poner el nuevo del rey...»

–¿Recuerda, majestad, qué impresión le produjo estar allí, aquel día, ante todos los procuradores de las Cortes, el gobierno...? Yo estaba en la tribuna de prensa...
    –Ah, ¿tú estabas allí? Pues no es que lo recuerde, es que por más veces que he ido a otros actos, aquél no se me borra nunca de la memoria. No sé si por la importancia, o por la emoción, o porque yo era más joven y tenía la mente más libre de otras experiencias. Nosotros entramos por detrás, subiendo unas escaleritas prefabricadas para ese acto. Como si saliéramos a un escenario. Y, de pronto, ¡plas!: te encuentras con todas las caras de la nación pegadas a tu nariz. ¡Ja, ja, ja! Me quedé sobrecogida, porque me había imaginado que la gente estaría más lejos.
    »Ese acto yo lo veía como una espectadora. ¿Te acuerdas del truco que te conté, para el día de mi boda? Pues, en la jura hice lo mismo: me relajé mucho, me distancié del suceso, lo viví en frío, como si ya hubiera ocurrido ayer y yo estuviese recordándolo. Al distanciarte, no te ligas, no estás atada ni aprisionada a lo que en ese instante ocurre. Te desapasionas. Sí, tienes un dominio total de tus emociones personales... Quizá por eso, a veces, se me pone una cara inexpresiva. Es difícil conseguir esa frialdad. Pero, aquel 22 de noviembre, fue el único modo de evitar las lágrimas, allí, delante de... ¡delante de toda la nación!
    Lo cual, que a la joven reina le hubiese apetecido llorar. Pero, a fuerza de fuerzas, ella solita había aprendido, ¡je!, lo que cualquier cómico de la legua acaba sabiendo después de peinar canas y perder la virtud pateando trochas y caminos a lomos de mula vieja: había aprendido a... entrar en escena y salir de la pasión. A desvivir la vida. Y a desmorir la muerte. Le crecía por dentro el alma en piedra blanca de una catedral pagana, peloponésica y ática: una cariátide berroqueña, fuerte y esbelta, hecha a soles y a tormentas.

Una cariátide impávida, soportadora imperturbable del friso y del tímpano y de los cien mil hijos de san Luis. Una cariátide de veste inviolable y pechos de membrillo. Una cariátide, plisada, frontal y hermética, preliminar de la Gioconda, invento renacentista, amanerado y carmesí, de anteayer por la tarde. (La Gioconda, versión con fondo en paisaje, versión con fondo en lisura... Una frivolidad que no resiste el esmeril. Lo que se dice, un cuarto de hora de mala siesta de Leonardo da Vinci.) La joven reina había aprendido, pues, ¡ay, Jesús, que pronto!, la sabia ambivalencia de las espléndidas matronas –hoy las llaman *marujas*– españolas, griegas, holandesas, y tal vez de Detroit: a hilar y guardar la casa, a desasirse del cuidado, y a tener las lágrimas para más fiera ocasión.

«Eché de menos a mi padre. Y a mi madre. La reina Federica estaba en la India, en Madrás. Se había marchado después de proclamarse la república en Grecia. ¿Por qué no vino? Nos llamó por teléfono desde allí. No quiso estar presente, para que no empezaran a hablar de su influencia sobre el yerno, el joven rey Juan Carlos, con la misma ignorante crueldad con que lo dijeron del hijo, de mi hermano Tino. Había, y no sólo en Grecia, sino esparcida por ahí, muy mala opinión de la reina Federica. Desde que murió el rey Pablo, empezó una campaña infame contra mi madre. Decían que le gustaban las intrigas, que manejaba los hilos por detrás... No era cierto. Mi madre tenía un carácter fuerte, era muy vivaz, muy inquieta... pero no mangoneaba en su hijo, no estaba detrás del rey Constantino. ¿Que era muy política? ¡Pues igual que yo! A mí me encanta la política. También lo podrían decir de mí, si tuviera la desgracia de quedarme viuda, y mi hijo Felipe reinase: "Mira, la mamá diciéndole al niño lo que tiene que hacer." ¡Es tan fácil cargarle a uno el complejo de Edipo!»

La joven reina, revestida en fucsia, el torso erguido, la diadema apretando donde los dos solsticios de su frente, la sonrisa eutrapélica y ausente, mira allá abajo y ve un mar encrespado de chaquetas blancas y camisas mahones, de sotanas púrpuras, y de uniformes caquis. Ve a los *girones*, a los *utrera molinas*, a los *iniesta canos,* a los *campano lópez*, a las *landaburus* y a las *mónica plazas*, a los *jesús fueyos*, a los *monseñor guerra campos* y a los *fernández cuesta y de las jons*. Se estremece. En las tribunas de invitados, el rey Hussein, que siempre les había apoyado moralmente, Imelda Marcos, Pinochet, los Grimaldi monegascos, los Villaverde, *Nani* incluida, en riguroso negro... Las infantas Margarita y Pilar, esposos, hijos... Don Juan no. Se ha marchado a París. Por entre esas almenas descubre a Tino. Por un instante cruzan las miradas. Y al rey depuesto se le aflora el llanto. Saca el pañuelo. Lo aguanta dentro del puño. Reabsorbe con el lacrimal. La nuez de Adán desciende en trago amargo. Ya está. Guarda el pañuelo. Yo lo vi. Lo escribí en la crónica urgente del momento. Y me lo ha confirmado hace dos días: «Es cierto, sí, me emocioné, lloré... ¿y usted me vio? No sé si fue sólo la alegría por lo de ellos, o también el desgarro por la patria mía.»

La reina rememora el primer paseo por Madrid, como reyes, de pie, con marcha lenta y en coche descubierto –el Rolls Royce cuadradote de Franco, al que le habían cambiado la chapa de matrícula por el guión azulón de la Casa Real. Van flanqueados por la guardia mora. Piafan los caballos. Destempladas e inarmónicas, vibran las cornetas. Huele a estiércol recental y crudo. La gente grita, rebulle, aplaude, mira, recela, no sabe ni qué hacer... Hay quien cree que «ese Juan Carlos tiene ya una bala con su nombre escrito». Y quien no abre la boca «porque Franco, el tío, es capaz, ¡quién sabe! de resucitar».
    Narra la reina, testigo excepcional: «La gente gritaba. Eran muchos y gritaban muchísimo: en contra, o a favor. Les oíamos perfectamente: "¡Fran-cooo, Fran-cooo, Fran-

cooo...!" Y también: "¡Abajo los Borbones!" Y "¡Viva el Rey! ¡Viva Sofía! ¡Viva Juan Carlos!"

»A los cinco días, enterrado Franco y acabado el luto oficial, cuando se celebró la misa del Espíritu Santo en los Jerónimos, el ambiente ya era otra cosa. A la gente le sorprendió y le gustó ver que venían a darnos su respaldo el vicepresidente de Estados Unidos, Nelson Rockefeller, Felipe de Edimburgo, Valéry Giscard d'Estaing, Walter Scheel, Hussein de Jordania, Rainiero y Gracia de Mónaco, Constantino y Ana María de Grecia, y los príncipes herederos de Bélgica, de Luxemburgo, de Marruecos, de Suecia, de Liechtenstein... Pero, sobre todo, se notaba más alegría, más ilusión por un cambio, por algo nuevo. En las calles había multitudes. Agitaban pañuelos, aplaudían, gritaban: "¡Viva el Rey!" Yo le decía a mi marido, mientras íbamos en el coche descubierto: "Ya han aprendido."

»Después, al asomarnos al balcón de la plaza de la Armería en el palacio Real, se nos ponía la piel de gallina. Veíamos ahí abajo a una muchedumbre de personas que confiaban en nosotros, que esperaban cosas grandes de nosotros, que en unos pocos días se habían ilusionado con nosotros... El rey me comentó en un momento: "Es difícil y es fácil: la gente quiere cambio. Hay ilusión... Pero no basta con ponerse en la cresta de la ola, y dejarse llevar en la dirección que marca el pueblo. No se les puede defraudar. Tenemos que hacerlo bien."

»Y yo a él: "Va a salirnos bien. Está casi todo por ganar. pero hay más ilusión que miedo."»

Es tan agresiva la lluvia, y es tan negra la noche, que por primera vez en mi vida la lucecita de un control de policía militar –el pabellón de la Guardia Real, al salir de La Zarzuela–, me resulta acogedora, como la luz de un faro para un náufrago. Empalmo esa luz con la estampa del rey y de la reina asomados al balcón, y estos versos del *Soliloquio del farero*, que, mal que bien, recuerdo de memoria:

Acodado al balcón miro insaciable el oleaje,
oigo sus oscuras imprecaciones,
contemplo sus blancas caricias;
y erguido desde cuna vigilante
soy en la noche un diamante
que gira advirtiendo a los hombres,
por quienes vivo, aun cuando no los vea;
y así, lejos de ellos,
ya olvidados sus nombres, los amo en muchedumbres,
roncas y violentas como el mar, mi morada,
puras ante la espera de una revolución ardiente
o rendidas y dóciles, como el mar sabe serlo
cuando toca la hora de reposo que su fuerza conquista.

X

The royal crown cures not the headache. [1]

GEORGE HERBERT, *Jacula Prudentum*

–¿Te has enterado de la tragedia? ¡Qué horror! ¡No lo puedo creer!... Por lo visto, era uno solo el que entró hasta el despacho... ¡Qué pena, qué pena, qué pena me da...! ¡Un hombre tan estupendo! El príncipe, mi hijo, se ha quedado consternado, muy golpeado... Es su profesor, era su profesor, de derecho constitucional. Le quería y le admiraba mucho... Precisamente, iba a venir a ver al rey dentro de unos días, porque le habían hecho miembro del Consejo de Estado...

Así, espasmódicamente, con la voz alterada, y todavía bajo el efecto de la primera impresión, la reina me está dando la noticia del atentado mortal contra Francisco Tomás y Valiente, ex presidente del Tribunal Constitucional. Estaba trabajando en su despacho de la universidad. Un terrorista de ETA ha entrado y le ha descerrajado un par de tiros a cañón tocante en la cabeza. Ha debido de ocurrir mientras yo recorría la carretera que sube de Somontes al palacio de La Zarzuela. Pero se ve que a las emisoras de radio todavía no había llegado la noticia. La reina lo acaba de saber. Hace unos minutos, y de primerísima mano: «El presidente Felipe González estaba aquí, con el rey, en su despacho semanal. Y les han informado a ellos. Creo que todavía siguen en el despacho... Pero todo está aún muy confuso. Lo único seguro, por desgracia, es que era él, y que lo han matado.»

1. La corona real no quita el dolor de cabeza.

269

14 de febrero. 1996. Entiendo ahora el pasmo pálido en los rostros del personal auxiliar que me ha recibido en el zaguán. Y la expresión cejijunta, taciturna, del teniente coronel, ayudante militar. Y su pregunta, que por cierto no aguardaba respuesta: «Tanto remover lo del GAL ¿no le estará dando alas a ETA? ¿No se sentirán más legitimados para matar?»

La reina viste hoy un elegante traje de chaqueta entallada negra, con algún adorno de cadenillas y herrajes; falda amplia de capa, estilo amazona, en pata de gallo gigante blanco y negro; botas muy altas de ante negro. Tienen después, ella y el rey, un almuerzo privado en el restaurante El Bodegón, con el infante don Carlos y varios miembros directivos de Colegios del Mundo Unidos. Trae en la mano una carpetilla con los teletipos de la mañana. Va mirándolos, con rapidez, descartando uno tras otro los que no dicen nada del atentado. Se la ve humanamente afectada. Y políticamente preocupada. Al ayudante militar le ha dicho: «Por favor, que me tengan al tanto de lo que vaya habiendo...»

El teléfono interior suena cuatro o cinco veces, mientras yo estoy aquí. Ahora es la reina quien llama. Hago ademán de irme, pero la reina con gesto rápido extiende la mano, y casi casi me coge el brazo para detenerme. Pregunta a no sé quién «¿Qué se sabe de la capilla ardiente?». Después, ella misma va repitiendo lo que le dicen al otro lado: «Ah, claro, claro... esperar a la autopsia... ¿Dónde lo van a poner?... Sí, sí... en el Tribunal Constitucional... Y más o menos ¿cuándo se podrá ir ya?»

Cuelga el auricular. Y se dirige a mí: «Ante una cosa así ¿qué se puede hacer?... ¿A qué responde esto?» No sé qué contestarle. Ni siquiera sé si quiere que le conteste. Llevo viniendo aquí un montón de meses, mientras en la calle ciudadana caían chuzos de punta de todos los calibres: sucesos de corrupción económica, tráficos de influencia política, crisis internas en el partido socialista, crispación general en el país, nuevos escándalos sobre el uso espurio de fondos reservados, noticias escalofriantes de los asesinatos del GAL, escuchas del CESID aplicadas a teléfonos de *very important persons*, incluido el rey Juan Carlos, libros denunciando tremendos negocios de personajes que se escudaban en el nombre del rey, encarnizadas polémicas entre líderes políticos, encarcelamientos de generales y de ex altos cargos públicos... Pero jamás la reina me ha dicho una sola palabra sobre la situación. Se diría que, deliberadamente, su majestad quería indicarme así que, en estas conversaciones, la periodista de la columna política «Hilo Directo» debía dejar sus curiosidades e intereses por la parte de fuera de la puerta. O al menos, yo lo he entendido así. Sin embargo hoy, contra todo uso, es la propia reina quien me provoca a hablar del suceso caliente, a editorializar, a opinar.

–¿Qué se puede hacer? ¿Quién puede hacer algo?

–No sé... ¿Quizá una mediación del obispo Setién, o del propio Arzalluz?

–¡Quién sabe...! –Se lleva las manos a la cabeza: las apoya sobre ambas sienes, y cierra los ojos. Toma un despacho de teletipo, y lo lee en diagonal–. Fíjate, «el presunto autor, alias *Karakas*... de 25 años...». ¡Un muchacho! Y jugándose la vida como un kamikaze, porque ha tenido que entrar hasta el despacho, y salir de allí sin que le cogieran, corriendo un grave riesgo... O sea que esta ETA es una ETA dura, fanatizada, que no se va a parar en nada...

–Al parecer, hay un endurecimiento de la cúpula. Se ha dado un relevo generacional, y ahora la propia cúpula mata... Estos que matan no son mandados, son dirigentes...

–Pero ¿por qué? ¿Por qué un muchacho de veinticinco años se lo juega todo en un momento? ¿No les interesa vivir?

–No hay razones, majestad. Pero hay dinero detrás, mucho dinero. Por eso ETA es el cuento de nunca acabar. Siempre está «dando los últimos coletazos», y siempre hay algún «mecenas de la muerte» que la amamanta de nuevo.

–¿Para qué?

Se han cambiado los papeles. La reina interroga, y la periodista intenta responder. Sus preguntas son esencialistas: van a la médula de la causa original, el *porqué*; y al nervio de la causa final, el *para qué*.

–Supongo que para desestabilizar. Y ahí está el recrudecimiento de la violencia del IRA, que políticamente parecía ya resuelto. Y el contencioso entre Israel y Palestina. ¿Quién no quiere que eso se arregle? Ahí no hay ideologías, majestad. Hay matones adiestrados, y dinero. Dinero que todo lo compra.

–¿Dinero? Bien, pongamos que es por dinero. Le dan dinero al etarra que mata, y que arriesga su vida. Pero, pregunta siguiente: ¿Él para qué lo quiere? ¿Qué hace con ese dinero? ¿Irse a Hawai a tomar el sol? –Hace un gesto de desprecio, de asco, con la boca, con los ojos...–. Además, no se les ve ir a Hawai a tomar el sol. Nunca han detenido a un etarra en un hotel de lujo, o en una playa paradisíaca, o comprándose un yate... A mí lo que me deja desconcertada es la ¿presencia del mal; de personas depravadas que viven para hacer el mal; de gente que, siendo tan joven, tiene ya la mente pervertida. Eso es lo que me rompe por dentro. Pero no es un fenómeno español, o irlandés, o fundamentalista... Está en el mundo entero: hay gente que piensa en términos de hacer el mal. Y hay que estar por encima. No debe influirnos. No puede alterar nuestra vida.

–Cuando el verano pasado ETA preparó un atentado contra el rey o algún miembro de la familia real, ¿tampoco eso alteró vuestra vida?

–Puse todo mi empeño en no consentir que esa amenaza enturbiase las vacaciones: que ni nos inquietase, ni afectara a la tranquilidad de la familia y de los invitados que teníamos allí, en Marivent. Los reyes no estamos hechos de distinta pasta que los demás mortales; pero no estaría bien que a los reyes nos «aterrorizaran» los terroristas. ¡Se habrían salido con la suya, viéndonos acobardados! ¡Nada, nada! Las autoridades de Interior nos dijeron dónde estaban los de ETA, con el rifle y el visor telescópico, esperando la ocasión para disparar. ¡Hombre!, sí, estábamos precavidos, pero sin miedo ninguno. Y había una protección policial muy fuerte, muy estrecha. Ésa era nuestra seguridad... Pero el pobre Tomás y Valiente, ¡vaya «heroicidad» la de ETA! ¡Era tan fácil matarle, como a cualquier españolito que va por la calle! ¿Pretenden demostrar con eso que son un «ejército invencible»? Pues no: el terrorismo es un proceso de maldad. Y no más.

Pasamos a hablar de otras cosas. La reina me cuenta que acaba de estar en París en una exposición de trabajos textiles hechos por mujeres de Bangladesh: «Dos millones de mujeres han hecho tejidos para un millón de familias... ¿Conoces el *Grameen Bank*?» Le digo que no sé qué es eso.

«Pues es una gran idea muy sencilla, de esas buenas ideas que vale la pena alentar. Un día, estando yo en Bélgica en un almuerzo, después de una reunión de mujeres rurales, conocí al profesor Muhamad Yunus, de Bangladesh, que estaba sentado junto a mí. Este catedrático de economía es el promotor de la idea del *Grameen Bank*: mientras los bancos normalmente prestan mucho dinero a muy poca gente, Yunus se propuso prestar poquito dinero a muchas personas: facilitar unos créditos muy cortos, de un dólar, dos, cinco; máximo, veinte dólares. Cantidades irrisorias, sí, pero hay millones de personas, campesinos la mayoría, pobres, muy pobres, que tienen los productos de su pequeña cosecha, o la leche de una cabra, pero no disponen de dinero en metálico para comprar unos zapatos, o unas simientes, o una azada, y saldrían de un apuro con tres dólares, con cinco, ¡o con uno! Y sin embargo, es curioso, no hay bancos que se molesten en prestar un dólar. Cuando un dólar puede ser, y es, la apremiante necesidad de muchísimas pobres gentes. Yunus difundió la idea del *Grameen Bank*. El vicepresidente del Banco Mundial, Seregueldin, estaba entusiasmado. Pronto habrá muchos bancos de ese estilo. Ahora, el objetivo es poder atender a un millón de prestatarios.»

Hoy, por primera vez, en todos estos meses salpicados de encuentros con la reina, nos interrumpirán en varias ocasiones a causa del suceso terrorista: unas veces es el ayudante militar, trayendo algún papel; otras, por el teléfono interior, el vizconde del Castillo de Almansa, jefe de la Casa de Su Majestad el Rey; o Asunción Valdés, responsable de la información de La Zarzuela, que hace llegar una carpetilla con despachos de agencias. Hay un laborioso trajín, un incesante flujo de noticias puntuales sobre el desarrollo de los hechos: la llegada del juez Baltasar Garzón, a quien ha correspondido el caso por hallarse de guardia; el levantamiento del cadáver; las primeras diligencias policiales; las declaraciones inmediatas de otros profesores del claustro universitario; testimonios de alumnos que se cruzaron por los pasillos con el asesino; reacción de la esposa, de los hijos, del portero que le despidió esa misma mañana al salir de casa... Y todo ello hace deslavazada, y como a tiro de mata, nuestra conversación.

Le he preguntado sobre la concesión de condecoraciones y de títulos nobiliarios de nuevo troquel: a falta de guerreros tomadores de segorbes, alziras y granadas, de navegantes ultramarinos, y de conquistadores de islas isabelas, hoy la Casa Real acrecienta la cabaña noble con los *neopróceres* de la cultura y el arte, los *neohidalgos* de la política, y los *infanzones* añosos del viejo republicanismo monarquizado. Me dice la reina que eso siempre ha sido así. Que «los títulos los dan los reyes para premiar, cara a la Historia, algo que se ha hecho en bien del país». Menciona a Ramón María del Valle-Inclán, a Salvador Dalí, a Andrés Segovia, a Carlos Arias Navarro, a Adolfo Suárez, a Josep Tarradellas, al teniente general Gutiérrez Mellado, a José Manuel Lara, a

Sabino Fernández Campo, y al marqués de Mondéjar y a Torcuato Fernández-Miranda, condecorados ambos con el toisón.

La reina está mucho más conmovida y afectada por el asesinato de Tomás y Valiente de lo que quiere aparentar. Intento distraerla, sembrando nombres, por si le sugieren algo; pero sin forzar una conversación de más enjundia.

«Tarradellas era republicano. Fue ministro... ¿consejer? ¿conseller? de la Generalitat, durante la República. Pero aceptó el título de marqués, ¡y muy honrado! Era un estadista, un hombre grande, de esos que en un país salen sólo dos o tres en un siglo. Fue muy importante que él quisiera regresar del largo exilio de cuarenta años entrando por Madrid. Eso era tanto como reconocer la unidad de España, y dónde estaba la capital del reino. Aquí, en palacio, le recibió Mondéjar que, como era mallorquín, supo saludarle en catalán. El rey y él se hablaron claramente: "Yo soy republicano de toda la vida." "Ah, pues yo también soy monárquico de toda la vida", contestó el rey. Se entendieron enseguida, congeniaron. El factor humano en la política es muy interesante. Tarradellas no renunció ni a su republicanismo, ni a su catalanismo; pero hizo una política muy sensata, de unidad, en un momento decisivo, cuando el Estatuto y la Constitución. ¡Admirable!

»Gutiérrez Mellado no quería aceptar el título. Pero no porque lo despreciara, sino porque era un hombre tan humilde, tan sencillo, que no se sentía digno de llevar un título de nobleza.»

–Hay quien se pregunta por qué el ducado y el toisón a Fernández-Miranda, y a Adolfo Suárez sólo el ducado.

–Fernández-Miranda ayudó mucho a mi marido. Primero, como príncipe, en su formación política, cuando le decía «No tenéis que aprender en los libros, sino escuchando y mirando alrededor». Y tenía razón: no había libros donde el príncipe pudiera leer lo que a él le iba a tocar hacer.

Después, como rey, le dio las líneas maestras para hacer la reforma. En cierto momento, cambió la camisa azul de falangista por la blanca. Renunció a ser presidente del Gobierno (el rey se lo ofreció) porque desde las Cortes y desde el Consejo del Reino podía ayudar más. Hizo la terna donde el rey pudo elegir a Suárez...[2] De modo que ese toisón estaba muy bien otorgado.

–Majestad, ¿hubo al final una ruptura, un enfriamiento, entre Torcuato y el rey?

–No, no hubo ninguna ruptura. Torcuato era seco, serio, con una ironía muy especial. Un asturiano profundo, inteligente, culto. Y con una visión de futuro sorprendentemente luminosa. Veía el futuro muy claro.

–En cierta ocasión, en su casa de la calle del General Oráa, aquí en Madrid, hablando de esa distancia, de ese frío en sus relaciones con el rey, me soltó una cita de las Escrituras «no exasperéis a los jóvenes».[3] ¿A qué se podía referir?

–No lo sé... Se le había dado el ducado y se le había dado el toisón.

–Estoy pensando...

–¿Qué?

–Que el rey, a sus amigos, a sus amigos de verdad, no les paga los servicios con títulos... Por ejemplo, Miguel Primo de Rivera. Recuerdo cómo batalló para que las viejas Cortes de Franco se hicieran el *harakiri* y dieran paso a lo nuevo. Y después, en el Senado, le vi pelear como un león para que al rey no le desplumaran de competencias...

–Miguel Primo de Rivera y mi marido eran amigos desde pequeños. Jugó un papel muy interesante en la época de la transición, y cuando se debatía la Constitución, porque él estaba rodeado de hombres del viejo búnker, mayores, muy pegados a Franco; en cambio, él era joven, de la misma

2. La reina se refiere a la terna elaborada por el Consejo del Reino, el 2 de julio de 1976, integrada por Gregorio López Bravo, Federico Silva Muñoz y Adolfo Suárez González, para que el monarca pudiese elegir a Suárez, que era el candidato incluido en el abanico por «encargo» regio.

3. De la Carta de san Pablo a los Efesios, 6, 4.

generación que el rey, y demócrata, y monárquico. Su apellido, muy ligado a la Falange y al régimen anterior, no inspiraba recelos entre la vieja guardia. Pero en el tema de despojar al rey de facultades en la Constitución, eso lo querían así Torcuato y Adolfo Suárez, y el propio rey lo veía conveniente. En ningún momento discutió que quisiera tener más competencias. Veníamos de un sistema de poder absoluto, y era necesario que el jefe del Estado soltara poderes. Mi marido eso lo tuvo siempre muy claro. Mi padre, por ejemplo, podía disolver el parlamento. Mi marido, no. Pero no le despojaron a la fuerza: fue él quien quiso ser despojado. *Reina pero no gobierna*:[4] como el rey Balduino, o como la reina Isabel de Inglaterra. Y con lo que tiene... ¡ya tiene bastante!

Ha vuelto a entrar el teniente coronel, precedido por unos golpecitos muy suaves en la puerta blanca. La reina recoge el nuevo dossier de cartulina verde claro que le entrega. Contiene textos de teletipo. Los lee por encima, y comenta: «Son declaraciones de los políticos, condenando el asesinato... Ah, aquí dice que pueden ser los mismos que atentaron contra Aznar... Que había un coche rojo y una mujer...»

Cuando llamó el ayudante militar, habíamos empezado a hablar de la dimisión de Adolfo Suárez como presidente del Gobierno, en 1981. Yo había expuesto, quizá un poco pedantemente, una batería de razones: «Las derechas que le votaron, desconfiaban de él. No era capaz de ganarse el voto de centro-izquierda, que ése lo tenía Felipe González. Se sentía aborrecido por los "poderes fácticos": la banca, los empresarios, los militares... Los *barones* de su partido le criticaban y conspiraban para moverle la silla. Además, quería ocuparse más de su familia, a la que tenía muy desatendida. Y tal vez percibió que el propio rey se había cansado de él...»

4. Esa frase hizo fortuna desde que Adolphe Thiers la utilizó –*le roi règne et ne gouverne pas*– en 1830, en un artículo contra Carlos X. Pero dos siglos antes, en 1605 la formuló como aforismo latino –*rex regnat sed non gubernat*– el político Jan Zamoyski, ante el parlamento polaco.

La reina me ha escuchado hasta el final. Si está de acuerdo o no, no me lo dice. No entra a discutir conmigo. Eso sí, añade un argumento nuevo. Y muy acertado:

–Lo decisivo fue que Adolfo se dio cuenta de que, en una democracia, un líder necesita tener detrás una base fuerte popular, y un partido sólido. Él no lo tenía. Él había sido puesto desde arriba, nombrado por el rey. La UCD no era «su» partido, sino el de unos cuantos políticos que discutían entre sí... Y entendió que le había llegado la hora de empezar desde abajo. Bueno, él siempre había empezado desde abajo.

–Es verdad: le gustaba decir que era *un chusquero de la política*, porque había tenido que ir subiendo toda la escalera, peldaño a peldaño: procurador, gobernador civil, director general, ministro, presidente.

–Por eso, su empeño en crear el CDS. Y hacerlo él solo, sin contar con ninguno de los de antes.

»Ahora bien, lo que el rey no entendía, ni yo tampoco, era que su dimisión tuviese que ser tan de repente, y tan drástica: "Señor, que me voy... Y que me voy..." ¡Y que se fue! Dimitió un 29 de enero, ¿no?, y a los cinco días teníamos nosotros aquel viaje tan delicado al País Vasco. Hubo que organizarlo todo en cuestión de horas. Ah, porque, en medio, claro, el rey tuvo que empezar la ronda de las consultas con los líderes... Hicimos ese viaje sin presidente de Gobierno, con un presidente que ya se había despedido del país por televisión. ¡En fin...! Pero eso no quita para que me alegre mucho que ahora los españoles le reconozcan a Suárez todo lo que hizo en la transición!

La reina hace una pausa. Me mira como si, de pronto, se encontrara con alguien de su misma galaxia generacional. Y me dice cálidamente, confianzudamente:

–¡Cuántas cosas hemos vivido en tan poco tiempo!, ¿verdad? ¡Parece mentira! ¡Menos mal que no las llevamos a cuestas! Los jóvenes no saben nada de todo esto... Son como batallitas de abuelos... A veces pienso: "¡Dios mío, qué viejos nos hemos hecho, sin casi darnos cuenta!" Suárez es una gran persona, un caballero, cada vez más entrañable, más bondadoso, más amigo leal... Nosotros a Suárez y a Calvo-Sotelo los conocemos de mucho tiempo atrás: ¡de «cuando no éramos nadie»! Calvo-Sotelo es un hombre muy culto, muy agradable. Tiene un sentido del humor gallego, un poco seco. Pero es muy correcto. A Felipe González le hemos tratado más asiduamente siendo ya presidente del Gobierno.

»De los presidentes del Gobierno que ha habido, ya en democracia, Felipe es el que tiene un carácter más abierto, quizá por ser andaluz. Es listo. ¡Muy listo! Y, con tanto tiempo en el poder, ha llegado a ser un auténtico estadista.

»No le gustaba ponerse frac. Me decía: "¡Qué incómodo es esto!" Tenía razón: es más llevadero el chaqué. El frac es un engorro. A mi marido y a mi hijo les fastidia mucho. En las comidas y cenas de gala, en palacio Real, como más o menos tenemos ya cada uno nuestro sitio, aunque puede variar un poco según que vaya o no vaya la esposa de tal o cual mandatario, Felipe me comentaba: "Mi recuerdo de este palacio es siempre el mismo: sea quien sea el invitado, yo me paso la comida o la cena viendo un pavo... Y siempre el mismo pavo." ¡Es cierto! Le toca ver enfrente uno de los tapices flamencos [5] de ese comedor de gala, que tiene justamente un pavo real. Pero él lo decía con cara de mucha guasa, y a mí me hacía reír...

Estamos así, hablando, cuando de pronto suenan, ¡pam, pam, pam!, unos golpes muy fuertes, como si alguien aporrease la puerta. Doy un respingo. Me pongo en guardia. Y miro, desconcertada, a la reina y a la puerta. La reina dice: «¿Sí?» Pero no le veo la cara, porque se ha vuelto hacia la

5. La paredes del comedor de gala del palacio Real están recubiertas de espléndidos tapices flamencos del siglo XVI: una colección de William Panemmaker, de motivos mitológicos, ilustrando el relato de los amores de Vertunno y Pomona.

puerta. Nadie abre por el lado de allá. Vuelven a sonar los golpes, contra la madera blanca. Doña Sofía se yergue y, sin moverse del sillón blanco donde está, gira la cintura y todo el torso hacia ese ángulo de la sala, como esperando, rubiamente retadora, la entrada de un minotauro. Con voz bien alta, ordena: «¡Adelante!» Sin embargo, los golpes persisten, ¡pam, pam, pam! No sé qué puede estar ocurriendo. En un segundo-láser, por el internet de mi imaginación han desfilado todos los peligros y malas sorpresas posibles: un Tejero golpista, un *Karakas* terrorista, un loco incontrolado... Lo que me extraña es que el rostro de la reina no denota ni asombro, ni temor, ni contrariedad... Ahora, en tono fuerte, y un poco burlón, casi grita: «¡¡Que pase el fantasma!!»

Se abre la puerta, y aparece el rey. La reina suelta una carcajada. Y él, con dos zancadas, se planta en medio de la habitación, gesticulando y diciendo: «¡Venga ya, tardonas! ¡Reina, date prisa, no te enrolles más con ésta, que llegamos tarde a comer! ¡Venga, vaaaa!»

Es la primera vez que el rey ha aparecido en escena durante estas conversaciones. Y, rebobinando el episodio, me parece que la reina sabía que se trataba de él, desde el primer ¡pam, pam, pam!

El rey está simpático y bromista conmigo: me coge por el cuello, me saluda sin protocolos, se mete con mi maletita negra –una especie de cabás negro brillante, estilo *Mary Poppins*, donde guardo mis útiles de escritora–, y me pregunta:

–¿Ahí qué llevas? ¿Las joyas de la corona? ¡Ja, ja, ja!

Y a renglón seguido:

–Que no te veo nada, que ya nada, que te has *echao* otras amistades...

–Es verdad, señor: hacía mucho tiempo que no le veía cara a cara.

–¿Y cómo me encuentras? ¿Qué aspecto tengo?

–Está muy bien, majestad: moreno de tez, y sanote...

–Pues dilo por ahí. Porque el último bulo que me acaban de sacar es que estoy fatal... Es que el otro día, en Granada, en los Juegos de Invierno, por la televisión se me veía con cara de muerto. Y era un cañón de foco, de esos de mucho voltaje, que me lo habían plantado encima. Me daba de lleno en toda la cara y, chica, ¡me estaba matando!

Sin transición, pasa al gran tema del día: el atentado. Cuenta que conoció la noticia cuando despachaba con el presidente González. Es interesante que lo recuerde, porque a continuación percibo en él una reacción que me parece inducida:

–¡Es una canallada! Tomás y Valiente, fuera del partido que fuera, era un estadista. Como Gregorio Peces-Barba. Son hombres de Estado. Están por encima de si socialista o no socialista...

24 de abril. 1996. Hoy la cita es a las cinco de la tarde. Me advierten que «Su majestad se retrasará unos minutos, porque los reyes están viniendo del palacio de Oriente». Mientras aguardo en la salita de espera, repaso algunas notas de mi libretilla.

Estuve aquí el 26 de marzo, un día muy luminoso de primavera. La reina llevaba un traje de chaqueta azul pastel. Por la mañana, acompañando al rey, presidió en la Real Academia de Ciencias Exactas la presentación del *Diccionario Científico y Técnico*. Por la tarde, también con el rey, recibió en audiencia a los embajadores de El Salvador y de Corea, que venían a despedirse.

Volví a La Zarzuela el 17 de abril. Esa tarde la reina no iba a salir de casa, y vestía informalmente: blusa camisera azul celeste y falda acampanada tobillera azul marino. A última hora tenía una reunión de trabajo con el rey, y quizá con el príncipe de Asturias. En esas sesiones de trabajo programan la agenda de actividades de la semana o de la quincena. Suelen estar presentes el jefe de la Casa del Rey, Fernando Almansa y el secretario de la Casa, Rafael Spottorno.

De esos dos encuentros, como cosas de interés, apunté: *Conflicto con la Casa Real británica, en 1981, por el viaje de novios de los príncipes de Gales, Carlos y Diana, que se empeñaron en iniciarlo zarpando en el yate real* Britannia, *justamente desde Gibraltar*

«Nosotros íbamos a ir a su boda –me dijo la reina Sofía–. Teníamos los trajes preparados. Nos hacía ilusión ir: sabíamos que iba a ser preciosa. Y allí nos hubiésemos encontrado con mucha gente conocida y querida. Pero... por una torpeza innecesaria hubo que suspender la asistencia. Al saber este plan de que los novios empezaban por Gibraltar, mi marido telefoneó a Buckingham y habló con la reina: "¡Pero *Lilibeth*, ¿por qué no van antes a Cádiz, o a Algeciras, o a Málaga... o a Canarias, a cualquier sitio de España, y nosotros acudimos y les recibimos ahí? Y luego, que vayan a Gibraltar, o a donde quieran." Pero el gobierno británico se había empeñado en darle ese.... "toque político" al viaje. La reina Isabel estaba muy apenada, muy disgustada. No le agradaba ese gesto de provocación que no venía a cuento. Y también le entristecía nuestra ausencia en la boda. Iba a ser un borrón. Pero ella entendía que era lo menos que podíamos hacer. Ah, y como reina constitucional, no podía cambiar nada. En eso mandaba el gobierno. El ministro de Exteriores era David Hume, aunque en esos días él estaba fuera, de viaje. Nunca supimos quién estuvo detrás de ese gesto tan desafortunado, y tan poco racional. ¿Margaret Thatcher? La verdad, no lo sé. Aquí el presidente era Calvo-Sotelo. Por cierto, como nos quedaron esos días de verano descolgados de la agenda, nos fuimos a verle a Ribadeo en el yate *Fortuna*. Aprovechamos y dimos una vuelta a España.»

Siguen mis notas: *Me habla la reina del papel que pueden jugar los reyes, «de alta diplomacia, por arriba y sin meter-*

*se en las políticas de los gobiernos: de rey a rey, de jefe a jefe.»
Cita un par de ejemplos: mediación de don Juan Carlos en el
conflicto de las Malvinas, y para conseguir más cuotas de
crudo de los países árabes para España. Subraya que «la
Corona está precisamente para eso: sobrevolando la política
de abajo, los intereses y luchas de los partidos, obtener bene-
ficios para el pueblo soberano».*

*Le he preguntado si sobre esos temas hablan y cambian
puntos de vista el rey y la reina. Me contesta con expresión de
asombro y de extrañeza: «¿Cómo no vamos a hablarlo, si ése
es nuestro trabajo? Y casi siempre, delante del príncipe.»*

En las páginas siguientes de mi libreta, en notas tomadas a
vuela pluma, hay una amplia miscelánea de peculiaridades
y rarezas de todos esos personajes del gran mundo con
quienes los reyes alternan. De Nicolae Ceaucescu, el dictador rumano, la reina me hizo este comentario:

«Difícilmente digo yo de alguien que es un ser odioso; sin
embargo, este señor Ceaucescu a mí me resultó odioso.
Y además, grosero. Estaba alojado, huésped nuestro, en el
palacio de Aranjuez. Con todos los honores. Pero el mayor-
domo le servía a la mesa, y él dejaba la comida íntegra en
el plato. Delante de nosotros. ¡No comió nada! ¡No se dignó
probar nada! ¿Temía que le envenenáramos? Su mujer y su
hija hicieron lo mismo.

»El rey Hassan II tiene sus manías, porque cuando viaja
se hace llevar su cocinero, sus legumbres, sus especias, sus
carnes... todo. Aquí vino una vez invitado, con toda su gente, y se trajo un cargamento de viandas. Yo le dije: "Pero,
Hassan, ¿cómo te traes la comida, si vas a estar en mi casa?"
Y me contestó muy rápido: "¡Son las verduras de El Pardo!"
Pero en él eso no es una ofensa, no es una desconfianza
hacia nosotros: es su forma de ser y de vivir, se lo tienen que
condimentar como a él le gusta. Luego hay también alimentos y bebidas que su religión le prohíbe tomar...

»De Yassir Arafat, me da la reina un apunte elogioso:

«Estuvieron él e Isaac Rabin almorzando aquí, en La Zarzuela. Arafat es muy expresivo, y muy reflexivo. Un hombre magnífico, que sólo vive para la causa de su pueblo... Y Rabin, tan introvertido, al tratarle más te encontrabas con un hombre muy sensible.»

Y de Mijaíl Gorbachov, un calificativo sorprendente, aplicado a un ciudadano soviético: «A mí me pareció un verdadero demócrata.» Después me explicó: «Él estaba muy seguro de sí mismo. Pero, así como la *perestroika* era deseable y creíble en Occidente, Gorbachov en Rusia chocaba. Recelaban de su jovialidad, de su sentido del humor, de su talante abierto, de su vida familiar... En una palabra, desconfiaban de su normalidad. Sin duda, porque era una "normalidad occidental". Y eso en el *establishment* de la URSS todavía no podían entenderlo. Cuando el golpe de Estado soviético, al rey se le ocurrió invitarle para que viniese a Canarias. Tenemos una casa en Lanzarote: nos la regaló el rey Hussein de Jordania, y nosotros la cedimos al Patrimonio Nacional. Es demasiado caro mantener ese tipo de casas; y, encima, pagar impuestos; y, el día de mañana, los impuestos de transmisión para regalársela a los hijos... Es preferible, cuando llegue el momento, comprarles una casa a cada uno. Pero, en lo que estaba de Gorbachov, al cabo de año y medio (en diciembre del noventa y tres), coincidimos en Hannover, en la misma mesa, durante la celebración del vigésimo quinto aniversario del Club de Roma, y no paró de agradecer lo que habíamos hecho por él y por su familia a raíz del golpe.»

La reina hace desfilar por su memoria, y a paso rápido, a los presidentes de Estados Unidos a quienes ha conocido en persona y de cerca. A Dwight Eisenhower lo conoció como huésped de sus padres, en Atenas: «Era muy general, muy militar. Y, sobre todo, un hombre idealista y honrado.» De Harry S. Truman recuerda que le vio en Grecia, asistiendo al funeral del rey Pablo. «Después del almuerzo, salió un momento para saludar a mi familia. Y el pobre hombre no estuvo ahí muy afortunado: en vez de darle el pésame a mi madre, no se le ocurrió otra cosa que decirle sonriendo de oreja a oreja: "Señora, muchísimas gracias por la maravillosa fiesta que nos ha ofrecido."

»John F. Kennedy nos recibió en la Casa Blanca, yendo nosotros como "particulares" en nuestro viaje de novios. Era otro tipo humano y otro talante político, muy distinto de lo habitual. Tenía un carisma presidencial propio, nuevo en América y nuevo en el mundo. Nos gustó. Como nosotros también éramos jóvenes, conectamos enseguida. Nos dijo que por qué no íbamos a verle a su casa privada de Hyannis Port...

»A Lyndon B. Johnson le conocimos muy de pasada. Y con Richard Nixon, que vino a España, no conectamos apenas. Gerald Ford se mostró muy distante con nosotros: estaba totalmente absorbido por el tema de la entrada de España en la OTAN, que es lo que le interesaba conseguir. Sin embargo, yo sé que luego hacía seguir de cerca las primeras actuaciones de mi marido como rey.[6] Esa escultura que parece una hélice, la que está en el rellano de la escalera, nos la regaló él. Pero no tuvimos apenas relación personal. Jimmy Carter fue más cordial. Pero trató mal al sha Reza Pahlevi, le negó el asilo... Eso es inadmisible, y choca de frente con la defensa de los derechos humanos.

»Ronald Reagan era actor de cine antes de ser presidente... y seguía siéndolo después. Estuvimos con él y con Nancy, su mujer, allí y aquí. Reagan hablaba un poco de política y mucho de Hollywood. A la primera de cambio, se distraía y se ponía a contar batallitas, más o menos divertidas, de su época de actor.

6. En efecto, así se desprende de la correspondencia cruzada entre el premier británico Harold Wilson y el presidente Gerald Ford. En diciembre de 1975, Wilson escribía a Ford: «Aunque no pueda decirse abiertamente y en público, reconozco que el rey Juan Carlos tiene una labor muy difícil por delante. Así que le animaremos en privado a ir lo más rápido posible, procurando evitar la condena pública siempre que podamos, si el ritmo es más lento de lo que exige aquí la opinión pública.» Cfr. Ziegler, *Wilson*, p. 464.

»A George Bush le conocimos en Houston cuando no era todavía presidente. Luego vino a Madrid en 1991, cuando nosotros fuimos anfitriones de la Conferencia de Paz de Oriente Medio. Mi marido y él establecieron una buena relación. Bush declaró después que el rey de España le había ayudado "como catalizador" en sus propias relaciones con Gorbachov. Era serio, un poco soso, inexpresivo... Todos estos presidentes americanos son muy conscientes de ser el hombre número uno de la gran potencia número uno... Después, cuando dejan el cargo, te encuentras al hombre real, tal cual es. Bush vino a España, en visita privada, invitado por nosotros. En Mallorca, fuimos a su barco, y él estuvo en Marivent. Ahí, ya más relajado, era otro ser: un hombre normal y corriente. Nos invitó y fuimos a Camp David, que es precioso. Con el cochecito de golf lo recorrimos todo.

»A Bill Clinton le conocí en Baden-Baden, en 1991, cuando él era gobernador de Arkansas, durante los tres días del Foro Bilderberg. "¿Qué tal, cómo está...?" Nos vimos también con la reina Beatriz de Holanda, y con Henry Kissinger y David Rockefeller.

En mi libretilla hay una raya vigorosa, separando lo escrito hasta ahí y lo que viene a continuación, y un asterisco entre paréntesis –(*)– para interesar mi propia atención cuando repase esas notas. En efecto, desde hacía tiempo quería yo que doña Sofía me hablase de su pertenencia a ese foro, cuyo nombre original en holandés es *Bilderbergconferentie*. Ciertos opinadores de extrema derecha, especialmente dotados para columbrar sociedades secretas, arrimos masónicos y prácticas de esoterismo por todas partes, no han dudado en afirmar que «la reina Sofía es miembro activo de una logia masónica internacional, que sólo celebra una reunión al año, y a la que también pertenecen Clinton, Kissinger, Rockefeller...». Al comentarme ella misma esa reunión de Baden-Baden, me pareció que estábamos sobre el asunto de marras. De modo que, sin más rodeos, le pregunté qué cosa era ese Foro Bilderberg. Y me dio una larga explicación, que en mi libreta resumo así:

Encuentro internacional de vips. Toma su nombre del hotel Bilderberg de Amsterdam, donde se reunieron por primera vez, en 1954, a iniciativa del príncipe Bernardo de Holanda. La idea era –en un escenario de recelos y tensiones, en plenos efectos de la Segunda Guerra Mundial– favorecer las relaciones entre estadistas, políticos, financieros, pensadores, científicos, editores, líderes sindicales, etc., para relanzar la cooperación atlántica. Pertenecen a ese foro, o asisten como invitados, personajes de la vida pública de Europa, Estados Unidos y Canadá. Es decir, países con costas atlánticas. La cita es anual y dura tres días: comienza un jueves por la tarde y finaliza el domingo a mediodía. Los temas y los debates son estrictamente confidenciales: no se informa de ellos, no se publican. (La sospecha de «secretismo» arranca sin duda de esa confidencialidad. Y la etiqueta sectaria, de su elitismo restringido y discriminador.)

Uno de los miembros, Jaime de Carvajal y Urquijo, se encargó de organizar la cita de 1989 en la isla de La Toja, y en esa ocasión inauguraron el foro los reyes Juan Carlos y Sofía. La reina ha asistido desde entonces a todas las reuniones –excepto las de 1993 y 1994, celebradas en Suiza y en Grecia–: Nueva York, en 1990; Baden-Baden, en 1991; Évian, en 1992; Helsinki, en 1995; y Toronto, en 1996.

En este punto, otra gruesa raya hace frontera con el relato de doña Sofía, rememorando su reencuentro con Clinton, ya presidente de Estados Unidos: «Dos años después, en abril de 1993, fuimos el rey y yo a ver a nuestro hijo Felipe, en Georgetown. Le llevé su perro *Puschkin*, un schnauzer enano. Allí estuvimos con Clinton. La anécdota fue que él, con una gran sonrisa y alzando mucho la voz, al verme dijo: *"How nice to see you again!"*, (¡qué agradable verla otra vez!) Entonces, los periodistas se pusieron nerviosos, muy mosqueados por lo de *again*, venga a preguntar "pero ¿cuándo se han visto antes?". Y es que él se acordaba de las jornadas en Baden-Baden»

«Hillary Clinton –dice la reina en otro momento– es una persona muy valiosa, de una gran calidad humana, con muchas inquietudes sociales, y preocupada por ayudar a los demás. Me gusta. Me llevo muy bien con ella. No es la típica *esposa de...* Es una abogada de prestigio, que vale por sí misma. Tal vez, en un principio, no supo cuál era el límite de su actuación; quizá incluso se equivocó en la política sanitaria... pero no creo que sea esa mujer ambiciosa que dice la prensa... Y debe de haber sufrido lo indecible con esas críticas tan injustas. Hay periodistas que se han... ¿enzañado? ¿encebado?... ¡Que se han ensañado con ella! Yo no creo en absoluto que Hillary use el puesto de su marido para su propio. –Por primera vez veo a la reina, sin llegar a acalorarse, pero vehemente y fervorosa, defendiendo a una persona por quien son contadísimos los que se atreven a sacar la cara en estos momentos. Después, como sorprendida por su propio énfasis, mitiga el tono, aunque sin retirar ni una palabra–. Bueno... es mi opinión. Los Clinton son gente que les ves en un lugar y, pasado el tiempo, los recuerdas. Y ellos te recuerdan a ti. Te dejan algo. No sé: una palabra, una sonrisa, una impresión humana... ¡Algo! No son apariciones protocolarias oficiales, como tantos que te dan unas palmaditas en la espalda, o te besan la mano, y muchas sonrisitas y fotos y flores; pero, después, ¡si te he visto no me acuerdo! Puede parecer una boutade, pero yo no veo en los Clinton sólo su peso político: veo, por encima de eso, su peso humano. Además, y creo que no me equivoco, tienen buena intención.»

En cuanto a presidentes franceses, conoció personalmente a Coty y a Pompidou; pero no guarda de ellos un recuerdo personal. «A Pompidou –me dice– le conocimos en 1970, siendo príncipes de España, cuando fuimos en visita oficial. Hasta entonces, como Franco no viajaba al extranjero, las relaciones entre Francia y España se mantenían entre embajadores o entre ministros. A nosotros se nos abrieron las puertas del Elíseo. A Giscard le habíamos tratado en sus tiempos de ministro de Finanzas: un hombre inteligente, sensitivo, y con poco sentido del humor, pero capaz de ser encantador. Después, se ve que El Elíseo estira y acartona a los presidentes. El poder les cambia, les transforma, les hace más envarados, más altivos... Siguen teniendo la misma cara y la misma voz, pero... ¡son otros!»

Le pregunto si es cierto que Giscard, para venir a la exaltación del rey, el 27 de noviembre de 1975, pedía que le dieran el toisón.[7] La reina no me dice ni sí ni no. Sonríe. Después comenta, y me parece percibir un divertido retintín: «El rey lo que le dio fue... un desayun» [...] «Con François Mitterrand se podía hablar en serio y en broma, reír o conversar sobre cuestiones interesantes. Dentro de lo que cabe, y del clima de *grandeur* que les crea El Elíseo, Mitterrand era algo más relajado y de trato más natural... un poco más bohemio. Por cierto, Mitterrand sabía mucho de la realeza europea: francesa, alemana, danesa, austriaca... ¡Mucho más que yo! Me enseñaba cuadros en el comedor de El Elíseo: "Éste es Fulano, que se casó con Mengana, y que patatín y que patatán." Sabía más de nuestras familias que nosotros mismos. Elogiaba la labor del rey en España, de mi marido: el paso de la dictadura a la democracia, sin violencias y sin exclusiones. Decía que ya sólo por eso tenía su sitio en la Historia. Esto que cuento era cuando comenzamos a tener un contacto más estrecho con Francia, para que nos ayudasen tanto en la lucha contra el terrorismo como en la entrada en la Comunidad Europea...»

Mientras aguardo la llegada de la reina, agrego una nota en el trozo de la página que había quedado en blanco: *En efec-*

7.   Según el relato de Manuel Prado y Colón de Carvajal, enviado personal del rey Juan Carlos para obtener la asistencia de Giscard d'Estaing a la misa del Espíritu Santo y a la recepción en el Palacio Real, verdadero arranque del reinado, el presidente francés oponía reparos, se hacía de rogar, y exigía una distinción: «La Casa de Borbón tiene distinciones. No sería imposible el toisón de oro...» La distinción se satisfizo con el gesto de que «el señor presidente sea el único jefe de Estado a quien el rey invite a un desayuno, solos los dos, el mismo día de su coronación». *Cfr.* Victoria Prego, *Así se hizo la Transición*, Plaza & Janés, Barcelona, 1995, pp. 343-346.

to, Mitterrand había venido a España en 1981, y los reyes no le devolvieron la visita oficial hasta 1985. En el ínterin, don Juan Carlos y doña Sofía vieron otra vez al líder socialista, en París –noviembre de 1983– al hilo de una reunión de la UNESCO. Pero fue Felipe González quien habló y negoció con el presidente francés, hasta lograr que modificase su actitud respecto al terrorismo y a nuestra adhesión comunitaria. Sin embargo, y a pesar de que uno de los factores influyentes en ese cambio de postura fue la desestabilización creada por el terrorismo de los GAL en el sur vascofrancés, no tendría sentido preguntar a González cuáles fueron los términos de aquel do ut des, *toda vez que uno de los interlocutores ya no está en este bajo mundo para confirmar o desmentir sus palabras. Después de todo, una tiene la convicción de que el GAL –aquel GAL que «por error» mataba a tanto vasco y a tanto francés que no eran de ETA– no nació con la pretensión de acabar con la banda terrorista; pero sí con la de presionar a Francia hasta que se decidiera a liquidar el santuario y a mojarse policialmente. Y eso fue exactamente lo que ocurrió.*

Un ayudante militar me anuncia que «ya ha llegado su majestad». Cierro la libreta. Y me pongo de pie. Doña Sofía entra muy risueña, excusándose por el retraso. Viste un traje de chaqueta precioso, de atrevido color azul pavo real, y blusa en tonos rojos, ocres y del mismo azul intenso. Mientras pasamos a su salita, comenta:

–Los socialistas están sabiendo salir –no dice «perder»– con serenidad, con elegancia. Y los otros, han sabido ganar también con sencillez, con humildad. Las dos cosas son muy buenas. Que la alternancia se hiciera bien era en cierto modo nuestro test pendiente. Es el juego limpio de las democracias: que cuando la gente se canse de unos, tenga dónde elegir, y pueda poner a otros. Eso es exigente. Eso es bueno. Nadie está fijo para siempre. Nadie puede dormirse en los laureles, pensando que es vitalicio.

–Vuestra majestad viene hoy guerrera...

–¡No, no! ¡No quiero guerras! A propósito de guerras, el otro día vi, no sé en qué periódico, creo que en *El País*, una foto maravillosa, increíble. Se conmemoraban los sesenta años de la guerra civil española. En la foto aparecían Santiago Carrillo y Ramón Serrano Suñer, dándose la mano con fuerza. Me encantó. ¡Me da tanto gusto que esa herida se cierre! Es grande y es bello tener sentido de Estado, estadismo. El rencor es cosa mezquina y torpe, de almas pequeñas, de mentes estrechas. Hay que superarlo. Y es para felicitarse que, a los sesenta años de la guerra civil, cuando todavía viven los de un bando y los del otro, aquí se haya hecho la paz de verdad.

»El rey y yo también fuimos en su día a México y pudimos saludar a la viuda de Azaña, María Dolores Rivas. Estuvo muy simpática, muy cordial con nosotros. Pero las circunstancias eran muy distintas. Ella a nosotros no nos había hecho nada malo, ni nosotros a ella tampoco. En cambio, Carrillo y Serrano Suñer, un comunista y un falangista saludándose sin rencor, ¡eso es formidable!

–Señora, yo hoy me había hecho la idea de oíros contar el 23-F tal como se vivió aquí, en esta casa...

–¡Tú sabes más que yo del 23-F! Tú tendrías que venir un día a contármelo a mí...

Se concentra unos instantes. No hace ninguna introducción. No da rodeo alguno sobre «su» versión del golpe. No se mete en dibujos de tramas civiles y militares, ni menciona «elefantes blancos», ni se pierde en conjeturas sobre si uno, o dos, o tres golpes. Una vez más, me sorprende su lozanía mental. Esta mujer tiene una inteligencia sana: todo lo contrario de esas mentes tortuosas, zigzagueantes, incapaces de pensar en línea recta, y que más que buscar la verdad parecen empeñadas en rehuirla. La reina va flechada al relato escueto de los hechos, de los hechos que ella vio y oyó.

–El 23-F, a las seis y veinte de la tarde, cuando Tejero entró en el Congreso, el rey estaba en su despacho. Iba a jugar a squash (ahora le gusta más el paddle, pero antes era el squash), y llevaba puesto un chándal. Yo estaba en mi cuarto leyendo. Entró la doncella y me dijo: «Señora, he oído tiros en el Congreso.» Telefoneé a mi marido. Él también los había oído. Le noté alarmado. Hice que avisaran a mi hermana Irene, que estaba bañándose en la piscina. Enseguida nos reunimos todos aquí. Ella, los niños, yo... Y bajamos todos al despacho. Después, ellos se fueron al salón, para no estorbar al rey. Fuimos siguiendo los episodios por radio y por televisión, mientras se pudo. El rey se pasó todo el tiempo en su despacho hablando por teléfono con unos y con otros. Fue la larga noche de los teléfonos...

»Sabino estaba también trabajando en su despacho en el momento de producirse la entrada de Tejero. Yo entraba y salía, iba y venía, del salón al despacho del rey. Sacamos unas cosas de tomar, unos sándwiches, café... Vinieron mis cuñadas, Pilar y Margarita. Nos juntamos ahí la familia, las personas de la casa, Mondéjar, Valenzuela, Sabino, Manolo Prado y algún otro amigo de mi marido...

»El rey, en cuanto supo que no había habido sangre, pasó de la alarma a la calma. En las ocasiones difíciles él saca una sangre fría formidable. Yo le vi enseguida tranquilo, con mucho aplomo al teléfono. Era un poco como en el mar con el barco de vela: que tienes que tantear movimientos y hacer equilibrios, hasta dominar la situación.

»Por el televisor vimos en directo, en el momento en que ocurría, todo lo de Tejero en el hemiciclo, la zancadilla a Gutiérrez Mellado, la actitud de Suárez... Yo sentía una mezcla de consternación, de indignación, y de frustración. Habíamos estado años y años construyendo un precioso castillo de arena y, de pronto, ¡plas!, llega alguien, y te lo destroza de una patada.

–Se atribuye a vuestra majestad la frase «¡Ése es Armada!», dicha cuando el capitán Muñecas anunció a los diputados la llegada de «una autoridad, militar por supuesto.»

–Bueno, pues ya tenía yo ganas de decir la verdad sobre eso: ni lo dije, ni lo supuse, ni me cruzó por la mente ese mal pensamiento, o esa corazonada... ni nada por el estilo.

De verdad: no me pasó por la imaginación, ni por la conciencia, que Armada pudiese estar detrás o dentro del golpe. La llamada de Alfonso Armada aquí, ofreciéndose a venir a explicarle al rey lo que estaba pasando, me extrañó, sí; pero como me extrañaron tantas cosas esa tarde y esa noche, porque... casi nada estaba claro, y casi todo estaba confuso.

»Yo no dije, ni podía decir "¡Ése es Armada!", porque no lo sabía. Mi idea de Armada es que era muy militar, que le gustaba mucho mandar tropas, regimientos... Y no me podía imaginar que estuviera mezclado en un complot político. Además, no me entraba en la cabeza asociar a Armada con Tejero.

–Pero, aunque no dijera esa frase, a partir de cierto momento, tanto el rey como la reina desconfiaban de Alfonso Armada...

–Cuando, después de ocurrir lo de Tejero, el general Juste, que estaba en El Pardo, al mando de la División Acorazada Brunete, llamó y habló con Sabino, preguntando si Armada estaba en palacio, entonces sí empecé a pensar que era raro que llamasen buscándole aquí, con todo lo que estaba ocurriendo, cuando él no trabajaba aquí desde hacía muchos años, y su puesto era en el palacio de Buenavista, con Gabeiras. Me chocó, sí. Pero no dije nada. Me callé. No se lo dije ni al rey. El rey estaba actuando y tenía datos suficientes en la cabeza, como para ir yo a decirle «Mira, Juanito, esto me da mala espina». En cambio, la verdad: al día siguiente, cuando ya el rey y Sabino me habían explicado lo que Armada pretendía, sí pensé: «Pues Armada hubiese podido estar aquí, con toda normalidad: hubiese podido venir a tomar café, ¿por qué no?, tenía confianza de sobra.» Y si los golpistas esperaban encontrarle aquí, como señal de que el rey apoyaba el golpe, pues aquí le hubiesen encontrado... facilísimamente. Y habríamos corrido ese riesgo, sin saberlo, sin sospecharlo.

–Aquí arriba, ¿no se sentían perfectamente «sitiables»? A muchos nos extrañó que al rey no le cortasen las líneas del teléfono, y que aquí no viniera ninguna columna de la DAC Brunete a tomar posiciones, para forzar al rey. ¿Eso cómo se puede explicar?

–¡Ah, claro que se puede explicar! Los militares golpistas estaban convencidos de que el rey estaba con ellos, y que apoyaría el golpe. No se les ocurrió cortar la línea del rey, ni aislar al rey, ni interceptarle la televisión, porque contaban con que el rey, a través de esos medios, se comunicaría en favor del golpe. Por eso nosotros aquí estábamos seguros. No vendrían contra nosotros. Pero la cosa cambia, a peor para todos los que estamos aquí, en cuanto se emite el discurso del rey por televisión, oponiéndose al golpe. Entonces, cuando todo el mundo respira tranquilo, y se va a la cama a dormir, es cuando nosotros aquí empezamos a estar en peligro.

–¿Y cómo lograron que Jesús Picatoste y Pedro Erquizia llegaran hasta aquí con el equipo de grabación de TVE?

–Los que estaban en el golpe militar querían un mensaje del rey poniéndose al frente de la sublevación. No había riesgo de que interceptaran ese discurso en televisión, porque pensaban que sería de apoyo al levantamiento. Mondéjar envió un recado al capitán que había tomado Televisión Española,[8] para que dejasen venir al equipo de grabación. Y debió de decir algo muy tranquilizador para ese oficial, porque el hecho es que no les pusieron ningún obstáculo. Eso sí, llegaron muy tarde, casi a las doce de la noche.[9] Recuerdo que, cuando iban a empezar a grabar, eran casi

8. El coronel Joaquín Valencia Remón, que mandaba el Regimiento Villaviciosa 14, de la DAC, movilizó tres escuadrones, mandados por los capitanes Merlo y Corisco, para tomar con armas RNE y TVE. Merlo es el oficial que entró en el despacho de Fernando Castedo, director general de TVE, en Prado del Rey. Con él hablaría Mondéjar, para que dejase salir una unidad móvil de grabación hacia La Zarzuela. (*Cfr.* Pilar Urbano, *Con la venia, yo indagué el 23-F*, Plaza & Janés, 1982.)

9. Picatoste, Erquizia y los técnicos de TVE llegan a palacio a las 11.50 de la noche. El rey ya tiene listo el texto. Empiezan a grabar a las 12.27. El mensaje se graba y se filma con cámaras diferentes, pero a la vez. Se hacen dos tomas seguidas del mismo y único texto, para no correr riesgos de

las doce y media. Y le indiqué a alguien del servicio que adelantasen las manecillas de todos los relojes: hay varios de carillón muy sonoros en el despacho del rey, y en el vestíbulo, y en la entrada. Eso lo hacemos casi siempre que graban el mensaje de Navidad. No estuve delante mientras el rey grababa. Pero lo vimos luego todos juntos en el salón, cuando se emitió. Me gustó: me pareció que hablaba claro, seguro, y enérgico.

–Para la mayoría de los españoles, lo que rompió el complot golpista fue el mensaje televisivo. Yo, en cambio, pienso que fue el teléfono: las sucesivas rondas telefónicas del rey con los jefes militares sublevados o sublevables... ¿Qué opina la reina?

–La televisión tuvo importancia, pero a esa hora el rey ya se había hecho con el mando de la situación. El golpe no se paró en seco, por tal orden en tal momento: el rey lo fue parando, a base de hablar una vez y otra vez con éste, con el otro... ¡con todos! Y eso lo hizo por teléfono, con varios teléfonos. Yo diría que el golpe lo rompió el rey con el teléfono y con su autoridad moral sobre los militares.

»Al rey nunca le inquietaron ni le preocuparon los militares. Eran para él algo natural, sus compañeros, sus amigos, gente que él conocía muy bien, con la que había vivido en las academias, y se habían divertido juntos, y habían venido muchas veces aquí a palacio, con toda confianza. Él no podía esperarse jamás lo del 23-F. Fue una sorpresa brutal, como lo fue para nosotros en Grecia el golpe de los coroneles. ¡Un chasco tremendo!

»Yo el 23-F vi, como pocas veces puedes verlo en tu vida,

deterioro, y para no perder tiempo haciendo una copia de seguridad. A las 12.50 sale el equipo de La Zarzuela hacia Prado del Rey. Picatoste lleva las cintas grabadas. Viaja en un coche negro de palacio. Le acompañan dos policías de escolta armados con mariettas. En otro coche, un Seat 132 blanco, van Erquizia y Fernando Gutiérrez, jefe de la oficina de información de la Casa del Rey, portando consigo el celuloide filmado. En la furgoneta de TVE viaja el equipo técnico. Si sufrieran algún asalto en ruta, entregarían lo único que llevan: unas cajas metálicas conteniendo vídeo virgen. El mensaje regio se emitió a la 01.23. (*Cfr.* Pilar Urbano, *Con la venia...*)

que en esos momentos el rey está totalmente solo. Y él tiene que decidir. A mi hermano Constantino le cortaron las comunicaciones y le pusieron entre la espada y la pared. En cambio mi marido tenía más opciones, y tenía libertad de acción. ¡Podía elegir! Pero estaba clarísimo que todas sus gestiones eran para mantener la Constitución, para hacer triunfar la democracia, y para reducir a los sublevados... sin que una parte del ejército se enfrentara a la otra.

El rey Constantino no sólo estuvo en la mente de la reina Sofía a lo largo de esa tarde y de esa noche, también estuvo físicamente al otro lado del hilo telefónico. «Llamó varias veces, muy inquieto, muy preocupado», me dice la reina. Y él mismo me lo contó:

«Telefoneé desde Londres. Hablé con el rey, con la reina y con mi hermana Irene. Llamé en distintos momentos. ¿Consejo? No les di ninguno, porque no me correspondía darlos. Lo único que hice fue describir al rey y a la reina la experiencia que yo había tenido años atrás, en 1967. No me hubiera atrevido a dar consejos. Es muy peligroso, en una situación abierta que se estaba desarrollando sobre la marcha, y de la que yo no tenía todos los datos. Sólo les recordé lo que a mí me había pasado, por si ellos podían utilizar algo de esa experiencia, aunque su situación era muy diferente.

«Impresionaba, aun visto desde lejos, que el rey no delegase en nadie ni su dedicación ni su responsabilidad: ejerció el mando todo el tiempo, hasta desmontar el complot pieza por pieza. Y me parece que mi hermana Sofía fue en todas esas horas un gran soporte moral, humano, una enorme ayuda. Yo la recuerdo muy templada, muy dueña de sí misma, muy calmada. Y pendiente totalmente de sostener el ánimo de su marido, y de crear un ambiente de serenidad alrededor del rey.

»En mi opinión, fue muy bueno que estuviese allí toda la familia, unida como una piña. Eso tuvo que estimularle mucho a mi cuñado. Incluso, la presencia del príncipe Felipe. Su padre quiso que estuviese en el despacho, para que le viese actuar. Hizo bien, porque, cuando se es un muchacho de doce años, esas escenas, esas actitudes de firmeza del padre, esa lucha por ganar para los españoles la libertad y la democracia, todo eso se graba en la conciencia, y es una lección inolvidable que sirve para siempre. Y, además, era importante que el príncipe estuviera allí, por el rey y la reina: su presencia les obligaba a estar enteros, a no venirse abajo, a darle ejemplo de valor, de aplomo, de dominio de la situación.»

«El príncipe Felipe –prosigue la reina– estaba allí, y se enteraba de todo. Al final, se durmió en el sofá. Esa noche nadie se fue a la cama. Se ha escrito que Felipe dijo de pronto: "¡Jo, qué mes!" Pero es porque me había oído comentar a mí: "¡Vaya racha la de este mes: la dimisión de Suárez, lo de Gernika, la muerte de mamá... y ahora, el golpe de Estado!"»

Pregunto a la reina Sofía si hubo un avión preparado para que ella y sus hijos saliesen hacia Londres. También se especuló en su día con una oferta de «evasión» de emergencia, facilitada por el rey Hussein de Jordania.
   –En ningún momento se nos pasó por la cabeza irnos. ¡Ni por asomo! ¡Nada! Nuestro sitio estaba aquí. El rey Hussein telefoneó, como tantos buenos amigos, y como tantos reyes y jefes de Estado. Pero no nos ofreció un avión... Sabía que nos habría ofendido. Aquí no hubo miedos, ni nervios, ni nadie necesitó tila ¡ni media pastilla! Había tanta actividad, tanta información y tanto trabajo... que no daba tiempo a tener miedo. Y yo, al día siguiente, llevé a mis hijos al colegio de Rosales.

Por su parte, la princesa Irene me contó: «Era todo intensísimo, y muy desconcertante. Las horas se nos pasaron sin sentir. No dormimos. Yo veía a mi hermana, dueña de sus nervios, serena, callada, observando al rey, yendo, viniendo... Un poco antes de amanecer, seguíamos en vela, y de pronto oímos ruido de motores. Yo pensé que serían tanques. Entonces sí que Sofía y yo nos miramos con susto, con miedo: las dos nos acordamos de los tanques en la casa de Psychico, cuando el golpe de los coroneles. Y aquí podía haberse desencadenado una reacción contra el rey, a raíz de su mensaje en la tele... Ella pensó lo mismo, porque luego me lo comentó. Pero era el aire acondicionado y los motores de los autobuses urbanos, los autobuses de línea, que se habían puesto en marcha para empezar su servicio como cada día, con toda normalidad. Lo que pasaba era que el viento soplaba hacia La Zarzuela y traía hacia acá el sonido. A veces, los nervios y el subconsciente traicionan. Empezó a amanecer, y el rey seguía detrás de su mesa. Todo se estaba arreglando. Y sin recibir a nadie, ni ir a ver a nadie, ni detener a nadie... El golpe se desbarató de un modo limpio: bastó la voz del rey, mandando.»

Lo que quizá la reina no sepa es que, en un momento clave de la asonada militar, su nombre fue talismán para que el golpe no prosperara. Me lo contó una tarde, hace ya muchos años, el general José Juste, que el 23-F de 1981 estaba al frente de la DAC Brunete. Para el éxito de la intentona golpista era determinante que esa División Acorazada se movilizara secundando la sublevación de Tejero y de Milans del Bosch.

Juste se encontró con una extraña situación de hechos consumados: en su ausencia, y a sus espaldas, entre el coronel San Martín, el comandante Pardo Zancada, y el teniente general Torres Rojas –al que habían hecho venir desde La Coruña para asumir el mando de la DAC, si Juste se resistía–, habían distribuido órdenes de movilización y toma de objetivos entre los diversos regimientos que componían la división. Todo se había hecho, le informaron, «porque a las seis de la tarde, en el Congreso, se va a producir un hecho detonante de gran magnitud nacional; ello obligará a garantizar la seguridad; y Armada estará en La Zarzuela dando las órdenes, a partir de las seis... porque se cuenta con el beneplácito del rey y de la reina».

Al perplejo general Juste no le encajaban las piezas de ese puzzle. Pero, de todo cuanto estaba oyendo, había algo que bailaba por su mente como una lucecita tenue al fondo de un túnel. Repasaba frente adentro lo que habían dicho unos y otros. Sabía que todo podía ser o no ser, pero tenía la impresión de que alguien había cargado la mano soltando un argumento falso. Y si le habían mentido en algo, podían haberle mentido en todo.

Después de una cavilación silenciosa y ardua, logró fijar aquella lucecita que titilaba al fondo del túnel: «¡Ya lo tengo! ¡El beneplácito de la reina! ¡Es imposible!»

Y en un instante se le agolpó con fuerza y nitidez la escena de cuando, en 1967, siendo él agregado militar en la embajada de España en Roma, tuvo que ir al aeropuerto de Fiumicino para recibir y acompañar a la princesa Sofía, que regresaba a Madrid desde Atenas: «Venía tan afectada y tan consternada por el golpe de los coroneles griegos, que no había más que verla y oírla para saber, sin resquicio de duda, que ella jamás en su vida podría estar a favor de un golpe militar.»[10]

Despejado ese dato, el jefe de la DAC telefoneó a Sabino Fernández Campo, que le desmintió el otro falso aval de la supuesta presencia de Armada en La Zarzuela. Y así fue como el mastodonte blindado de la DAC Brunete se quedó en su sitio, haciendo imposible una Operación Diana ya cursada, que en la práctica hubiera sido «la toma de Madrid».

10. *Cfr.* Pilar Urbano, *Con la venia...*

XI

At last, to be identified! [1]

EMILY DICKINSON (1860)

10 de julio de 1996. Subo contenta la suave pendiente y, ya al final, la empinada cuesta de curvas cerradas hasta La Zarzuela. Contenta con mi regalo: me apuesto lo que sea a que, desde que es reina, nadie le ha hecho un regalo tan simple ni de tan poco valor. Pero también me apuesto lo que sea a que le va a ilusionar un rato largo. Ojalá lo abra estando yo delante.

Hoy los reyes han almorzado en el palacio Real con Sam Nujoma, el presidente de Namibia, y su esposa. La reina tiene después audiencias propias, y una sesión de trabajo de la Fundación Reina Sofía, de la que es fundadora, *alma mater* y presidenta. «¡Y ejerzo!», me comentará luego. Tiene fines culturales humanitarios: se dedica a estudiar, conocer y aportar soluciones a los problemas del ser humano en su realidad individual.

Doña Sofía viste un traje de chaqueta veraniego color colacao con pequeños lunares blancos y abroches en cordoncillo de pasamanería. También ella trae un paquete. Lo abre enseguida. Son... ¡al fin, cuando ya me había cansado de pedírselas, las fotos de familia, de sus famosas cajitas!

Pasamos un buen rato viéndolas. La reina hace comentarios, explica situaciones y ambientes, indica nombres, precisa datos de lugares y fechas.

–Y ésta es mi hermana... y éste, mi padre... Aquí estamos los cinco: habíamos ido de picnic a Tatoi... esto es aquí mismo, en La Zarzuela. Era un cumpleaños de mi hijo Felipe... con todos sus amiguitos. Y mi marido, ¿ves?, filmán-

---

1. «¡Ser por fin identificada!» Emily Dickinson, *The Complete Poems*. Faber & Faber. Londres, 1984, p. 93.

dolo todo. En esta otra, no sé, diciéndole que se coma lo suyo y deje en paz a sus hermanas...

–Y ésta ¿dónde fue?

–A ver...

La fotografía parece reciente. Sobre un paisaje estepario, casi lunar, sin una casa, sin un árbol, sin una brizna de hierba, se ve a la reina, vestida con pantalones y una bufanda al cuello, dándole algo a un niño indio, un mestizo quizá, que lleva en la cabeza un sombrero muy viejo y muy grande.

–Ah, sí. Esto fue en Bolivia. Viajábamos en coche, por entre montañas y llanuras desérticas, secas, como muertas. Llevábamos kilómetros y kilómetros sin ver ni un rastro de vida. De repente: «¡Mira, mira... allí!», me dice mi prima Tatiana, que venía conmigo esa vez. Un niño pequeño, un crío indito, caminaba solo, completamente solo por una inmensa ladera rocosa. ¿De dónde había salido? ¿Adónde iba... tan solo? Parecía como si no viniera de ninguna parte ni fuera a ninguna parte. ¡Extrañísimo! Miramos bien: ni una casa, ni una choza, ni una persona... ¡Nada! ¡Nadie! Ni cerca ni lejos. Era como si el Principito de Saint-Exupéry acabara de caer de su asteroide, justo ahí, delante de nosotros. Hice parar el coche. Me bajé y eché a andar ladera arriba, para acercarme al niño. Él me vio. Se paró un instante. En ese momento, con mi Polaroid, que siempre llevo conmigo, le saqué una foto. El crío se asustó y se echó a llorar. Pero no se movía, no huía. Se quedó allí plantado, quieto, llorando. Yo empecé a hablarle suavemente, mientras me acercaba. Él lloraba mirándome. Le di la foto que le había hecho. La cogió. La miró. Dejó de llorar. Y, con la foto en la mano, salió corriendo... nunca sabré a dónde.

»Luego me alegré de que, mientras ocurría algo tan fuera de lo común, Dalda,[2] que se había quedado atrás con el resto del grupo, fotografiara esa escena. Si no... ¡yo ahora mismo podría pensar que lo había soñado!

2. Fotógrafo de la Casa del Rey.

Seguimos viendo las fotos que ha traído.

–Ésta... –Ha tomado una del montón y se la reserva, como si tuviera algo muy especial. Habla mirándola, pero no me la enseña–. No sé si te gustará... Soy yo... Para mí tiene algo muy entrañable... Me la hizo él en un viaje por África, navegando por el río Zaire. Lo que hay detrás es un quitasol de flores...

Extiendo la mano. Me da la fotografía; pero noto cierta resistencia, como si no quisiera soltarla, o como si quisiera recuperarla enseguida.

–¿Que no sabe si me gustará? ¡Es preciosa! Está llena de vida, de expresión. Esta foto habla sola... Ah, majestad, ¡ésta es la foto!, ¡ésta tendría que ser la portada del libro!

Es la primera vez que, de un modo explícito, yo menciono la palabra «libro». Con gesto rápido, instintivo, como de doncella pudorosa que cubre su cuerpo, la reina coge la foto y se la queda, mientras mueve la cabeza, empeñándose en un soliloquio de «No, no, no... ¡qué va...!, esta foto es muy íntima... no, no, no... ¿Portada? ¡ni hablar!». Hago como que no la oigo, y sigo:

–Además, haciendo constar que el fotógrafo es un tal... Juan Carlos de Borbón y Borbón.[3]

–Ah, pues... ¡ja, ja, ja!... tendrás que pagarle *royalties*...

Aprovechando que la cuestión de la foto ha quedado en un sí es no, destapo rápida el envoltorio de mi regalo.

–¡Lápices de colores! ¿Te dije que me encantaba dibujar? De pequeña, cuando el exilio, me regalaron una caja también de lata como ésta. No recuerdo si Faber o si Stabilo.

–Por eso la traigo. La más grande que había. Pero con tarea a cambio, majestad: quiero que me haga un dibujo.

–¿Para ti?

–No. Para el libro.

–Hummm... Ya veremos. ¡Como para dibujos estoy yo: no

---

3. Ésa es, en efecto, la foto que ilustra la sobrecubierta de este libro.

tengo tiempo para nada! Cada día me levanto más temprano y me acuesto más tarde, y siempre me quedan montañas
de cosas por hacer. –Abre la caja de hojalata pintada, y se le
ponen ojos de niña feliz viendo tantos lápices y tanta gama
de color. Me da cargo de conciencia: es como si estuviera
comprometiendo, forzando, uff, «comprando» a la reina...
con cuatro lapiceros.

–Bueno, majestad, no importa: le regalo los lápices igual,
aunque no me haga el dibujo.

También la reina, de cuando en cuando, hace como que no
me oye. Ahora entreabre un cartapacio que trajo consigo y
que contiene, supongo, papeles del patronato de su Fundación. Saca un folio manuscrito de su puño y letra. Ha redactado a vuela pluma una anécdota del viaje de novios, «que
completa un poco lo que te conté».

Me lo pasa para que yo tome alguna nota. El texto dice así:

«Una anécdota: en el viaje de novios íbamos bajo nombres supuestos. Cambiábamos con frecuencia, como Mr. y
Mrs. García, Mr. y Mrs. Smith, Mr. y Mrs. Davies, etc.

»Cuando llegamos del Japón a las islas Hawai, íbamos,
me parece, con el nombre de Davies. Allí se mosquearon, y
ya la gente se iba dando cuenta de que algo raro había...
Cuando fuimos de Hawai a San Francisco cambiamos el
nombre, cogiendo los billetes de avión como Mr. y Mrs.
Brown.

»Al día siguiente de la toma de la puesta de sol,[4] nos
traen el desayuno con el periódico. Y ¿qué vimos, con nuestro asombro?: titulares diciendo IN FLEW THE ROYAL "BROWNS"
–Algo así como *Llegada de los Príncipes "López"*.

»Acto seguido, cambiamos los nombres supuestos por los
nuestros: Príncipes Juan Carlos y Sofía de Borbón y de Gre-

---

4. La reina se refiere a una escena que ella misma me contó, y que
sucede en el hotel Hilton Beverly Hills de San Francisco. Se narra en este
libro, al final del capítulo VI.

Una anécdota:

En el viaje de novios íbamos bajo nombres supuestos. cambiábamos con frequencia como Mr + Mrs García Mr + Mrs Smith, Mr + Mrs Davies etc.
Cuando llegamos del Japón a las islas Hawai íbamos me parece con el nombre de Davies.-
Allí se mosquearon y ya la gente se iba dando cuenta que algo raro había—. Cuando fuimos de Hawai a San Francisco cambiamos el nombre copiando los billetes de avión con el nombre de Mr + Mrs Brown— El día siguiente de la escena de la toma de la puesta de sol nos traen el desayuno con el periódico y que vimos con nuestro asombro, Titulares diciendo IN FLEW THE ROYAL "BROWN" Acto seguido cambiamos los nombres supuestos a los nuestros Príncipes Juan Carlos y Sofía de Borbón y de Gre.
Que sentido de ridículo pero a la vez divertidísimo-
Desde ese momento lo incógnito se terminó.

cia. ¡Qué sentido de ridículo…! Pero, a la vez, divertidísimo. Desde ese momento, lo incógnito se terminó.

Sin poder ni querer evitarlo, mientras leo el contenido de la nota, me fijo en la caligrafía de la reina. Son diecisiete o dieciocho líneas de una lectura ágil, rápida, bien formada, y bien deformada. Una escritura clara, legible, no enrevesada, ni jeroglífica. Los renglones, perfectamente paralelos y encuadrados, denotan un pulso firme sin inclinaciones temperamentales hacia arriba o hacia abajo: estabilidad de ánimo. Ecuánime distribución del margen. Ni picuda ni redonda, es una grafía bien trabada, de trazo bastante continuo. Esa muñeca escritora está afirmando coherencia mental, constancia, tenacidad, voluntad para culminar lo iniciado. Es decir, al pie de la letra –y nunca más pertinente la expresión–, el lema de sus Hannover maternos: *Suscipere et finire*. Observo las altas tildes de las tes, y los puntos volanderos de las íes, típicos de personas en quienes lo espiritual domina sobre lo material. Otras marcas de la escritura indican que la autora es una mujer fuerte, sana... y firme de carácter, en absoluto blanda. Sensitiva, con capacidad de resonancia para lo artístico. Sincera y veraz. Es la caligrafía de una conciencia transparente y limpia. Está muy presente la tendencia a lo diáfano, el amor a la luz, a la claridad, a los espacios ventilados. Estos rasgos, y los de una imponente aptitud para el autocontrol, son quizá los más sobresalientes, así, a primera vista, y no siendo yo perita grafóloga. También percibo señales muy diversas de generosidad, apertura, dadivosidad (las pes, las ces, las eses... abiertas). Y, en contraste con ello, un acusado sentido patrimonial de lo familiar, de lo privado y lo íntimo. Sólo en ese territorio detecto trazos indiciales de un «egoísmo doméstico» espontáneo, instintivo: como el de la leona que saca las garras por defender a sus cachorros. Hay, sin embargo, una gran soltura en el desprendimiento y olvido del «yo»; quizá porque la propia personalidad está vigorosamente resuelta.

Otra serie de elementos –las mayúsculas de rótulo IN FLEW THE ROYAL «BROWNS», por ejemplo– denotan cultura y mundo. Ah, de un modo indisimulable, aparece patente la conciencia de la propia dignidad social, o del propio estatus o rango. Eso se delata en las mayúsculas con que escribe, por ejemplo, *Príncipes Juan Carlos y Sofía de Borbón y de Grecia*. Son bien diferentes la ese de *Sofía* y la de *Smith*; la ge de *Grecia* y la de *García*; la be de *Borbón* y la de *Brown*. Siendo como son *Smith*, *García* y *Brown* apellidos de la comuna plebeya, de la canalla, del listín telefónico, de la gleba, de la morralla, del populamen y de la hez. Incluso son muy distintas la jota acabada y cerrada de *Juan*, y la jota de *Japón*, descuidada, inconexa y sin cerrar. Un estudio sugestivo sería comparar la ese utilitaria de *Smith*, la ese ambigua, curva y picuda a la vez, de *San Francisco*, y la ese aérea, elegante y largamente adiestrada de *Sofía*.

Por cierto, con el lío de las fotos y los lápices, distraídamente me llevo la nota manuscrita de la reina. Aunque... supongo que esa «nota de trabajo» era para el libro.

25 de julio. Por la alfombrada escalera de roble descienden con graves caras de circunstancias el presidente del Congreso, Federico Trillo; el nuevo presidente del Tribunal Supremo, Javier Delgado Barrio; el ex presidente, que deja el puesto, Pascual Sala; la ministra de Justicia, Margarita Mariscal de Gante, y varios más. Vienen de la jura de Delgado Barrio, y nos cruzamos en el subeybaja. Yo disimulo. En estos trajines de palacio, lo mejor es, si estás, que no se sepa; y si se sabe, que no se note. Y si se nota, pues... que te hagas perdonar.

La reina ha estado en la jura y viene vestida de ceremonia: un traje de chaqueta, de seda brocada en color marfil. Es por la mañana. Bien. Todo esto está muy bien, pero ya hace varias semanas que entendí que sí, que aquí había un personaje con espesor humano, y, por tanto, un libro que escribir. Y hoy quiero que la reina «se moje», y me dé sus señas de identidad. Entro por ahí:
–No me gustaría que, a partir de cierto momento, la biografía de la reina fuese algo así como una resonancia femenina de la vida del rey...
–Mi vida es la vida del rey. No tengo otra vida. A partir de cierto momento, mi vida es la vida del príncipe. Y luego, la vida del rey. Yo soy reina, porque me he casado con el rey. Parece que esté diciendo cosas obvias, pero... es así: si yo no fuese la mujer del rey, la esposa del rey, no tendría esta dimensión, no tendría este estatus. Soy consorte. Ése es mi

estatus: consorte del rey. En mi vida lo que importa, lo que interesa a la gente, es lo que atañe a la Corona, a la familia real española, al rey de España, a los intereses del pueblo español. ¿Yo, Sofía, por mí sola? Por mí sola soy princesa de Grecia. Y punto.

»Ahora bien, una vez que soy reina, me moriré siendo reina. Reina hasta la muerte. Aunque no reine. Aunque esté reinando mi hijo, o aunque me hayan exiliado... Es el caso de mi cuñada la reina Ana María, o el de la reina Fabiola: morirán siendo reinas. Ah, y eso de *reina madre*... no me gusta nada. *Ni reina madre, ni reina viuda*: reina Sofía.

–Un día me dijo vuestra majestad que necesitaba tomarse tiempo para decirme qué cosa es ser reina. Vuelvo a preguntárselo hoy. ¿Es un rango, es un estatus, es una función, es una misión, es un derecho, es un privilegio, es un oficio, es una dignidad...?

–*Reina* es una palabra muy llena de contenidos. Tú has dicho varios: rango, estatus, función, misión, deber, dignidad... Pero, tal como yo entiendo el concepto de *reina*, puede darse, y se da, en cualquier familia donde la mujer es la cabeza y el corazón de esa familia, y sabe que su misión más importante es atender y cuidar ese hogar: ella, entonces, es la reina de la casa.

»Cada ser humano, cada mortal que habita este planeta nuestro, puede tener ese mismo concepto de su vida como servicio. Es la más alta dignidad que cabe en un hombre, en una mujer: vivir para los demás. El hombre que sirve es rey. La más útil y la más bella y la más buena forma de reinar es servir: estar a disposición de los demás. Yo, porque soy reina, no puedo permitirme ser egoísta. No puedo decir "de esto paso, a aquello no voy porque no me apetece...". Yo no estoy para hacer lo que quiero, sino lo que necesiten de mí. A mí me programan cada día ¡y cada hora! de mi vida, en función de los intereses del país. Yo voy donde conviene que vaya, por el bien de los demás. Y esto es lo mismo que hace una mujer de su casa, una mujer cabeza de familia: no piensa en ella, piensa en los suyos. Es en ese sentido en el que

digo que una reina, como una madre de familia, es cualquier cosa menos una profesional.

–Pero ¿cuál es el estatus de la reina? ¿Quién marca sus
competencias?, ¿tiene terrenos de actuación propios?, ¿tiene zonas valladas y prohibidas? Constitución en mano, el rey
no puede gobernar, no puede interferir en la acción política... pero ¿y la reina?

–Yo no tengo un estatus propio, como reina. El rey es él.
Mi estatus es, digamos, paralelo, y ligado al rey. Ahora bien,
tampoco *soy la mujer de...* Tengo un estatus como consorte
del rey. Consorte: ése es mi estatus personal. La esposa del
presidente de una república, por muchas cosas que haga,
por mucho protagonismo que tenga, por muy popular que
sea, no forma parte del Estado. Yo sí. El rey y la reina, la
familia real, formamos la Corona. Y la Corona es una institución que, junto con el gobierno, junto con el parlamento,
junto con el Poder Judicial, junto con cada una de las autonomías, somos el Estado.

No hay una vacilación. Lo tiene clarísimo:

–Habiendo reina, y habiendo príncipe e infantas, la Corona no es sólo el rey: somos el grupo familiar, el equipo familiar, la familia real. Y todos tenemos obligaciones, y todos
tenemos que arrimar el hombro, y todos tenemos que poner
nuestras agendas a disposición de los actos públicos que se
nos encarguen... Ah, y todos sabemos que somos personas
públicas a quienes se mira con lupa, y, por el bien del Estado, tenemos que dar buen ejemplo.

Luego me habla de sus actividades, matizando, distin-
guiendo:

–Yo puedo ir a escuchar a Rostropovich, a Barenboim, a
Menuhin, a Mehta, o a Theodorakis, porque me gustan y
porque soy una señora aficionada a la música. O puedo
acompañar a la reina Sirikit a un concierto, como asunto
oficial, porque soy la reina de España, cumpliendo mi obligación, aunque también me agrade. Los actos que yo pre-

sido, las fundaciones, las asociaciones culturales, humanitarias, benéficas, sociales, a las que dedico mi tiempo, las audiencias que recibo... nada de eso está escrito en ningún sitio; ni siquiera las líneas maestras de mi propio estatus, ni las vallas de las que no me puedo pasar. No está escrito, pero está entendido.

–No existe un *Estatuto de la Reina*, ni un *Reglamento de la Familia Real*...

–¡Afortunadamente...! No digo que alguien no haya pensado redactarlo alguna vez: «La reina puede..., la reina no puede..., la reina asistirá a..., la reina no asistirá a...»[5] Pero no hace falta escribirlo. Yo entiendo cuál es: todo lo que yo haga tiene que ser en beneficio de mi país.

–Supongo que ahí funciona también la prudencia...

–La prudencia se aprende quemándose.

–Hay españoles que dicen «yo soy monárquico, pero de la reina». ¿Qué le parece a vuestra majestad?

–Es peligroso. Hay que ser monárquico, como hay que estar a favor del Estado de las Autonomías, porque lo dice la Constitución. Mejor que por simpatías personales o por sentimientos, aunque no hay que excluirlos. Esto de «porque lo dice la Constitución» es, sin duda, menos espiritual, menos afectivo, menos sentimental, incluso parece algo frío y legalista. Sin embargo, así está más respaldada la Corona. La monarquía es nuestra forma de Estado, y han de apoyarla todos los españoles que aceptan la Constitución.

---

5. La reina está hablando de un modo genérico, sin aludir a nadie. Sin embargo, tengo constancia de que Sabino Fernández Campo, cuando era jefe de la Casa del Rey, elaboró un borrador de *Status*, o *Estatuto*, en el que no sólo regulaba las obligaciones de los reyes en público sino que tasaba y limitaba las comparecencias de la reina. Por ejemplo: la excluía de las recepciones, «pascuas», entregas de despachos en academias, desfiles y demás actos públicos militares. En la misma línea, suprimía muchas presencias conjuntas de la familia real. He tenido en mis manos ese texto. Y sé que el rey lo conoció en su día; pero no prosperó.

La respuesta es impecable. Pero ha hecho caso omiso al mensaje de que hay quien admira más a la reina que al rey. Vuelvo a la cuestión, por otro bisel:

–Insisto, majestad, en que hay quienes piensan y dicen que verla ahí nos da seguridad y confianza...

–Bueno... como puede dar confianza y seguridad ver que la madre de familia está en la casa. Pero... ¡yo no sé qué hago! ¡No hago nada especial! Ni siquiera pienso en mí, ni pregunto nada que me interesa a mí, ni me preocupo de mí... –Noto que la incomoda hablar de esto. Le agobia, le sofoca, hiere su sencillez. Ahora se echa a reír, para quitarle aristas al tema.– ¿Qué hago yo? Voy, me pinto, me arreglo, me visto, para no estar fea en los actos oficiales. Y, por ins-tinto, sin guión, hago lo que creo que debo hacer, que casi siempre es muy poco: sencillamente, estar. No pretendo, ¡Dios me libre!, acaparar protagonismo. Yo, en mi sitio. Lo mío es facilitar. Lo mío es ayudar. Lo mío es servir.

–Antes dijo «reina hasta la muerte»... ¿Ha pensado vues-tra majestad dónde quiere que la entierren?

–Ah, no, no... ¡Allá ellos! ¡Ése ya no será mi problema! Que hagan conmigo lo que quieran.

–¿En El Escorial?

–...........

–¿No le gusta el panteón de los borbones?

–No hay sitio ya. Están llenos todos los cajones...

Nos entra mucha risa, porque ha llamado «cajones» a los nichos funerarios.

–¿Piensa en la muerte?

–Muy poco. Nada. Es curioso, ¿no? Es un hecho cierto, que me ha de ocurrir. Quizá no pienso en ella porque sé que no puedo evitarla; y además no me da miedo. Ni cuando voy en un avión, cruzando una tormenta terrible y dando tum-bos, se me ocurre tener miedo por si nos matamos. Y no es inconsciencia...

»Ante situaciones de peligro, mi reacción es siempre de una gran serenidad. Pero no porque crea que no va a pasar nada, sino porque pienso "Y si pasa ¿qué?... ¡nada!".

»Cuando todavía estaba soltera, tuve un accidente con mi hermano, por carretera. Conducía Tino. Era yendo de Tatoi al Club Náutico de Atenas, cuando íbamos todas las mañanas temprano a entrenarnos para las olimpíadas. Aquel día, vimos de pronto por la carretera frente a nosotros un camión que se nos venía encima, sin frenos. Era inevitable el encontronazo, aunque Tino intentó desviar nuestro coche a un lado. A medida que veía el camión cada vez más cerca, interiormente me decía: "Ya está... ya está... ya está." Pensé que había llegado mi último momento. Es lo único que pensé. La gente dice que ves toda tu vida en un instante. Yo no vi nada. Quizá porque no era mi final. Salimos un poco heridos y magullados, pero nos salvamos, gracias a Dios. Y mi reacción, cuando todo estaba en un ay, fue de serenidad, de mucha paz. Bueno... después sí el susto, la tiritona y el tembleque. ¡Si no, sería una de corcho!

»Otro momento de esos en los que no sabes qué va a ser de ti, fue el de la Casa de Juntas de Gernika, en febrero de 1981.[6] El rey y yo fuimos a aquel acto muy sobre aviso y muy alertas: nos dijeron que había algo preparado, algo contra nosotros. Cuando empezaron a cantar con el puño en alto, yo pensaba: "Esto es el comienzo de algo gordo. No sé qué. Pero lo importante, lo duro viene después..." Eran aquellos de Herri Batasuna que cantaban el himno de los *gudaris* en plan duro, bronco, agresivo... El recinto aquel era pequeño, muy cerrado, y estaba abarrotado de gente. Si ocurría algo allí, la pagábamos todos: hubiese sido una masacre, una tragedia tremenda. Y era fácil que la violencia se disparase, por la altísima tensión.

»Acababa de crearse la Ertzaintza. Aún no habían actuado nunca. Pero Garaicoetxea les dio la orden de que ellos mismos echasen a los que alborotaban. Y ésa fue la suerte, porque si llega a entrar la Guardia Civil o la Policía Nacio-

---

6.   Ese episodio y el comportamiento exterior de la reina están narrados en el capítulo I de este libro.

nal, no lo quiero ni pensar, pero habría sido horroroso... Sin embargo, como lo arreglaron entre ellos mismos, ni los unos querían pegar, ni los otros provocar, y se fueron por la puerta todos, como corderitos... ¡Increíble!

»Después, cuando pasó un poco de tiempo, yo pensé que incluso fue bueno que sucediera. Sí, hubo un mal momento, pero fue como una vacuna. ¡Y cuántos miedos y cuántos recelos se vinieron por tierra! Porque, antes de ese viaje, todo el mundo pensaba "Hay un trozo de España adonde los reyes no pueden ir". Y esa barrera había que romperla.

»Además, ¿qué es lo que allí se vio? ¡La libertad! La libertad de los que cantaban y gritaban; y la libertad de los que aplaudían al rey, que eran más, muchísimos más. Pero dejaron que los otros, los menos, gritasen y montasen su bronca. ¡Y no pasa nada! Unos estaban en su derecho de aplaudir y otros en su derecho de gritar.

»A veces hay gente... ¿timorata?... que quiere protegernos de que alguien grite en contra, o de que nos critique la prensa. Y a mí no me parece bien. Eso hacen las avestruces: esconden la cabeza debajo del ala. Y creen que lo que ellas no ven, no existe. La crítica no es plato de gusto. Pero de vez en cuando viene bien.

»A estas alturas, ¡hemos pasado tanto...! Como hemos sido príncipes antes que reyes, y con una oposición falangista y una oposición comunista, ya estamos...

–Curados de espanto.

–Curados de espanto, sí. Recuerdo que había una fábrica de coches en crisis. Iba a haber despidos, y los obreros estaban muy agitados, muy furiosos. Pero nos llevaron. No sé para qué, pero... allí estuvimos, andando a través de una especie de pasillo humano, entre toda aquella gente indignada, que gritaba. Y el príncipe, mirándolos, dijo: «A ver, que cada uno hable, y diga lo que quiera: yo os escucho.» Bueno, era como decirles: «¡Venga, que empiece ya el juego de la libertad! ¡No os calléis! ¡Tenéis derecho a decir lo que pensáis!»

Un mes después de esta conversación, el 21 de agosto de 1996, me recibe en Palma de Mallorca, en el palacete de Marivent, el rey Constantino de Grecia. Suele pasar algunas semanas del verano allí, con la reina Ana María y sus hijos.

La sala donde mantenemos la entrevista es amplia y bien iluminada. Por los ventanales abiertos llegan bocanadas de olor a salitre y pino. El mobiliario es cómodo, funcional y muy sencillo. Me llaman la atención tres elementos poco comunes en un cuarto de estar: un cuadro enorme –escuela del XVII, creo– con un Jesús crucificado, que bien podría presidir la nave de una iglesia, y que parece un poco desambientado entre tanto sofá rechoncho;[7] una mesa de ping pong verde brillante; y un futbolín de carcasa roja, como los de bar de pueblo. Y es que alrededor de los reyes de España siempre pulula mucha gente joven: las pandillas de los hijos y de los sobrinos.

El rey Constantino lleva unos bermudas vaqueros, camisa rosa, y zapatos náuticos de cordones. Fuma un cigarrillo detrás de otro. Y tiene una maravillosa voz grave de *Tócala otra vez, Sam*. Habla en inglés. Le acompaña su prima, la princesa Tatiana de Radziwill, íntima amiga de la reina Sofía desde la infancia del exilio en África. Me ofrecen de todo, pero no tomo de nada.

La conversación es larga, grata, interesante, variada. Mucho de democracia, mucho de monarquía constitucional, mucho de Unión Europea y mucho de Grecia. Pero el rey sabe que he venido a que me hable de su hermana.

–¿En qué valores cree la reina Sofía? ¿Cuál es su orden moral?

–¿Sabe usted que ésa es una pregunta muy difícil de contestar?

»Ella es una mujer de fe religiosa muy firme, sin altiba-

---

7. He sabido después que ese cuadro está ahí porque, no habiendo capilla en Marivent, los domingos se celebra la misa en esa sala.

jos, sin rachas. Y esa fe en Dios es el gran valor predominante en su vida. Lo determina todo. Su fe conlleva una moral, una concepción de la vida. Después, o a la vez, está su sentido de compromiso vital con su familia, con la familia que ella ha formado: su marido y sus hijos. Es una mujer muy muy muy familiar... Ella nos atrae a todos, ¿se ha fijado usted? Y, también en el mismo plano, una tarea que define su vida, y que no cesa nunca: servir como reina a los españoles. Esos tres elementos, esos tres intereses, están presentes en todas sus actuaciones. Nunca los olvida. Nunca les vuelve la espalda. Nunca transige.

–«Servir, como reina.» Esa idea de la realeza como servidumbre me la ha expresado ella misma en alguna conversación...

–Es más que posible que provenga de su pasado. No sé si usted conoce el dramático *background* acumulado por su familia (nuestra familia) durante cientos y cientos de años de historia. Una familia de muy distintos orígenes: de Dinamarca, de Alemania, de Rusia, de Prusia, de Inglaterra... Y también esa idea de servicio llega a ella, de un modo más cercano, a través de la educación que nuestros padres nos dieron. A mi hermana, desde muy niña, le enseñaron que todo en su vida había de estar orientado hacia el servicio y hacia el amor. Y ésa es la única manera de que una monarquía constitucional puede sobrevivir. Uno ha de tener en su mente y en su corazón el empeño interior de servir a la gente del país donde reina. Y también, un compromiso de amor total. Básicamente (y ahí está la diferencia más esencial entre una monarquía y una república, y entre una monarquía y una tiranía), la monarquía es una cuestión de amor.

»Cuando yo cumplí los dieciocho años, la mayoría de edad, y me gradué como oficial del ejército griego, mi padre, el rey Pablo, me dirigió unas palabras. Entre otras cosas, me dijo: "Recuerda siempre que es preferible que sufra el rey a que los sufrimientos caigan sobre el pueblo." Y ésa es una idea que está muy bien arraigada en la mente de mi hermana. Y también, lo sé, en la mente del rey de España.

–Hay quien piensa que el papel de la reina es ornamental. Y hay quien, por el contrario, piensa que es fundamental. Yo creo que la reina Sofía es un soporte moral y un gran elemento de estabilidad de la Corona española. ¿Qué opina vuestra majestad?

–Yo, como hermano, no puedo ser objetivo. Humanamente, Sofía es una mujer segura, sin dudas, sin vacilaciones, de mente serena y equilibrada, que siempre busca soluciones, que genera paz y alegría alrededor... Es lógico que produzca esa impresión de persona fuerte, de persona soporte, de persona firme en quien algo delicado se pueda apoyar.

»Ahora bien, la Corona es, por así decir, un trabajo de equipo. Quizá yo estoy en una situación única para hablar de esto, porque conozco lo que es la responsabilidad de un rey. Sé qué peso y qué carga y qué soledad se siente allá arriba. Y puedo aquilatar la suerte que supone tener cerca una mujer como la reina de España, contar con semejante puntal. Para un rey es una ayuda muy grande disponer de una persona como ella, totalmente dedicada a su marido, a su familia, a su país. La verdad es que, el rey desempeña su papel, nada fácil, muy ayudado por esa colaboración de la reina. Yo diría, incluso, una colaboración animosa y entusiasta. No el mero cumplir con unas obligaciones del cargo. Insisto en la idea de la Corona como labor de equipo. Si un elemento falla, se resiente todo. Si cada uno coopera, la institución funciona, se fortalece y se prestigia. Yo creo que éste es el caso de España. En definitiva, el rey es sólo el rey. Él tiene la responsabilidad final de las cosas. Pero la Corona no es el rey solo. Y, por fortuna, don Juan Carlos tiene a sus hijos y a su esposa, trabajando todos en la misma dirección, con una lealtad magnífica, y aportando cada uno lo mejor de sus talentos. Sinceramente, y hablo desde la experiencia de rey, eso es algo que no tiene precio.

En este momento, llegan hasta nosotros unas risas alegres desde la piscina. El rey Constantino y la princesa Tatiana se miran, sonríen y me dicen:

–¡Ésa es ella! Siempre ríe. Siempre está de buen humor. Su naturaleza es alegre...

En este momento, llegan hasta nosotros unas risas alegres desde la piscina. El rey Constantino y la princesa Tatiana se miran, se sonríen y me dicen:

–¡Ésa es ella! Siempre ríe. Siempre está alegre. Tiene un gran sentido del humor... ¡del buen humor!

–¿A quién se parece más: al rey Pablo o a la reina Federica?

–Yo no habría sabido responder a esa pregunta cuando los dos éramos jóvenes y solteros, y vivían nuestros padres. Ahora, con el paso de los años, veo reproducidos en mi hermana Sofía valores de mi padre y de mi madre. Del rey Pablo tiene el amor a la sabiduría, la serenidad y la bondad de corazón. De la reina Federica, la energía, la mente inquisitiva y el talante emprendedor. Repito que es difícil para mí ser objetivo, pero pienso que... ¡se ha logrado una buena mezcla!

Tatiana de Radziwill fue la primera que tomó la palabra, al comienzo de la conversación, evocando recuerdos de la infancia en Sudáfrica, Egipto y Grecia. Por ella he sabido que también estudió en las escuelas Arsakion, en Psychico. Su línea discursiva ha sido afirmar la autenticidad vital de la reina Sofía:

«Siempre es ella misma, en casa y en la calle, en familia y en público. Siempre es natural. Nunca finge. Nunca tiene dos caras. No sabe disimular... Ama tanto la verdad y la sinceridad –¡no soporta la doblez, ni la hipocresía, ni la mentira!–, que en ella todo es espontáneo, sin afectación. Nunca interpreta un papel.»

Esas palabras me han recordado aquellas otras del príncipe Hamlet: «Yo no sé parecer.»[8]

He observado –y después mi grabadora me lo corrobora– que, en el preciso momento en que el rey Constantino terció en la conversación, Tatiana de Radziwill, muy consciente de que él es rey, le dejó toda la banda libre, retrayéndose asequndada en un respetuoso plano de asentimiento, de escucha atenta, de compañía.

Ahora interviene de nuevo, porque yo le he hecho unas preguntas. Me comenta la paradoja de que su prima, la reina, aun siendo una mujer muy tímida, «disfruta tantísimo estando con la gente; y sobre todo, por la calle, con personas a quienes nunca ha visto y tal vez no vuelva a ver jamás».

Ella lo ha presenciado en La Paz, en Praga, en Sevilla, en Palma, en París, en Roma...

«Es un espectáculo asombroso y conmovedor. En francés diríamos *un courant passe*, se establece una corriente entre ella y la gente. Tanto si visita a las familias de las víctimas de una tragedia, como la de hace unos días en el cámping de Biescas; o si va de compras como una turista cualquiera; o si entra en un museo sin avisar; o si está sentada en un pequeño café de Montmartre, y los de alrededor se dan cuenta de quién es... En París es muy frecuente que los que pasan se le acerquen y le digan: "¡No sabe cuánto la admiramos!" O un caluroso y nada chauvinista: *¡Vive la reigne de l'Espagne!* Si los que la descubren son jóvenes turistas españoles (porque ella alguna vez viene a París en fin de semana, o cuando es fiesta en España), enseguida se acercan, la rodean y gritan alegremente: "¡Es la reina, es la reina!" Sofía ahí se transforma. Se la ve radiante, dichosa, feliz... Se pone a hablar con cada uno como si fueran viejos amigos. Yo

---

8. En la versión de José María Valverde (Planeta, Barcelona, 1980) la respuesta de Hamlet a su madre, la reina, es: «¿Parece, señora? No; lo es. No sé lo que es "parece".» Yo prefiero traducir el *«Seems, Madam? Nay it is: I know not seems»* como «¿Parece, señora? No. Es. Yo no sé parecer».

noto que les quiere como a sus verdaderos compatriotas. Los viandantes parisinos observan el espectáculo con asombro, y... me atrevo a decir que con un poco de envidia.

»Un día, estábamos juntas haciendo cola en una cafetería. Delante de nosotras, también en la cola, había una señora inglesa. Se volvió un par de veces, mirando a la reina. Ponía cara de estar pensando "se parece muchísimo, pero no puede ser ella". Se giró, todavía, una tercera vez. Entonces, le dijo: "Disculpe... ¿Es usted Sofía, la de Juan Carlos de España?... ¡Creía que estaba viendo visiones!" Naturalmente, la señora inglesa y Sofía entablaron una interesante conversación. Ella busca ese contacto cercano, directo, coloquial con la gente común y corriente. Y vaya donde vaya, establece relaciones muy estrechas con todo tipo de gente. Pero no es por hacerse popular, ni por estar más informada: es porque de verdad le interesa la gente.

»En Praga, cruzando el puente Carlos, seguida por todo su séquito, de repente se le acercó un turista: "Oye, Natacha, ¿hasta qué hora espera el autobús?" Al hombre le sonaba mucho esa cara, y la había confundido con Natacha, la guía rusa de su grupo turístico. Sofía se reía a carcajadas. Y el otro, ¡pobre!, cuando le explicaron quién era la señora del séquito, enrojeció como un tomate.

»También en Praga, yendo en coche hacia el aeropuerto, el agente de seguridad que el gobierno checo nos había asignado iba en el asiento delantero junto al conductor. En cierto momento dijo:

»—Yo, antes de hacerme policía, era médico psiquiatra. Y para obtener este puesto he tenido que aprender kárate.

»La reina le contestó con la mayor naturalidad:

»—Yo también, antes de... trabajé un tiempo como enfermera infantil, y aprendí kárate durante varios años.

»El escolta aquel nunca supo si la reina de España hablaba en serio o si estaba tomándole el pelo. Todavía debe de andar perplejo. Pero lo cierto es que Sofía llegó a "cinturón verde".»

Hablamos de la salud de la reina, y de su resistencia física. Yo recuerdo un comentario reciente que me hizo la princesa Irene: «Mi hermana es una mujer fuerte. Tiene muy buena salud. Lo mismo puede pasarse dos días seguidos durmiendo, que dos días seguidos sin dormir. Como los camellos: si hay agua bebe; si no hay... se cruza el desierto y aguanta. Es el resultado de una educación en la que había cariño y exigencia, caricias y disciplina.»

En este punto, la princesa Tatiana me cuenta que, en el viaje que hicieron juntas a Bolivia, la reina sufrió el mal de altura, el soroche, con náuseas, mareos, ganas de vomitar, destemplanza... «Pero, como tenía que decir unas palabras ante la comunidad española, se tomó unos minutos para obligarse a sí misma a encontrarse mejor. Lo consiguió, a base de fuerza de voluntad y sentido del deber. Y sin hacer cosas raras. Nadie lo notó.

»También acudió a Japón, para las exequias del emperador Hiro Hito, que eran muy solemnes y larguísimas, con una gripe de las que dan fiebre alta. Y resistió todas las ceremonias a pie firme. Después, en lugar de regresar enseguida a Madrid, a su casa, para meterse en la cama, desde Tokio se desplazó a Italia: quería estar conmigo en el funeral de mi madre.[9] Eso da idea de un gran temple. Y de un gran corazón.»

Cuando estoy despidiéndome del rey Constantino y de la princesa Tatiana, aparece la reina. Lleva pantalón azul marino, una camiseta verde de Agua Brava, y alpargatas. Tiene el pelo húmedo y rizado en las puntas. Se nota que viene de la piscina.

9. La fallecida era la princesa Eugenia de Grecia, hija del príncipe Jorge de Grecia, el viejo *uncle Jacob*, y de María Bonaparte. Casada en primeras nupcias con el príncipe polaco Dominik de Radziwill; y en segundas con el duque Raimondo de Castel Duino.

–Sólo quiero saludarte... ¿Cuándo regresas a Madrid?...
Ah, pues, ahora digo que te lleven a Son San Juan.

–Majestad, ¿está descansando? ¿Qué tal va el dibujo?

–¿El dibujo? Sólo he hecho uno... pero no lo he terminado.

–¿Puedo verlo?

–No es nada del otro jueves... Espera un momento. De
paso, voy a decir que te lleven al aeropuerto.

Vuelve a los pocos minutos trayendo en la mano una de las
hojas del bloc que le llevé a La Zarzuela junto con los lápices. Observo que, al arrancar la página del alambre en es-
piral, lo ha hecho con tal delicadeza que no ha desgarrado
ni un solo diente del papel. Me muestra la lámina, iluminada en tenues colores. Es un paisaje luminoso.

–Esto es lo que veo desde la ventana de mi habitación.

–Ah, me lo quedo, me lo quedo...

–Es que no está acabado...

–No importa. El pintor Fernando Delapuente decía: «Los
cuadros no se acaban: se dejan.»

Camino de Son San Juan, veo con detenimiento el dibujo de
la reina: tres arcadas de gótico balear sirven de embocadura
para una marina. Como dice su prima Tatiana, «siempre es
ella misma». También en este dibujo. Ahí está la mujer realista, la mujer de pies en tierra, que tiene un exacto sentido de la perspectiva; y que antes de empezar a dibujar, tra-
za un firme, un soporte, un pretil de piedra sobre el que
levantar tres esbeltas columnas. Ahí está la mujer veraz y
sin disimulos, la que no sabe fingir ni parecer, que dibuja a
mano alzada las difíciles arquivoltas, sin borrar cuando el
pulso le traiciona. Ahí está la mujer idealista, que escapa por
las altas azoteas y sobrevuela tejados y almenas con la que-
rencia de quién sabe qué paisajes abiertos. Ahí está la mujer mediterránea, nacida griega, que sueña deslumbrantes

horizontes marinos, más allá de las brumas, más allá de las nieblas. Ahí está la mujer que, si quiere, se va. Ahí está la mujer que, si quiere, se queda.

Nuestro último encuentro es ya en otoño. Otoño de crepúsculos cortos, de pensamientos tibios y de miradas largas. *Uva de niebla y montes agrupados.* Siete de octubre, siete. Otoño y bellísimo otra vez. Acaban de llegar. Los reyes. Han tenido un almuerzo con el señor Kuchma, presidente de Ucrania. Ucrania, ¿capital? No me acuerdo. Mejor dicho, yo sabía que Ucrania era... capital Kiev. Aunque igual ha cambiado en los últimos días. ¡Vaya usté a saber! Cada día que vengo, la reina se cree que me engaña, pero pone los sacos terreros apostados detrás de las puertas, detrás de su alma, detrás de su historia, detrás de su amor.

Cada día que vengo, y mira si llevo viniendo...

Pero ya están maduras las nubes, el fresno es amarillo, el haya es rojocárdena, y el aire malva acecha esta conversación. Hoy no me voy de aquí sin que me diga adónde fue a parar, qué se hizo, en qué quedó, señora, tal historia de amor...

Parpadea. Sin embargo, yo sé que ella esperaba esta pregunta «de mujer a mujer». Mi gesto es falsificadamente maquinal, cuando abro la libreta. Pero estoy azarada. O casi. Por si me dice «no». Silencio. Ocho, nueve, diez, once segundos de silencio.

–¿El amor? El amor es un sentimiento vivo. Nace, crece, evoluciona, madura, cambia con el paso del tiempo.

Pienso: «No me va a decir nada...» Pero veo que me mira de frente. *Oh, là, là!* ¡Va a decir!

–Supongo que a todos les pasa lo mismo. El mío, el nuestro, ha evolucionado hacia una amistad. Una fuerte amistad. Yo soy... su compañera. Somos «compañeros de viaje». En este viaje vamos juntos... Y eso no se acaba. Siempre hay amor.

»Él sigue teniendo las dos facetas: el chico divertido, guasón, bromista, alegre... y el hombre serio, a ratos melancólico, con un fondo sentimental.

»Hemos vivido muchas cosas juntos... Y están los hijos. Nunca estamos solos. Siempre hay gente joven, mucha gente joven, a nuestro alrededor: los hijos, los sobrinos, los amigos de los hijos, los hijos de los amigos... ¡Se ve que les gusta estar con nosotros! A mí me da la vida tener llena la casa de gente bulliciosa. Es fenomenal: te pone al día, te pide "marcha", no te deja parar a envejecer.

–¿Y al rey?

–Al rey también le gusta. ¡Le chifla! ¡Cuanto más bollo, mejor! Pero eso no quita para que, de vez en cuando, yo necesite irme un rato a estar sola, a recargar baterías, leyendo, oyendo música, pensando...

–¿Echa de menos algo?

–Echo de menos el mar. Todos los días del año. El mar, el agua, es mi elemento vital. Soy del Egeo, soy del Mediterráneo: son el mismo mar. Cuando miro hacia atrás, veo mi vida como una estela entre dos mares. Una estela muy llena, muy rica, muy viva...

–¿Ha valido la pena?

–¡Ha valido todas las penas! Volvería a vivir lo que he vivido. Volvería a empezar.

–Cuando pasan los años, y el amor se aja, y la rutina pesa, y él y ella se conocen demasiado, ¿cómo se salva la fidelidad?

–Lo que mata el amor es el silencio. No sé qué harán otros matrimonios: nosotros hablamos. Hablar es muy importante. Es clave. Aunque el uno esté de morros y el otro esté antipático, hay que hablar. El silencio, la falta de diálogo, eso es lo que destruye a las parejas.

»Nosotros hablamos. Si tenemos que discutir, discutimos. Pero no hay incomunicación, no hay aislamiento: hablamos. Hablando se entiende uno, se quitan malentendidos, dudas, sombras...

–¿«Compañeros de viaje»?

–Sí, porque vamos a lo mismo. El rey y yo tenemos el mismo ambiente, conocemos y tratamos a las mismas personas, acudimos muchísimas veces a los mismos actos, viajamos a los mismos lugares, pero, sobre todo, tenemos la misma tarea de representar a la Corona. Nos mueven los mismos intereses. Él sabe que cuenta con toda mi lealtad. Y hay una base fuerte: una enorme confianza. De él en mí. Son muchos años, más de treinta y cuatro, embarcados en el mismo viaje...

»Él es el monarca, yo no. Él manda, yo no. Él toma decisiones de Estado, yo no. Pero la Corona somos los dos. Los dos y nuestros hijos.

»Es verdad que no somos nada iguales. No nos gustan las mismas cosas, ni tenemos las mismas aficiones. A él le va la radiotelefonía, las motos, la velocidad... A mí me entusiasma la música y el arte. Yo, cuando puedo, monto a caballo; pero no para saltar, como la infanta Elena, ni para lanzarme al galope tendido: prefiero el trote suave de paseo. Mi marido, en cambio, con lo que disfruta es tripulando un barco, o un avión. Y a mí lo que me gusta es que me lleven: ir sentada en la popa, mirando el mar y el horizonte, y dándome la brisa en la cara... ¡Como una reina!, ¡Ja, ja, ja! Pero, bueno, la vela y el mar nos gustan a los dos. Y lo practicamos juntos a veces, si podemos.

»¿Que no somos nada iguales? ¡Es verdad! ¡Ni parecidos! Cada uno es cada uno... Él es extrovertido. Yo, reservada. Él es un lanzado. Yo soy tímida. Y él se morirá sin saber lo que es la vergüenza, y yo me moriré tímida. Él es primario. Yo, secundaria. Él es intuitivo. Yo, lógico, de escaleras: peldaño a pedaño. Él capta las situaciones al vuelo, huele a las personas como si fuera un perro de caza. Y pocas veces se equivoca al prejuzgar. Yo, en cambio, no me atrevo a juzgar si no tengo todos los datos. Él es rápido. Yo, lenta... Él puede tener un arranque de genio fuerte, terrible, y dar dos gritos. Yo estoy hecha para aguantar más. Una cosa, una persona, me pueden estar fastidiando... y nadie se dará cuenta. La procesión va por dentro. Tengo los nervios de acero. Total:

que no somos eso que dicen de "la otra media naranja";
pero... nos complementamos. Esto es, si quieres, como lo de
los idiomas: qué pones tú, qué pongo yo, y al final, entre los
dos sumamos diez.

–Y, en ese tándem, ¿qué le da la reina al rey?

–Yo, al rey, como su esposa que soy, como su «compañera de equipo», como su amiga, le doy lealtad. Le doy interés
por sus asuntos, que son también asuntos míos. Le doy conversación, poder intercambiar puntos de vista diferentes,
comentar un suceso, unas declaraciones de alguien, un
debate parlamentario, algo que viene en el periódico... No
he intentado jamás interferir en su trabajo, en sus decisiones. Ni tengo la pretensión de aconsejarle lo que debe hacer o evitar. Si acaso, nos aconsejamos mutuamente. ¿Qué
más le doy? Le doy mi compañía. Le doy mi tiempo, porque
siempre estoy a su disposición. Le doy mi comprensión.
Y... le doy mi cariño.

–Cuando no tienen invitado a un presidente de Ucrania,
como hoy, ¿comen y cenan por separado, o se las ingenian
para coincidir?

–Solemos hacer juntos las dos comidas, y a veces también el desayuno.

Ya hace un rato que me ronda la cadencia de unos versos,
la primera cuarteta de un soneto de Leopoldo de Luis. «Epí-
logo», recuerdo que se llama. Por dentro lo oigo así:

> *Parto mi vida en dos, como podría*
> *considerar los dos actos de un drama:*
> *Antes de ti. Después de ti. La trama*
> *cobra verdad a costa de alegría.*

–La reina tiene fama de haber sido una madre estricta y exigente, y el rey más comprensivo, más tolerante, ¿eso es así?

–He estado siempre muy encima de la educación de mis

hijos, llevándoles yo misma al colegio, hablando con el profesorado, siguiendo sus estudios... A los padres (al de mis hijos, y a todos) les es muy fácil y muy cómodo abrir la mano, y hacerse los simpáticos. Y a nosotras nos dejan el papel feo de ponernos serias, de exigir, de decir «a tal hora en casa». Yo he tratado de ser una buena madre: cuando ha habido que reñir, he reñido; cuando ha habido que mimar, he mimado. Pero sin hacerlos unos consentidos, y sin dar cachetes. ¿Alzar la voz? Pues... no voy a negarlo: algún grito, alguna vez.

–¿Es difícil aconsejar a los hijos sobre con quién se han de casar?

–Yo, como madre, quisiera evitar que mis hijos sufrieran, se llevaran desilusiones, tuvieran disgustos, fracasos, chascos, al encontrarse con que el mundo no es perfecto y las personas fallan... Me gustaría, claro, que ellos no padecieran nada de eso. Pero es una utopía. La vida tienen que disfrutarla y sufrirla ellos por sí mismos: ¡es su vida! Igual que yo he vivido la mía en primera persona. ¿Casarse con la cabeza? ¿Casarse con el corazón? ¿Y por qué ese dilema? ¡Con la cabeza y con el corazón!

–¿Y si hay un hijo que...?

–Si hay un hijo que... se quiere casar con quien no le conviene, con quien no debe ser, haces lo que sea por evitarlo. ¿Consejos? ¡Todos los del mundo! Pero, si no hay manera, si no atienden a razones, ¿qué vas a hacer? Pues acoger a la nuera, o al yerno, en tu familia. Y tratar de ayudarles a que el matrimonio funcione. Las bodas pertenecen a las vidas propias de los hijos. Son ellos los que eligen, son ellos los que deciden... Ahí, ni los padres ni nadie podemos forzar. Si entramos, lo estropeamos.

–Nos hemos puesto muy serias, majestad...

–Pues vamos a reírnos. Yo río mucho, y lloro poco.

–Ahí quería ir yo ahora, al «reino de las lágrimas». Vuestra majestad llora poco, ¿por educación?, ¿por autocontrol?, ¿porque es enjuta de lacrimales?

–La verdad es que estoy educada, desde niña, para no

llorar en público. Pero en privado tampoco soy llorona... No soy llorona ni blandita; pero si hay una emoción inesperada, se me saltan las lágrimas esté donde esté. Y no me preocupo ni poco ni mucho de aguantármelas... No me da vergüenza decir que lloro. Aunque no lloro sólo por una pena, por una muerte, por un disgusto... A veces lo que me emociona es algo bueno, algo de valor, algo muy bonito que no esperaba. Mira, por ejemplo, el otro día habíamos hecho una escapada a Palma, en septiembre. Íbamos andando por la calle. En éstas, pasamos por delante de una pandilla de chiquitos. Les oímos murmurar algo, «¡Que sí es!», «¡Que te digo que no es!». Lo típico. Entonces, uno de ellos, muy pequeño, un mico, viene caminando, como haciéndose el distraído. Se acerca a nosotros. –La reina escenifica el episodio de modo muy plástico: con los dedos índice y corazón de su mano izquierda imita las piernas de alguien que camina. Recorre así el brazo blanco de su sillón. Siempre con esos dos dedos plantados sobre la almohadilla costalera del sillón, evoluciona haciéndome ver al niño de Palma que va y vuelve...–. Llega. Me mira de refilón. Disimula. Se vuelve al grupo de sus amigos. Nosotros seguimos nuestra ruta. Oímos detrás exclamaciones sordas, como no atreviéndose... Entonces, el pequeño vuelve a acercársenos otra vez. Pero ahora, al llegar donde nosotros, se para, se planta y me mira, quieto ahí delante. Yo me paro también, para no atropellarlo. Y le veo ahí abajo, diminuto. Me mira como no creyéndoselo. ¡Qué mirada! ¡Qué brillo de ilusión, de candor, de maravilla en esos ojos! Ese crío estaba como alucinado, viendo en mí no sé qué cosa fantástica... Se me empañaron los ojos. Y te aseguro que nunca, nunca, nunca olvidaré esa mirada: ese niño me hizo... sentirme reina.

–De tantísimas cosas, buenas y malas, que le habrán dicho por la calle, ¿alguna le ha hecho mella?, ¿alguna le produjo una impresión singular?

–Una oye de todo, porque el pueblo español es muy espontáneo, muy expresivo, y no se muerde la lengua. Y a mí eso me parece estupendo. Pero sí, hubo una cosa que me dio... pellizco.

»Yo iba de un sitio a otro, en cierta ciudad, con un poco de séquito oficial, agentes de seguridad... De pronto, se abre paso una mujer de la calle, ruda, ordinaria, de aspecto hosco. Parecía que iba a echárseme encima. Los escoltas la paran, pero ella se abalanza sacando el cuerpo por encima de los brazos de los policías. Yo en estos casos me paro. Ella quiere decirme algo, y está en su derecho. Cuando ya tenía muy cerca su cara, esperando que soltase un insulto o una queja o lo que ella quisiera, me miró muy seria, y en voz baja, pero con mucha fuerza, silabeando cada palabra, me dijo: «¡Viva la madre que te parió!». ¡Viva la madre que te parió! Es el mejor piropo que una pueda oír jamás.

–La primera vez que subí a La Zarzuela para hablar con vuestra majestad, yo venía movida por un impulso, por el único impulso capaz de poner incandescente a un periodista: yo tenía una gran pregunta. Durante año y medio he tratado de buscar la respuesta. Hoy, a punto ya de acabar mi trabajo, pongo aquí delante aquella misma pregunta: ¿Quién es la reina? ¿Una mujer junto al trono? ¿Una mujer cerca del rey? ¿La mano que cuida del trono?

–La mano que cuida del trono tiene que ser, y es, la mano del rey. ¿Una mujer cerca del rey? No: la reina no es una mujer cerca... La reina es... la mujer que está al lado del rey.

XII

Tú, mi compañero,
triste de acontecer,
tú, que como yo mismo ansías lo que ignoras y tienes lo
que acaso no sabes,
dame la mano (...)
oh dame
la mano porque falta muy poco para saltar al regocijo,
muy poco para el absoluto reír y el descanso,
muy poco para la amistad sempiterna.

CARLOS BOUSOÑO, *Oda en la ceniza.*

El rey, avellanado y rubio, se parece cada vez más a sí mismo. Pero no se lo cultiva, ni se lo estudia, sino que él es así, y con los años ha ido cogiéndole las vueltas a su cuerpo juncal, a sus andares de marinero en tierra, a sus desorbitados gestos. Sus gestos campechanos, guasones, de complicidad desconcertante para el interlocutor. Recuerdo que Santiago Carrillo, *in illo tempore*, me comentó, después de visitar un día al rey en La Zarzuela: «Cómo se nota que Juan Carlos –Carrillo llamaba al rey, Juan Carlos, a secas; y supongo que a Kennedy lo llamaría John– se ha pasado toda su vida bajo la bota de Franco. Como persona hecha a vivir entre micrófonos ocultos, sabiendo que le espían, se ha acostumbrado ya a hablar con la mímica de los ojos, de las cejas, con los gestos de las manos, moviendo mucho los labios, pero sin emitir la voz...» Bueno, algo de eso hay. Y también, que el rey tiene un pelín de dureza de oído. Y luego, que es Borbón y Borbón, y un acróbata en lances difíciles, y un perito en el clic de la comunicación.

Eso de parecerse más y más a sí mismo nada tiene que ver con las horas de espejo, ni con el manierismo de la autoimitación. Es cuestión de errehache: de llevar acuñada en los genes su efigie, de frente y de perfil.

Traje gris. Corbata lila de seda natural. *Quel charme! Oh là là!*

En el despacho, todo esto, que me acuerde, después de una mirada en derredor: las paredes de madera clara, el gran *Atleta cósmico* de Dalí, un Alfonso XIII abocetado por Lazlo, la chimenea que no alberga fuegos, el repostero con el escudo de armas de Felipe V, la mesa de despacho –reproducción de un diseño Robert Adam del XVIII–. De la parte de allá, el asiento del rey. De la parte de acá, un sillón y dos sillas. Se ve que el rey despacha de tres en tres. Por las altas almenas de las estanterías, libros, retratos, soldaditos, chismes, cosas, y una nutrida colección de carabelas –reproducción de... ¿de plata?, ¿o de metal?

Me invita el rey a sentarme en el ambiente de las visitas, cerca de la chimenea, del Lazlo, del Dalí y del ventanal corrido desde el que intuyo el campo-jardín de La Zarzuela, ya anochecido porque es 5 de noviembre, y son las seis.

Son las seis, y entrando yo comienzan a sonar los carillones. Sobre esto quiero decir algo. No sé si es uno, que se deja oír cada cuarto de hora, o si son tres o varios, que suenan a menos veinte, a y veinte, y a la media. El caso es que yo nunca había tenido tal sensación de *tempus fugit* como hoy. Incluso he pensado mal: me he maliciado que si sería un artilugio perverso puesto en acción para recordar al visitante, cada pocos minutos, que no se puede hacer perder al rey su tiempo en vano.

¿Que por qué vengo a ver al rey?

Habrá mujeres que piensen que esto de abrochar y epilogar un libro so la capa del rey es un deje machista. Pues ni eso ni todo lo contrario: parece razonable que, durante hora y media, me hable el rey de la reina, ya que –sin querer o queriendo– la reina se ha pasado año y medio hablándome del rey.

Se sienta el rey. Me siento yo. Cruza las piernas. Él. Yo no. Pero en cierto momento se me caen los folios, y el rey se agacha bajo la mesa sin dejar que me incline a recogerlos. Si no fuese el rey, yo diría que es «todo un caballero».

–Bueno, ¿y de qué quieres que hablemos?

  –De la reina, majestad.

  –Mira, yo... empezaría por decirte que, nada más casarnos, ya tuvimos que compartir problemas. Porque, claro, yo quería volverme a España. Y ella también. Queríamos hacer nuestra vida aquí, pensando en servir a España, y en trabajar por la causa de la monarquía...

  –Lograr la Corona...

  –Yo me había pasado toda mi vida aquí, desde que era un niño, separado de mi familia (¡que eso se dice pronto, pero es muy gordo!), y no veía la razón para cambiar los planes, y tirarlo todo por la borda por el hecho de haberme casado. Por una parte, mi familia, mi padre, quería que viviéramos en Estoril. Y entonces, la familia de mi mujer decía que para qué íbamos a vivir como exiliados, siendo ellos los reyes de Grecia: que nos alojásemos en la casa de Psychico, en Atenas.

  »Después del viaje de novios fuimos a Grecia. Y, mira por dónde, una apendicitis de Sofía nos vino de pretexto providencial para alargar nuestra estancia en Atenas. Ni ella ni yo queríamos vivir en Portugal... Esto fue en octubre o noviembre de 1962. Estiramos la convalecencia todo lo que pudimos. Y ya en enero o en febrero de 1963, le dije a mi suegro, el rey Pablo: "Oye, tío (yo a él le llamaba 'tío', y a la reina Federica, 'tía Freddy')... oye tío, tienes que ayudarme con mi padre, hablar con él, o escribirle, para que entienda que tú también ves claro que mi sitio y mi futuro está en España. Franco me ha tenido y mantenido allí, mientras yo hacía el bachillerato, mientras yo iba a las academias militares, mientras yo estudiaba en la universidad, y no puedo decirle ahora: 'Mi general, adiós, y quede usted con Dios.' Ése era el arreglo entre mi padre y Franco. ¿Por qué no lo vamos a seguir?" El rey Pablo escribió una carta a mi padre.

Y así fue como nos vinimos a vivir aquí, a La Zarzuela.

»Bueno... Pilar, no sé si esto es lo que tú quieres que yo...

–Yo quiero que me hable de la reina.

–De la reina, claro. Cuando llegamos aquí, aunque entre ella y yo hablábamos en inglés, la reina, como es inteligente y tesonera, y tenía muchísimo interés, ya había cogido el español, el castellano. Conocía giros, palabras de argot... Entenderlo, lo entendía divinamente. Y hablarlo, lo hablaba bastante bien. Y sin acentos extraños. Ahora lo habla perfecto. Y hasta castizo. Ella, desde el momento en que nos comprometimos, quiso españolizarse, y se españolizó al cien por cien. Además, se fijaba... ¡ufff, cómo se fijaba! Y se ponía la peineta, y la mantilla. ¡Todo, quiso aprenderlo todo! Desde que salimos casados de la iglesia, ella se hizo a la idea de que su patria iba a ser España. Y rara vez me ha hablado de nostalgias...

–Doy fe, majestad: en las conversaciones que he tenido con la reina, jamás se ha referido a Grecia como «mi tierra», o «mi país», o «mi gente»...

–Se volcó en hacerse a España y en ayudar a que calara en los españoles la causa de la monarquía. Se metió ahí con una ilusión y una energía bárbaras. Y eso no fue una arrancada del primer momento, sino que iba a más, y a más, y a más... ¡Y ahí la tienes!

–«Soy española fetén», dicen que dice...

–Pues lo dice con razón. –Suelta una carcajada–. De recién casados se venía conmigo a los pueblos y a las fábricas. Y muchas veces eso no era nada fácil. No sé si ella te lo habrá contado, pero en Medina del Campo nos tiraron patatas. Y en otros pueblos nos tiraban cosas más blandas, pero que manchaban: huevos. Una vez, en Llodio, rodearon el coche nuestro en plan de gresca dura. Conducía yo. Entonces apareció una chica joven que vociferaba delante del coche. La princesa bajó la ventanilla, sacó la cabeza y le dijo: «¿Qué quieres? Ven, acércate, y dinos lo que quieres, pero no grites.» Bueno, la descuajeringó... ¡la desarmó! Total, que yo veía que tenía al lado a una mujer valiente, que se interesaba por las cosas de la política española, y por mi situación, y que me animaba en mi porvenir.

El rey ve que no estoy tomando notas. Y, listo él, enseguida me dice:

–¿Por qué no me preguntas tú?

–¿Cuándo se enamoró de la reina?

–Yo me enamoré en el año 1961, en la boda de los duques de Kent.

–¿Por qué se enamoró? ¿Qué le atrajo de ella?

–Hummmm... Me enamoré del conjunto. De todo lo que ella es. No de esto o de aquello. A ella le gustaba yo. Y eso, como hombre, me halagaba. A mí también me gustaba ella.

–¿Se enamoró apasionadamente? ¿O se dejó llevar por la conveniencia?

–¡Hombreeeee..., mujer! ¿Apasionadamente? Yo no soy un hombre que se enamore apasionadamente, perdidamente. –El rey hace una imitación burlona de un romeo de ojos en blanco y ohohoh–. Aparte de que, entre ella y yo, hablábamos en inglés. En inglés, oye, y a mí el inglés no es precisamente lo que más me... Vamos, que no es un idioma que me inspire y me apasione... Le dije: «Oye, Sofi, por qué no salimos un poco más y así vamos conociéndonos...» Entonces mi suegra la reina Federica debió de verme a mí bastante interesado, porque yo, la verdad, iba muy detrás de ella, y pensó «¡éste no se me escapa!». Y nos organizó unas vacaciones a mis padres, a mis hermanas y a mí, en Corfú, en Mon Repos. «Os mando un avión, y os venís todos», dijo. Y allí estuvimos con toda la familia de ella. Luego, como los padres de la princesa Sofía tenían que ir a Suiza entre el 11 y 13 de septiembre, nosotros dijimos: «Pues vamos todos, y allí nos hacemos novios de un modo oficial.» Así aprovechábamos para que fuese en presencia de mi abuela Gangan, la reina Victoria Eugenia, que vivía en Lausana. Pero va mi suegra y dice: «No, no. Ahora. Os hacéis novios aquí y ahora. Y la boda en octubre. No quiero que sea más tarde.» Nosotros nos negamos los dos de común acuerdo. Fue muy duro para mí, porque parecía que me echaba atrás... Y no me echaba atrás, pero no quería que me organizaran la vida. «Tenéis que fiaros de mí –les dije–. Tenéis mi palabra de caballero. Pero prefiero tomar cierta distancia, pensarlo bien, y que estemos más seguros de lo que hacemos.» Además, mis padres se habían ido ya de Corfú. Entonces mi suegra insistió en que había que oficializarlo ya, enviarles una nota, y que regresaran, para anunciar el compromiso inmediatamente. Quiso forzarlo tanto que, chica, estuvimos a punto de que todo se rompiera.

–Y luego, un buen día, se descolgó vuestra majestad con un anillo de pedida, sin avisar, ¿no?

–¡Ah, sí! ¿Te ha contado la reina lo del anillo... que se lo tiré por el aire? Un día, en el hotel Beau Rivage de Lausana, estaba mi suegro allí medio dormido, y le dije: «Tío, que vengo a pedirte la mano de tu hija.» «¿Qué dices?» «Pues, eso.» Y a la reina le tiré la cajita con el anillo dentro, «¡Cógelo, Sofi, que es para ti!», y tuvo que cazarlo al vuelo. Se sorprendió, claro, pero... yo es que soy así. Ellos querían hacerlo a su manera, y nosotros a la nuestra. Así que lo hicimos cuando nos pareció bien.

–También hubo sus más y sus menos antes de la boda, por la cuestión religiosa. Eso ¿qué?

–No fue para tanto, porque a ella no le importaba: en realidad no tenía que convertirse ni bautizarse, sólo era la adhesión al Papa, que lo hizo firmando un documento, en el barco aquel, el *Eros*, cuando ya estábamos casados. Era la misma religión, pero lo politizaron mucho, aquí en España, y también los griegos. Al final, quien lo arregló todo fue el papa Juan XXIII. Mi padre y yo fuimos a explicarle el problema, y nos permitió que hubiera dos ceremonias.

–Un miembro del Consejo de don Juan llegó a llamarla hereje...

–Es verdad. ¡Qué cerrazón! A ella le dolió muchísimo.

–¿A quién se parece más doña Sofía, al rey Pablo o a la reina Federica?

–Al rey Pablo. Ella sintió mucho que el rey Pablo no nos viera siendo ya reyes, porque él murió once años antes. Era una gran persona, una gran figura. Pero quien tuvo una enorme influencia en mi mujer fue la reina Federica. Podía parecer extravagante, estrambótica. Y no, no lo era. Ni entrometida ni mandona. No. Daba esa imagen, pero no... Tenía un carácter fuerte y un corazón de oro.

–¿Qué tal yerno era vuestra majestad?

–¿Respecto a mi suegra? Pues, mira, ya que me lo preguntas te lo voy a decir. Tuvimos nuestras agarradas. ¡Ya lo creo! Pero nos llevábamos muy bien, precisamente por eso: porque nos cantábamos las cuarenta. Ella a mí y yo a ella. Yo le decía las cosas muy claras... ¡Y, ojo!, ¡nos teníamos un respeto enorme!

–¿Para la reina Federica, su hija Sofía hacía una buena boda, o... un brindis al sol?

–En vísperas de casarme tuve una bronca con mi suegra, porque yo necesitaba retrasar mi llegada a Atenas veinticuatro horas, a petición del entorno de Franco. No tenía importancia. Pero ella se subió a la parra y empezó a decirme: «Pero tú ¿qué te has creído? Tú no eres más que un chico, un chico de nada, que se casa con la hija de unos reyes...» Y ya se me hincharon las narices, y le dije: «¡Un momento...! No se trata de andar aquí sacando los padres y los abuelos a relucir. Pero si te pones así tendré que recordarte, querida tía Freddy, que, aunque mis padres no estén reinando, soy nieto de reyes, y con bastantes expectativas de llegar a ser el rey de España...» Le dije que yo no era un don nadie. Que yo era alguien. Que yo era el príncipe de Asturias. «Además, políticamente –le dije a mi suegra–, mi vida está orientada a la causa monárquica en España, y debo moverme ahora con este sistema político. Sé lo que tengo que hacer. Y una de las cosas que tengo que hacer es aplazar mi viaje un día. Y no hay más que hablar.»

–Majestad, imagine por un momento que se ha muerto...

–¿Quién? ¿Yo? –El rey suelta una gran carcajada, muy divertido, y hace como que tiene clavada una espada en el pecho–. ¿Muerto yo?

–¡No, no...! Imagine que se ha muerto ella, la reina.

Quiero que diga qué le ha dado la reina, qué ha aportado en su vida...

–¿Y para eso tengo que imaginar que se ha muerto? ¡Si te oye...!

–Es que de los muertos se hacen mejores alabanzas...

–Cuando dos personas se casan, y unen sus vidas, ambas cambian. Cada uno influye en el otro. Ella, sobre todo al principio, me dio mucho. Aparte, que estaba la ilusión de todo lo que es nuevo, el intercambio de ideas distintas, la aventura de empezar una vida juntos. Yo creo que nos hemos aportado mutuamente. Ella conmigo ha aprendido unas formas de vida; yo con ella he aprendido otras. Mira, me viene ahora a la mente: mi abuela Gangan quería que la reina tuviera damas de compañía. Pero eso ya estaba más que trasnochado. Y ella dijo que no. Que esa dama de compañía podía ser, en un momento dado, una prima, la mujer de un ministro, o la de un gobernador, o una alcaldesa... Así que dijo que no. Y estuvo a la altura de los tiempos.

»Lo que más le costó fue salir de aquí, de palacio: hacer vida de ciudadana normal. ¡Fíjate tú, en cambio, mis hijas ahora...! Pero ella estaba acostumbrada a una vida de hija del rey; y además en una monarquía muy protocolaria como la griega. Allí, una princesa no podía tutear ni a los amigos de su hermano. Y tenían corte. Y lo que quisieran comprar, se lo llevaban a palacio. Por eso, al principio, le costó tener que ir a un restaurante como va cualquiera; y al cine, sacando las entradas; y a las tiendas y al dentista y a la peluquería... Luego le gustó mucho. Y enseguida quiso demostrar que se había adaptado, y empezó también ella a ir a clase a la universidad; y tuvo los hijos en una clínica, no en palacio; y, conduciendo su coche, llevaba a los niños al colegio. Entonces éramos príncipes, ni siquiera de España todavía, sin un estatus claro, y con muy poca seguridad policial. Pero la verdad es que se desenvolvió bien enseguida.

–Pero, majestad, mi pregunta era...

–Sí, voy a tu pregunta. Es que eso tuvo su mérito, y creo que debo subrayarlo. La reina no sólo ha sido siempre la compañera fiel, la, la... la esposa leal, y la persona que ha permanecido a mi lado: es que ella ha estado siempre de mi parte. En todas mis luchas. En todas mis dificultades. Y, como decimos entre nosotros, «cuando aquí no éramos nadie». O en las tensiones muy fuertes que yo tuve con mi padre: ella ha estado, ¡siempre!, de mi parte. Es muy duro, ¡du-rí-si-mo!, estar seis meses sin hablarse padre e hijo. Y así estuvimos don Juan y yo.

–Por cierto, ¿cómo superaron esa tensión? La reina me ha dicho que «un buen día, se encontraron padre e hijo, como dos personas que se descubren de nuevas». Pero no me ha explicado qué pasó, ni dónde ocurrió...

–¿No te lo ha contado ella?

–No, señor. Ni yo lo he leído en ninguna parte.

–Porque no está escrito.

–Pues sea maravilloso, majestad, y déme la primicia...

–Pero esto nos saca de la vida de la reina...

–Ah, no: ella dice «mi vida es la vida del rey».

–¿Dice eso? ¿Te lo ha dicho a ti?

El rey descruza las piernas, y las vuelve a cruzar en sentido contrario. Ahora ha puesto la derecha a horcajadas de la izquierda. Está mirando al fondo de la estancia: al repostero de armas. Aprovecho para averiguar de qué color son sus ojos. Felipe González, antes de conocerle bien, decía que azules. Y él, don Juan Carlos, un día le tomó por el brazo y le dijo: «Mírame a los ojos. ¿Cómo son? Azules, no. Verdes. Color uva.» El rey derrama su mirada por los anaqueles de la librería. Quizá esas alturas le ayuden en la evocación.

–Pues sí, fue así. Esto ocurrió en Lausana. Habíamos ido para una reunión de familia, después de la muerte de mi abuela. Era, me parece, un asunto de testamentaría o algo así. Diciembre de 1969 o enero de 1970. Mi padre y yo no nos hablábamos. Desde que Franco me había designado «sucesor a título de Rey». De pronto, don Juan me dice: «Oye, vámonos a tomar el té tú y yo solos.» Y nos fuimos. A una cafetería de la plaza de Saint-François. Nos sentamos.

Y hablamos. Yo le dije: «Mira, papá, desde que tenía ocho años yo he sido un mandado. Un mandado tuyo. Sólo he hecho lo que tú has querido. Tú quisiste que fuera a estudiar a España. Y estudié en España. Luego, porque te enfadaste con Franco, quisiste que me retirara de España. Y me retiré de España. Reanudasteis las relaciones. Y yo volví otra vez... Entre Franco y tú organizasteis el plan de mi vida como quisisteis. A mí no se me preguntaba ¿quieres?, ¿no quieres? Se me daba ya decidido. Y yo, a obedecer. No he hecho otra cosa que obedecerte...»

»Porque, claro, Pilar, eso era así, incluso, en planes de adulto: don Juan quería que yo fuese primero a la Universidad de Bolonia, y sólo después, a las academias militares. Franco (con muy buen sentido, me parece a mí) dijo que primero tenía que ir a las academias, y aprender la disciplina militar, y pasar luego a la universidad. Y esa experiencia es la que yo quise más tarde para mi hijo Felipe. El gobierno, que entonces era el socialista, prefería que el príncipe fuese antes a la universidad. Y yo les decía: "¿Pero qué sentido tiene que un hombre, con su carrera ya terminada y el título universitario en el bolsillo, se meta a vivir entre cadetes, atendiendo al toque de diana, y a hacer marchas...? ¡No lo aguanta, coge el portante y se larga!".

»Así que le dije a mi padre: "En todo he hecho lo que tú me has dicho. Tú me has ayudado a formarme. De ti he aprendido a trabajar para España y para la restauración de la monarquía. El haber sido nombrado 'sucesor a título de Rey' es una consecuencia de haber estado en España, porque tú me pusiste ahí. Yo no te lo pedí. Tú lo decidiste por mí. Y es lógico, de cajón, que haya ocurrido lo que ha ocurrido. Pero, tú, papá, no lo ves... porque tienes unos consejeros que no te dejan verlo. De todos modos, si tú crees otra cosa, dímela, papá, yo te oigo." Y entonces llegamos al meollo.

–¿Don Juan se sentía traicionado?

–Mi padre creía que yo no había jugado limpio: que yo le

había engañado. En junio, en vísperas de San Juan, la princesa Sofía, los niños y yo habíamos estado en Estoril. Del 22 de junio al 12 de julio.[1] Como a los pocos días Franco hizo mi nombramiento, a mi padre no le quitaba nadie de la cabeza el convencimiento de que yo esos días de Estoril ya lo sabía, y me había callado.

–Bueno... algo sabía, ¿no, majestad?

–¡Nada!

–Pero, cuando se iba a Estoril, Franco le dio una pista, con aquello de «al volver, venga a verme, alteza».

–Pilar, yo no lo sabía. Y así se lo dije a mi padre. Te juro por mi madre, te juro por mi mujer, te juro por mis hijos, que yo no lo sabía. Franco no me había dicho nada. Mi padre, en Estoril, intentó sonsacarme, porque rumores sí que había, muchos rumores: «Tú sabes algo y me lo ocultas. ¿No me lo quieres decir?» «¡Papá, yo no sé nada!» Y era verdad. Franco me había preguntado que cuánto tiempo iba a estar allí, y que cuándo iba a volver. Me dijo que tenía que verme a mi vuelta. Y cuando fui a El Pardo y me soltó lo de la designación, lo primero que le dije fue precisamente: «Mi general, ¿por qué no me lo dijo usted antes de marcharme a Estoril? Ahora mi padre no va a creer que yo no lo supiera.» Y entonces Franco me contestó: «Yo no podía pedirle a vuestra alteza que estuviera allí con ese peso en la conciencia, junto a su padre, y callando. En cambio, ahora que no están ustedes juntos, sí puedo pedirle que no diga nada. Ya seré yo quien se lo comunique a don Juan.» A pesar de lo cual, lo primero que hice, nada más llegar de El Pardo, fue, bueno, decírselo a la princesa y, enseguida, coger el teléfono y llamar a mi madre. «Mamá, hay esto: Franco me ha anunciado que me va a nombrar "sucesor"... Y le he dicho que sí. No me ha dejado ni un día para pensármelo.» Ah, a quien

---

1. Según López Rodó, Vilallonga y Anson (*op cit.*) y la reina Sofía en este mismo libro, son otras las fechas de estancia en Estoril. Pero fiándome de la magnífica memoria borbónica del rey Juan Carlos, transcribo como dato histórico las que él me da en esta conversación.

también llamé para decírselo fue a Torcuato Fernández-Miranda.

»La reacción de mi padre fue... tremenda, tremenda. Hasta había llegado a escribir una carta a todas las familias reales, manifestándoles su disconformidad con mi designación. Esto hubiese sido un varapalo muy duro. Y la tuvo escrita, eh, pero no llegó a enviarla, porque José María Pemán y otros intercedieron en ese sentido.

»Así que, aquella tarde, tomando el té en la plaza de Saint-François, le dije: "Papá, lo mío es consecuencia de tu decisión. Yo he sido siempre un mandado. Objetivamente, yo tengo más probabilidades de reinar que tú. Pero no estoy seguro. Franco puede cambiar de actitud. Lo que sí te puedo decir es que nos necesitamos los dos. Yo desde dentro, y tú desde fuera. Porque yo, dentro, estoy completamente rodeado y vigilado, y no puedo tener contactos con la oposición. Y tú, fuera, sí puedes. Y sólo de esta manera podré hacer una monarquía democrática, para todos los españoles, piensen de una manera o piensen de otra."

»Mi padre me escuchó muy callado. Luego me dijo: "Me cuesta creerte." Y así estuvimos un rato: él diciendo que yo lo sabía, y que le había engañado; y yo negándolo. Hasta que al final: "Venga, prefiero creerte... ¡Dame un abrazo!" Y allí echamos nuestras lágrimas los dos, y nos dimos nuestras palmadas en los hombros.

»A partir de ahí, fue mi mejor consejero y apoyo. Y mi mujer, encantada. Porque eso era algo que estaba nublando mi vida. Y, por tanto, la suya.

–Por lo que acaba de decir, ¿vuestra majestad, en 1969, ya pensaba hacer una democracia?

–Sí. Yo pensaba que el franquismo no podría continuar después de Franco. De ninguna manera. Por eso, cuando juré lealtad a las leyes del franquismo y a los Principios del Movimiento, tenía la preocupación de incurrir en perjurio. La misma tarde de la jura telefoneé a Fernández-Miranda y le pregunté: «Torcuato, ¿esto se puede jurar y luego cambiarlo... sin ser perjuro, ni que puedan llamarme perjuro?» Y él me contestó: «Sí. Con toda normalidad. Una ley, del mismo modo que se hace, luego se deshace. Además, esa Ley Orgánica del Estado contiene en sí misma el principio de su propia transformación. El franquismo legal se puede cambiar desde dentro.» Y me repitió lo de «ir de la ley a la ley».

»Pero eso, que yo no iba a continuar el franquismo, el mismo Franco lo sabía. Recuerdo las veces que acompañaba al *caudillo*, al Valle de los Caídos, por ejemplo, y él me decía: "Alteza, no tiene por qué acompañarme. Esto es un asunto mío, no suyo. No tiene por qué venir." Franco no decía más, pero "a buen entendedor, pocas palabras bastan". Él sabía que yo no iba a ser "el rey del Movimiento", como algunos pretendían.

—¿Cuál fue la actitud de la reina, la princesa Sofía entonces, cuando vuestra majestad decide ir a pie detrás del armón con el féretro de Carrero? ¿Intentó disuadirle? Ella me ha dicho que la reacción de Franco fue «quedarse sin reacción».

—Pues te lo ha dicho tal como fue: Franco se quedó *groggy*, fuera de juego. Todo el mundo estaba consternado y sin iniciativa. La verdad, lo de ir a pie, jugándomela, detrás del armón fue un trago, eh...

Recuerdo que cuando la reina me contó este episodio, se llevaba las manos a la cabeza porque «Juanito, en esas veinticuatro horas, se fumó ¡sesenta pitillos!». Agarró una intoxicación terrible, y dejó de fumar durante muchos años.

—Había mucha gente que me decía que no debía ir. Y yo insistí en que tenía que hacerlo. «Si yo ahora me arrugo –les decía yo–, la gente va a pensar que no tengo... lo que hay que tener. En ese momento, lo que hacía falta era que alguien le plantara cara al miedo. Y, también, que dentro y fuera de España se percibiera la imagen de un futuro nuevo, distinto. A la princesa, al principio le costaba que yo me arriesgara. Pero en ella hay muchos siglos de educación en el valor, en el servicio, en la disciplina... Y me animó. ¿Ves? Otra vez que estuvo a mi lado.

—¿Y cuando lo de *la marcha verde* y vuestro viaje a El Aaiún?

–Eso fue, precisamente, el día del cumpleaños de la princesa Sofía: el 2 de noviembre de 1975. Reuní aquí, en La Zarzuela, al presidente Arias, al ministro del Ejército, Coloma Gallegos, a los altos mandos militares, al ministro de Exteriores, que era Cortina Mauri... Y les dije: «Voy a ir». Yo quería demostrar a las tropas que estaba con ellas y al frente de ellas. Y hacer un gesto, para que Hassan tuviera salida de plata y retirara su *marcha verde*. Antes de la reunión política, yo lo había hablado con la princesa, con Mondéjar, con Armada, y con Cortina en el salón... Y ella, lo recuerdo bien, me dijo que tenía que ir, que le parecía formidable y que en aquel momento mi sitio era ése. No, a la reina siempre le sale la mujer brava y valiente que lleva dentro.

–Hablando con la reina, me ha llamado la atención su exquisita referencia a la hija de Franco, siempre que la mencionaba.

–Es que con nosotros, conmigo, en las dificilísimas horas de suceder a Franco, Carmen se portó muy bien: como una señora, y como una amiga leal. Ella sacó el documento del testamento, en el que Franco pedía que se pusieran todos a mi lado.

–¡Menudo salvoconducto, en ese momento!

–¡Pues, sí! Y podía no haberlo sacado, porque nadie sabía que ese testamento existiera. «Esto me lo dictó mi padre», dijo. Ése fue un gesto que ni la reina ni yo podemos olvidar nunca.

–¿Vuestra majestad no tiene mal recuerdo de Franco?

–No. Él a mí me tenía cariño. Eso uno lo nota. La princesa también lo notó enseguida. «Franco se alegra cuando te ve –me decía–. Le gusta tenerte cerca.» Y la familia de Franco, con nosotros, se portaron muy bien. Franco podía no haber dado paso a un rey. Y, chica...

Arquea las cejas, rubísimas cejas, frunce los labios y pone cara de decir ¿qué más quieres? ¡...ya ves yo dónde estoy!

Me entra risa. Y el rey se anima a narrar una batallita graciosa.

–No sé si te lo habrá contado ella, pero cuando fuimos al Pazo de Mairás, la primera vez... ¿lo sabes ya?

–Quizá, pero no en «versión rey».

–La primera noche que dormimos allí, nos pusieron dos camas. A la hora de acostarme, va y me siento en la mía, para quitarme los zapatos, y ¡zas, plas! se rompe todo, se vienen abajo los barrotes, la cabecera, el somier... ¡Bueno, no veas la que se armó en un minuto! Y ella me decía: «¿Qué vas a hacer?» Y yo: «¿Que qué voy a hacer? ¡Pues dormir!» Yo duermo en el pincho de una bayoneta. Me tumbé con el colchón en el suelo, y dormí como un lirón, toda la noche.

Hace rato que, de vez en cuando, miro de soslayo una fotografía en color que hay en una de las estanterías. No la veo bien. No la identifico. Parece una chica joven y guapa. El rey sigue la dirección de mi mirada. Sonríe. Se levanta. Va junto a la librería, alcanza la foto enmarcada, y me la acerca. Es la infanta Cristina. Me lee la dedicatoria: «Al mejor padre del mundo, con todo el cariño del mundo.» Y me guiña un ojo, con picardía. La deja donde estaba. Exactamente donde estaba. Ya me habían dicho que el rey era un hombre muy ordenado. Aprovecha el viaje, y vuelve con otra fotografía. Color, apaisada y tamaño postal. Jaime de Marichalar y la infanta Elena, con ropa deportiva, en algún paisaje trópico. Esta vez, el rey no me lee la dedicatoria: me la recita de memoria, sin mirarla: «Una foto muy "especial" de un viaje muy "especial" para un doble padre muy "especial". Elena y Jaime.»

–Volviendo a la reina, tengo que decir también que ha sido una madre sensacional. Pocos hijos en este mundo han podido tener la atención absolutamente volcada de una madre como la han tenido mis hijos. No los desatendía nunca. Y eso que venía conmigo a todos los viajes.

–Ah, a propósito, cuando le he preguntado por las relaciones afectivas entre el rey y la reina, me ha dicho «Soy su compañera, somos compañeros de viaje».

–Es verdad: es mi compañera de viaje.

–¿Sabe que la reina me ha dicho que ella es «cualquier cosa, menos una profesional»?

Don Juan Carlos pone cara de medio compungido. Saca

los labios en morro. Mueve los ojos de un lado para otro... con una mímica simpática y la mar de expresiva.

–Pues..., chica, ¿qué quieres que te diga? Yo sigo pensando que es una gran profesional. Pero es que, además, tenemos que serlo: el rey, la reina, el príncipe Felipe. Yo a veces a mi hijo se lo digo: «Oye, no te creas que esto está ganado *pa'siempre*. Aquí hay que ganarse el sueldo día a día. Yo no puedo tumbarme a la bartola. Si nos tumbamos a la bartola, "nos botan". Y no hay que mirar horarios, ni cansancios, ni apetencias...» Y hay que ir a lo que marca la tabla, y recibir a éste, y prepararse un discurso, y aguantar el acto tal... Porque ya te puedes imaginar que a muchísimas cosas a la reina, o a mí, o a nuestros hijos... no nos apetecería ir. Pero ni nos lo planteamos. Y en ese estar siempre en el tajo consiste, pienso yo, lo de ser profesional. Profesional, o... búscame otra palabra, ¡llámale hache! Y si no, no he dicho nada.

Hace el gesto de cerrarse los labios, de comisura a comisura, con una imaginaria cremallera.

Suena oportunísimamente el enésimo carillón de la tarde. Apagado el eco de las últimas campanadas, el rey toma de nuevo la cuestión; habla erguido, aplomado, resuelto:

–Si un rey te dice que hay que ser profesional, y ganárselo cada día, y que un príncipe no puede tumbarse a la bartola, te está diciendo mucho. Te está diciendo que un *piernas* no puede ser rey. Te está diciendo que la corona hay que trabajársela cada día de cada mes de cada año. Y te está diciendo que, si el pueblo le vuelve la espalda, tiene que liar los bártulos y marcharse a su casa. O sea...

Le hablo al rey de esa que yo llamo «fotografía de las lágrimas». Y veo que no necesito explicar a cuál me refiero.

–¡Ah, sí, es una foto preciosa! Una foto natural, espontánea, muy expresiva.

–¿Verdad que sí? Pues... no le gusta.

–¿Cómo que no le gusta? ¿A quién no le gusta?

–A la reina no le gusta.

–¡Qué me dices!

–Sí, a ella le parece horrible. Eso me dijo.

El rey se queda «parado». Sorprendido. Mayormente, extrañado.

–¿«Horrible» te dijo? ¿Por qué? ¡Pero si ella quería mucho a don Juan! Y esa foto es muy bonita, porque se la ve llorando por mi padre...

–No sólo por su padre, creo yo. También por la pena del rey.

–Sí, ella lloraba con mi pena, por mi pena. Esa foto... ¡ésa es la foto de la compañera! ¿No te ha explicado por qué no le gusta?

–A lo mejor tiene una explicación tan sencillamente presumida como que... a las mujeres no nos hace gracia que nos saquen llorando.

–Sí, eso puede ser...

–El pudor de las lágrimas.

Siento cargo de conciencia: ¿alevosamente le habré metido un perdigonazo al rey? Se ha quedado el hombre atónito, perplejo. La reina diría «mosqueado». Como si cayera del guindo de las complejidades y sutilezas del alma femenina. Ahora quiere salir del atasco. Y me lanza un discurso magnífico.

–La reina es una mujer con un gran universo de intereses: es una gran defensora de las bellas artes, de la música, de la filosofía, de muchas empresas humanitarias... Le preocupa, pero le preocupa de verdad, la violencia, la droga, la marginación de cualquier tipo, la crueldad en la televisión, el tercer mundo, las mujeres rurales... Tiene una vida muy rica. No sabe lo que es aburrirse porque está abierta a muchísimas inquietudes y aficiones. A ella lo que no le divierten nada son las cosas de la casa. –Se echa a reír con picardía–. Yo a veces se lo digo, para hacerla rabiar: «Mujer, ocúpate un poco de la casa.» Y me contesta: «No me gusta.» Lo que sí le gusta es ir de compras. Eso sí. Comprar cosas para la casa, para los hijos, para mí... Pero lo del coser o lo del guisar, eso, nada, no le gusta nada. Que las cosas estén bien hechas, bien servidas... eso sí. Por ejemplo, para la boda de mi hija Elena, se fue a Sevilla y lo supervisó todo, mirando las mesas y las copas y hasta la última cuchara. Lo que se iba a servir, lo que no se iba a servir...

»Pero, sobre todo, es una mujer muy de familia. Disfruta con las fiestas familiares, las celebraciones, los cumpleaños... Tenernos a todos juntos. Eso le pirra. Ahora ya no tanto, porque los chicos se van por su cuenta, a su aire; pero, cuando eran más pequeños, los guateques, las fiestas con baile, eso ella se lo organizaba todo aquí, para que no tuvieran que irse por ahí. No porque quisiera mangonear, pero sí para tenerles más a la vista. Siempre ha querido saber qué hacían sus hijos, dónde estaban sus hijos, si les faltaba algo de algo a sus hijos... Una madraza tremenda.

–En esto de la educación de los hijos, los reyes han tenido criterios enfrentados, ¿no?

–Sí, sí. Ése ha sido uno de los temas por los que hemos tenido más discusiones. Yo soy más liberal, más abierto. Y ella más exigente, y más protocolaria. Bueno, no exactamente, aunque sí es más cuidadosa de las formas, de los respetos tradicionales... Tenemos puntos de vista diferentes sobre cómo llevar la formación de los hijos. Porque empieza que si a dónde vas, que si con quién, que si por qué, y a ellos al final se les acaban los porqués. Yo le digo a ella: «¡Pero, mujer, déjales...!»

»Mira, para que te hagas una idea de cómo le ha preocupado, de siempre, el asunto de los hijos: el día de la jura como rey, cuando íbamos los dos en el coche descubierto, saludando a la gente, y yo, quieras que no, sobrecogido por la impresión y por la emoción de empezar un reinado, ¿qué piensas que le tenía a ella más en vilo en esos momentos?

Pues que los niños iban en otro coche, y estaba preocupada por si ellos sabrían hacerlo bien, saludar, comportarse...

–¿Y eso es malo, majestad?

–¡No! ¡Qué va a ser malo! Si yo lo digo en elogio de ella. Pero también digo que es el colmo de preocupona.

»Eso sí, en política no se mete. No es una persona que quiera inmiscuirse en lo que son mis atribuciones. En absoluto. No oirás nunca a nadie diciendo que si la influencia de la reina, que si la reina teje y desteje, que si compone situaciones...

–He tenido la suerte, porque lo considero una suerte, de haber escuchado a la reina una larga y profunda explicación sobre su estatus de reina consorte. Y me parece, majestad, que tiene las ideas muy claras y muy en su sitio acerca de cuál es su papel. Y como he leído las memorias de la reina Federica, que, página sí, página también, está haciendo la crónica de sus injerencias y excursiones por territorios políticos, pienso que tiene un gran mérito «autodidacta» que nuestra reina haya captado tan requetebién las limitaciones de una monarquía parlamentaria. Y algo mucho más difícil: que haya asumido un rol de reina para quien todo son obligaciones, sin que pueda reclamar ningún derecho.

–Cuéntame, ¿qué te ha dicho de ser reina consorte?

–¡Huyyyy, majestad, eso es todo un capítulo de mi libro!

–¿Pero ella se llama a sí misma «reina consorte»?

–Por supuesto: «Soy reina porque estoy casada con el rey.» «Mi estatus es consorte del rey.» «Si no fuese la esposa del rey, su consorte, yo sería sólo lo que soy por mí misma: princesa de Grecia, y punto...» Claro que también agrega, y con razón: «Aunque se muera mi marido y reine mi hijo, y haya una reina nueva, yo ya seré reina Sofía hasta la muerte...»

–Sí, tú dices de la reina Federica... Pero es que hay ciertas diferencias entre la monarquía de Grecia, tal como la conoció mi mujer, en tiempos de su tío Jorge, y en tiempos del rey Pablo, y la monarquía que hay hoy en España. Allí, el primer ministro no podía hacer nada sin contar con el rey. Y el rey podía disolver el parlamento, y no firmar una ley, y encargar la formación de gobierno a quien de verdad él estimase conveniente, y tomar muchas otras medidas importantes.

–En algún momento, me dijo la reina: «Esta combinación de monarquía y democracia, nunca la hubo así en España. Esta nueva monarquía es un invento, un buen invento, de mi marido.»

–¡Ah! ¿Eso dice? –Se ríe, halagadísimo, como un cóndor pavonado y con gorguera.

–Majestad, ¿cómo se nota la presencia de la reina, y cómo se nota su ausencia? ¿Se nota si está en casa, o si no está?

El rey comienza a entrecerrar los ojos, llenos de pestañas rubias, como si quisiera columbrar una respuesta fina, tenue, leve. Como si quisiera perseguir un milano. Busca así, entornado y a tientas, por las altas barandas de su imaginación...

–Se nota. No sé, no sé, no sé cómo se nota, pero se nota. Yo lo noto. No sabría explicarlo, pero sí que se nota. Yo entro aquí, en casa, y al muy poco rato sé si está o si no está.

–¿Por qué lo sabe? ¿Cómo lo percibe? ¿Apaga las luces?, ¿alza las ventanas?, ¿o es una *esencia de mujer*?

–No te creas tú que ella es de las que van apagando luces... Apago más luces yo. Ella lo guarda todo en cajas y cajitas... Pero soy más ordenado yo. Yo tengo un desorden ordenado. ¿Ves esa mesa? –Veo esa mesa–. Aunque no lo parezca, porque hay muchas cosas encima, yo en medio minuto te encuentro cualquier papelito.

–Así, a bote pronto, majestad, dígame una cosa, sólo una cosa, en la que sean como la noche y el día...

–¡Ufff, tantas! ¡En casi todo como la noche y el día!

–Eso en parejas es muy sano.

El rey no me ha oído.

–Yo soy, pues..., como soy yo: extrovertido, patalallana, descomplicado... La reina es introvertida. Le dices una cosa, y se le queda dentro, y la va pensando, la va pensando, la va pensando... –En cada «lavapensando», el rey va moviendo las manos, con ese ritmo, con esa cadencia, haciéndolas girar de fuera adentro, una en torno a la otra, como las palas de una amasadora de pan–. Y todo eso lo va madurando. A veces le dices algo, y le duele, y se le queda dentro...

–¿Es rencorosa?

–¡No! ¡Jamás guarda rencor! La reina no sabe lo que es el rencor. Si el verbo no fuese tan feo, te diría que rumia las cosas por dentro. Interioriza mucho. Y es lenta en sus reacciones, porque no le gusta improvisar, o no quiere, o no sabe. Eso también tiene sus ventajas: piensa más, decide mejor, va más segura a los asuntos, y... ¡pisa menos callos!

–Y esos núcleos de amistades que cultiva vuestra majestad: los compañeros de promoción de las academias militares, los de las facultades universitarias, el grupo antiguo de Las Jarillas, los del balandrismo... ¿le provocan celos a la reina?

–No. De todos modos es una cosa que yo me reservo; porque si entra la reina, enseguida cambia el trato. Y empiezan todos con «majestad» por arriba, «majestad» por abajo, y lo que era una reunión distendida se convierte de repente en algo protocolario. Sin ella querer. Pero ocurre así. Estos grupetes, yo me los reservo.

Calla el rey. Pasa un ángel, que dicen. Se ve que le ha sobrevenido una idea, un recuerdo, algo, no sé, que alegra su mirada.

–Cuando cumplí los cincuenta años, ella me organizó una reunión sorpresa, formidable. Le gusta mucho sorprender... Y localizó y citó y convocó a un montón de amigos míos, portugueses, italianos, españoles, y algún francés, a los que hacía mucho tiempo que yo no veía. Cuando ella cumplió los cincuenta, yo hice lo mismo. Le traje familiares de media Europa. Pero la idea original había sido de la reina.

–Pero ¿la reina es celosa?

Me mira. ¿Se siente obligado a responder? Duda si contestar. Lo privado, lo público, lo regio... Inicia un leve balanceo de cabeza, a derecha, a izquierda, a derecha...

–Sí... Y no. Con esto de los celos, te sorprende. Yo diría que es celosa, pero de un modo elegante. Es celosa con dignidad.

–¿Alguna vez le ha hablado ella de dónde quiere que la entierren cuando muera?

–¡Oye, chica, te ha dado hoy por la muerte...!

–Majestad, cuando se escribe un libro hay que preverlo todo...

–No recuerdo yo... no... no creo que hayamos hablado de eso entre nosotros... Pero... me da que no le gusta El Escorial.

–Eso es lo que me ha dicho a mí: que «ya están llenos los cajones».

–A mí me dice que es un lugar tétrico. ¡Tampoco a los muertos se les lleva a los toros...!

–¿Dónde le gustaría a ella?

–Hummmmm... –Se gira hacia el ventanal. Señala con el pulgar y arqueando mucho las cejas, con cara de horror, añade–. ¡Ahí...! Yo creo que ahí...

–¡¿En el jardín?!

–Sí, ahí, en el jardín de casa. Al estilo Tatoi. ¡Todos ahí...!

–¿Y nunca le ha dicho que querría que la incinerasen y esparciesen sus cenizas por el Mediterráneo y por el Egeo?

–Pues no, no me lo ha dicho nunca. Pero... es una idea que le va.

Ahora el rey se queda pensativo. Juguetea con el anillo que lleva siempre en el dedo meñique.

–Fíjate... Yo creí que eso quien me lo iba a pedir sería mi padre. Él, almirante, con su barco siempre en el mar... Y como no había llegado a ser rey, y a lo mejor pensaba que no tendría sitio en El Escorial... La verdad, sí pensé que mi padre me lo iba a pedir. –Le veo tragar saliva, para deshacer el nudo en su garganta–. Y me preparé por dentro, porque eso es un palo, ¡eh! Pero no me lo pidió. Y allí lo tenemos, en El Escorial.

–Una pregunta al rey, que ya se la hice a la reina: ¿aconsejaría al príncipe Felipe casarse atendiendo a la cabeza, o atendiendo al corazón?

–Yo creo que, aunque suene mal, el príncipe Felipe ha de mirar que la persona le convenga. Su mujer tendrá que saber hacerlo bien; tendrá que estar a todo; y esta vida nuestra es de mucho tute y, no pocas veces, de mucha tensión.

»Yo lo tengo muy claro. De vez en cuando le dejo caer algo, así, un poco por elevación, como quien no dice nada: "Felipe, tú trata de conjugar el corazón y la razón."

»Y sé bien lo que digo: ser rey no es fácil. Ser reina no es cómodo. Ella no se queja, pero ser reina no es cómodo.

–Majestad, lo último que le oí a la reina fue: «Yo soy la mujer que está al lado del rey.»

–¡Y es verdad! Ella ha estado siempre a mi lado y de mi parte. Ella me ha ayudado siempre. Ella es... mi compañera.

Como si lo sellara con lacre, repite:

–Mi compañera.

Y se queda quieto, rubio, avellanado, belfo y de perfil.

* * *

Al final, una recoge sus bártulos de oficio de escribir, y baja por la cuesta consabida. Las intuidas ciervas, quietas y esculturales, o fugitivas trémulas. Las encinas desnudas de noviembre. El cedro mutilado por un rayo. Los cardos cenicientos. Los jaramagos no sirven para nada. Pero son jaramagos, y ahí están. Los celajes de nubes en su viaje hacia ninguna parte. Los soldaditos jóvenes, azul y caqui, de la Guardia Real.

Todo fue un ejercicio: tantear cercanías. Una finta. Un intento de abrir la intimidad. Palpar la herida. Entrar. Mirar a quemarropa. Sorprender la palabra prohibida. Preguntar y robar la respuesta, la altanera o la impúdica o la torpe respuesta que no te van a dar. Los reyes miden mucho sus palabras.

Al cabo, treinta o cuarenta horas escuchando, mirándola de cerca, amasando –los gestos, las palabras, las risas repentinas, el color de la piel– un pan para la Historia. Para bajar la cuesta sabiendo que es muy poco lo que sabes. En la media distancia del respeto no te contarán más.

Los reyes y las reinas no airean sus secretos. Posan para los bronces, los libros, los retratos, los jueves por la tarde. Y sólo quieren salir favorecidos. Y que nunca se diga aquello que no debió decirse. Y que nunca se sepa aquello que no debió ocurrir. Una ya lo sabía: los reyes y las reinas se aman, se desaman, juegan al paddle, ríen, se insultan, lloran, piensan bien, piensan mal, engendran hijos, con grandes ceremonias los bautizan, los casan, o los quieren casar... pero todo lo hacen dentro de su hornacina de la Historia. Ni un paso más allá.

Así y con todo, en estas... *romerías* a la reina yo no vine a fisgar. Yo vine a dar respuesta a una sola pregunta. Y la llevo cabal y bien cabal.

Vista de cerca, ella es quien yo intuía: un soporte, un valor, un aval.

El ejercicio de la realeza no estriba sólo en ser: es, y de qué manera, una cuestión de estar. Estar. Hilar. Parir. Cuidar la casa. Estar. Estar y vigilar. Ah, *cor meum vigilat* (la esposa del *Cantar*). Sin siestas, ni evasiones, ni ausencias, ni trampillas ocultas, dobles fondos por donde escapar. Que en esto de los reyes –piénsenlo bien, a fondo–, se es sólo si se está.

Y a mi pregunta de *¿quién es la reina?*, con sabio instinto de raíces viejas, ella responde *yo soy... la que está.*

Esta reina Sofía, porque sabe *ser* reina, nos cuida y garantiza muchas cosas... tan sólo con *estar.*

El Soto, *15 de noviembre de 1996*